Helmut Gollwitzer

Forderungen der Umkehr

Aussichten des Christentums.

Die Christen und die Atomwaffen.

Erfahrungen mit Weihnachten.
(Kaiser Traktate 8)

Die Existenz Gottes im Bekenntnis des Glaubens.
(Beiträge zur evangelischen Theologie, Band 34)

Gottes Offenbarung und unsere Vorstellung von Gott (vergriffen).

Ich frage nach dem Sinn des Lebens.
(Kaiser Traktate 11)

Jesu Tod und Auferstehung.
Nach dem Bericht des Lukas.

Die kapitalistische Revolution.

Krummes Holz – aufrechter Gang.
Zur Frage nach dem Sinn des Lebens.

Reich Gottes und Sozialismus bei Karl Barth.

Die reichen Christen und der arme Lazarus.
Die Konsequenzen von Uppsala (vergriffen).

». . . und führen, wohin du nicht willst«.
Bericht einer Gefangenschaft (vergriffen).

Veränderungen im Diesseits.
Politische Predigten.

Vietnam, Israel und die Christenheit.

Von der Stellvertretung Gottes.
Christlicher Glaube in der Erfahrung der Verborgenheit Gottes. Zum Gespräch mit Dorothee Sölle.

Vortrupp des Lebens.

Zuspruch und Anspruch.
Neue Folge. Predigten aus den Jahren 1954–1968. Mit einem Nachwort des Verfassers.

Helmut Gollwitzer
Forderungen der Umkehr
Beiträge zur Theologie
der Gesellschaft

Chr. Kaiser Verlag

CIP-Kurztitelaufnahme der Deutschen Bibliothek

Gollwitzer, Helmut
[Sammlung]
Forderungen der Umkehr: Beitr. zur Theologie
d. Gesellschaft.

ISBN 3-459-01044-4

Umschlag von Ingeborg Geith
Gesamtherstellung: Georg Wagner, Nördlingen
Printed in Germany

Friedrich Wilhelm Marquardt
Michael Theunissen
Gabriele und Bastiaan Wielenga
dankend für Freundschaft
und
Anregung zum Weitergehen

Inhalt

Vorwort

Diese Zusammenstellung von schriftlichen Niederschlägen meiner Arbeit seit 1965 erscheint zu einem Zeitpunkt, da die Wellen, die in diesem Zeitraum von der jungen Generation in vielen Ländern, so auch in Deutschland, ausgegangen sind, abgeebbt sind. Dieser Zeitpunkt ist auch der Anlaß des Erscheinens. An die Stelle der Bewegung, von der auch meine Arbeit als Hochschullehrer, wie es sich gehört, stark beeinflußt worden ist, tritt nun die Gegenbewegung, die Reaktion derjenigen, die sich durch den Aufstand der Jüngeren so tief in Frage gestellt sahen. Mit Radikalen-Erlassen und Berufsverboten wird die Rache für so viel Verunsicherung und Spott an den aufständischen Teilen der jüngeren Generation vollzogen. Darüber hinaus treffen die staatlichen Einsparungen mit voller Wucht diese ganze Generation. Deren Zukunftslosigkeit vor Augen habend, ziehen die Nachwachsenden die Köpfe ein, obwohl ihre Schul- und Hochschulbedingungen noch desolater sind, als diejenigen es waren, an denen damals der Aufstand sich auslöste. Sie werden so fügsam, wie deutsche Demokraten, denen die »freiheitlich-demokratische Grundordnung« zu einem polizeilichen Knüppelbegriff geworden ist, es sich wünschen. In solcher Luft dürfte es angebracht sein, zu sammeln, was in den stürmischen Jahren gesagt worden ist, damit es – vielleicht – in der Zeit des Gegendruckes weiterwirken kann.

Die Jahre der Protestbewegung haben für den Hochschullehrer, sofern er sich nicht verschloß, vor allem zwei Veränderungen gebracht: Die Lehrveranstaltungen verloren das rituelle Verhältnis vom Dozieren und Rezipieren; sie wurden statt dessen zu Schauplätzen eines permanenten Ringens – oft gemeinsam, oft genug auch gegeneinander – um neue Zugänge zu der einer Wissenschaft aufgegebenen Materie. Und: jede Wissenschaft wurde in ihrer Selbstzwecklichkeit bestritten und mußte sich befragen lassen nach ihrer gesellschaftlichen Relevanz, nach ihrem positiven oder negativen Beitrag zur Humanisierung – und das heißt auch: zur Emanzipierung, zur realen Befreiung – der Menschen in der Gesellschaft. Die Lehrenden wurden dadurch mit den Lernenden in einen gemeinsamen Lernprozeß hineingezogen, durch den Formen wie Inhalte der traditionellen Lehrübermittlung verändert wurden. Für die Theologie habe ich diesen Prozeß als besonders fruchtbar empfunden. Das wurde mir durch die Erfahrungen bestätigt, die ich die Studenten mit der Theologie machen sah: einerseits attackierten sie gerade Theologie und Kirche mit lustvoll radikaler Hinterfragung, Marxsche und Freudsche Religionskritik oft reichlich unbefragt wie Axiome voraussetzend. Andererseits waren sie dauernd mit Entdeckungen beschäftigt; es war eine sozusagen naive und nicht dogmatisch programmierte sola scriptura-Entdeckung: der so kritisch betrachteten Kirchen- und Christentumsgeschichte vorgelagert wurde die biblische Tradition entdeckt mit ihrem revolutionären Potential, in ihrem kritischen Verhältnis zur Geschichte und gegenwärtigen Wirklichkeit der Kirche, mit ihrer subversiven Wirkungsgeschichte in den Außenseitern der Kirchengeschichte. Der Lehrende wurde in diesen Entdeckungsprozeß hineingezogen und konnte ihn als der Kundigere ausweiten durch Erschließung auch solcher Bereiche der biblischen und theologischen Tradition, die zunächst aus Vorurteil mißachtet und ausgeklammert waren.

Für mich selbst brachten diese an neuen Fragen und neuen Aufgaben so reichen Jahre keine Verschiebung der Thematik meiner Arbeit, wohl aber deren Akzentuierung. Von jeher hatte der theologischen Reflexion sozialer und politischer Fragen meine besondere Aufmerksamkeit gegolten. Die von uns allen miterlebte Zeitgeschichte hatte dafür gesorgt. Insofern schließt sich dieser Aufsatzband bruchlos an meinen früheren Sammelband »Forderungen der Freiheit« (München 1962) an, was auch durch die parallele Titelformulierung ausgedrückt werden soll. Es werden jetzt nur Linien weiter ausgezogen, die damals schon begonnen waren. Inhaltlich ist es keine Verschiedenheit, wenn damals der dem Evangelium korrespondierende Begriff der Freiheit im Mittelpunkt stand, jetzt aber der der Reich Gottes-Verheißung korrespondierende Begriff der Umkehr. Ist die Aufgabe der Theologie, wie Karl Barth und andere gelehrt haben, die Kritik der Kirche, d. h. die Messung des kirchlichen Redens und Handelns am »Sein« der Kirche, das Jesus Christus heißt, dann bedeutet dies auch permanente Selbstkritik der Theologie, und dann kann dies konkret nur vollzogen werden im Blick *auch* auf die Herausforderungen, die die »Tagesordnung der Welt« (wie man in der Ökumene zu sagen pflegt) an die Christenheit richtet, und im Hören auch derjenigen Erwartungen, die in der von außen kommenden Religions- und Kirchenkritik verborgen liegen. Lange Beschäftigung mit der vom Marxismus und von Sigmund Freud vorgetragenen Religionskritik wirkte dabei auf mich stimulierend – nun nicht mehr so wie früher in weltanschaulicher Auseinandersetzung mit dem damit verbundenen neuzeitlichen Atheismus, sondern mehr, konkreter und selbstkritischer im Blick auf die Eingebundenheit von

Kirche und Theologie in die jeweils sie umgebende Gesellschaft und auf das, was die redende und handelnde Kirche infolge dieser Eingebundenheit anrichtet. Denn diese Eingebundenheit ist immer auch eine Gebundenheit, aus der sich zu befreien zur christlichen Aufgabe der täglichen Umkehr gehört.

Die Analyse solcher Gebundenheit durch heutige Soziologie, vor allem die marxistisch bestimmte, konnte ich dabei nicht länger ignorieren. Sie öffnet die Augen für die noch immer nicht überwundenen Klassenstrukturen unserer Gesellschaft und den dadurch bewirkten ständigen Kampf um Privilegien und um deren Sicherung durch Herrschaft, ebenso aber auch für den Gegensatz, in den das Evangelium diejenigen, die es hören, zu diesen Klassenverhältnissen mit der Aufgabe ihrer Aufhebung stellt, ebenso schließlich auch für die Komplizenschaft, in die auch die Christen, auch die Glaubenden durch ihr Eingebundensein in die Klassengesellschaft verflochten sind. Die Einladung zur Umkehr ist, gesellschaftlich und nicht nur individualistisch verstanden, die Aufforderung zum Bruch mit dieser Komplizenschaft.

Die entschiedenen Urteile und Stellungnahmen, zu denen ich mich dadurch genötigt sah, haben viele, auch mir sonst wohlgesonnene Leser befremdet. In kirchlichen Kreisen pflegt man über Marxismus nicht zu reden, ohne sich sofort von ihm abzugrenzen, damit aber auch die unangenehmen Einsichten, die beim Marxismus zu gewinnen sind, zu neutralisieren. Darum wird der, der nicht auf solche Abgrenzung bedacht ist, sondern in christlicher Freiheit auch marxistische Kategorien zur Realitätserkenntnis benützt, christlich verdächtig. Dazu wird er wissenschaftlich verdächtig, wenn er entschiedene Urteile wagt; daß er damit »undifferenziert« rede, ist der rasche Vorwurf, mit dem man sich die Auseinandersetzung mit seinen Urteilsgründen leicht erspart. Um so mehr wurde ich demgegenüber zunehmend entschlossen, in einer Zeit, in der ungeheure Weltgefahren, wie uns heute von allen Seiten versichert wird, radikales Umdenken dringend nötig machen, professorale Vorsicht und Umständlichkeit außer acht zu lassen und so klar und unmißverständlich wie möglich zu sagen, was sich mir in der Zusammenschau von Reich Gottes-Verheißung und Gesellschaftsanalyse als konkrete »Forderungen der Umkehr« ergeben hat. Die zahlreichen Predigten, die ich in diesen Jahren veröffentlicht habe, sollten gleichzeitig deutlich machen, daß es sich dabei, soweit ich sehen kann, um heutige Gestalt der vom Evangelium eröffneten Umkehr handelt; der Vorwurf politischer oder ideologischer »Überfremdung« des Evangeliums, mit dem manche so rasch und abwehrbereit zur Hand sind, müßte dadurch verifiziert werden, daß gezeigt wird, daß die von mir genannten »Forderungen der Umkehr« dem Evangelium fremd sind. Von der Mitte des Evangeliums her kommt es zur Umkehr. Was sind die Folgerungen der Umkehr für unser Verhalten im öffentlichen Leben, für unser Verhalten gegenüber der »öffentlichen Sünde« (Hans Ehrenberg), gegenüber der zur gesellschaftlichen Struktur gewordenen Ungerechtigkeit, deren Komplizen wir, eingebunden in diese Strukturen, von vornherein sind? Das ist heute die Frage.

Den Leser möge es bitte nicht verdrießen, daß ein Teil der Beiträge aus Thesenreihen besteht: Gerippe ohne Fleisch. Die Thesen dienten teils zur abschließenden Zusammenfassung, teils zur Grundlegung einer Lehrveranstaltung. Fehlt nun auch der Kommentar und das Diskussionsergebnis, so können sie doch, wie ich hoffe, zur vorläufigen Anregung dienen.

Bei dem Aufsatz über die »schwarze Theologie« ist zu beachten, daß er in einem dieser neuen theologischen Erscheinung gewidmeten Heft der Zeitschrift »Evangelische Theologie« erschienen ist, und deshalb Bezug nimmt auf Äußerungen amerikanischer Theologen im gleichen Heft.

Berlin, am 1. Advent 1975   Helmut Gollwitzer

I. CHRISTLICHE BETEILIGUNG AM ÖFFENTLICHEN LEBEN

Einige Leitsätze
zur christlichen Beteiligung am politischen Leben

Zum Abschluß einer Vorlesung über »Christliche Ethik des Politischen«

1. Durch seine Sendung in die Welt und durch sein Liebesgebot verpflichtet Jesus Christus die Christen zur Teilnahme am öffentlichen Leben.

2. Damit ist der Bereich der Politik samt der Verwaltung der Macht grundsätzlich als ein Bereich unter der Herrschaft Jesu Christi, nicht außerhalb von ihr, gekennzeichnet. Es geschieht nicht ein Austritt aus Jesu Christi Reich beim Eintritt in eine politische Welt. Auch über ihr steht der eine und gleiche Herr, und auch in ihr ist sein Gebot über dem anderer Herren zu hören.

3. Es gibt christliche Politik so wenig, wie es christliche Medizin gibt, wohl aber gibt es Christen in der Politik; hier wie in der Medizin usw. sind sie nötig.

4. Der Christ geht in die Politik nicht, um dort ein System von christlichen Grundsätzen durchzusetzen, sei es aus dem Neuen Testament oder aus einem angeblichen Naturrecht gewonnen, sondern um der von seinem Herrn geliebten und gesuchten Menschen-Welt zu dienen. »Die Liebe ist des Gesetzes Erfüllung« (Röm 13, 10). In dieser Liebe ist er frei von starren Normen, frei für die Frage nach dem jeweils Besseren im Dienste der Menschen.

5. Liebe steht weder im Gegensatz zu Gerechtigkeit noch zu Gewalt. Die Herstellung irdischer Gerechtigkeit ist eine ihrer Verwirklichungsweisen, die Gewalt eines ihrer Verwirklichungsmittel.

6. Der Christ ist zur Entscheidung und zum Ermessen in der jeweiligen Situation freigegeben, er ist aber nicht seiner eigenen Willkür und dem Anspruch der Situation preisgegeben. Er hat Orientierung für sein Handeln durch sein Hören auf die Stimme seines Herrn, die zu ihm dringt durch das Zeugnis der Bibel vom Willen dieses Herrn in Evangelium und Gebet.

7. Aus diesem Zeugnis ergeben sich konstante Gesichtspunkte, durch die

dem christlichen Handeln in der Politik Kontinuität und Konsensus geschenkt wird;

a) Gott liebt alle Menschen; sein Wille geht auf das Heil aller Menschen. Wir sind also nie nur für unsere Gruppe verantwortlich, sondern stets für das Zusammenleben der uns Nahestehenden mit den uns Fernerstehenden; auch deren Wohl muß von uns mit bedacht werden.

b) Infolgedessen ist das gebotene Ziel des Handelns bei Konfliktsfällen Frieden, Versöhnung und Verständigung, in praktischen Fragen also Interessenausgleich und Kompromiß.

c) Weil Gott alle Menschen liebt, darf kein Mensch aus dem Verantwortungsbereich unseres Handelns grundsätzlich ausgeklammert werden. Ausgeschlossen ist also das Freund-Feind-Denken als Wesensbestimmung des Politischen, die Pflege des Hasses als Mittel der Politik, die Ausscheidung irgendwelcher Menschen oder Menschengruppen aus der Nächstenschaft, die Bestreitung des Existenzrechtes für irgendwelche Menschengruppen (z. B. Antisemitismus).

d) Gottes Lebensführung stellt uns je in bestimmte Menschengruppen und macht uns für sie verantwortlich. Durch diese Konkretion unserer Verantwortung verbietet er uns, die Näheren zugunsten irgendwelcher Ferneren zu überspringen. Wir haben nicht unser Volk zugunsten der Menschheit, nicht die heutigen, konkreten, unvollkommenen Menschen zugunsten eines Zukunftsideals zu opfern, sondern durch die Praktizierung unserer Verantwortung für diese konkrete Gruppe der uns zunächst Stehenden hindurch für die größeren Gruppen und für die Zukunft Nützliches zu leisten.

e) Gottes gnädiger Wille zielt auf einen Menschen, der ihn auf seine eigene, individuelle Weise lobt, der ihm persönlich dankt und der ihm mit seiner eigenen Vernunft und seinem eigenen Willen, also nach eigener Verantwortung dient. Er zielt also auf die freie Mündigkeit des Menschen. Der Christ wird also alle Verhältnisse der Bevormundung der Menschen durch Menschen, alle Verhältnisse der Subordination nur als grundsätzlich vorübergehende, vorläufige, durch die Umstände vorerst noch erforderte Verhältnisse verstehen und auf ihre baldmöglichste Ablösung durch Verhältnisse der Kooperation bedacht sein. Die Ungleichheit der Menschen kann ihm nur Durchgangsstadium zur politischen Gleichberechtigung hin sein. Er wird deshalb Bestrebungen der Demokratisierung, der Kontrolle der Regierenden durch die Regierten, der Gleichstellung vor dem Recht, des möglichsten Abbaus von Privilegien, der Sicherung der staatsbürgerlichen Freiheiten grundsätzlich begrüßen und praktisch unterstützen. Es geht ihm um Beseitigung aller Verhältnisse, »in denen der

Mensch ein erniedrigtes, ein geknechtetes, ein verlassenes, ein verächtliches Wesen ist« (K. Marx).

f) Weil Gottes Gnade uns vor Gott als dem wahren Herrn unseres Lebens verantwortlich macht und weil Gott den mündigen, ihm frei verantwortlichen Menschen will, darum muß der Christ auf die Bindung und Begrenzung der politischen Macht hinarbeiten. Das 1. Gebot verbietet die Ausstattung menschlicher Instanzen mit absoluter Befehlsgewalt; es warnt jeden Menschen, eine solche Gewalt anzustreben oder sie einem anderen Menschen zuzubilligen. Der Christ muß deshalb der Tendenz auf Omnipotenz der Staatsgewalt entgegenarbeiten und alle Bestrebungen unterstützen, die darauf aus sind, die Staatsführung an ihr vorgegebenes, für sie nicht verfügbares Recht (z. B. Verfassung) zu binden und durch die Regierten zu kontrollieren.

g) Gottes Wille zielt nicht auf einen losgelösten einzelnen, sondern auf die Menschheit als Ganzes. Infolgedessen stellt er jeden einzelnen Menschen so unlöslich in die Gemeinschaft, daß keiner ohne die Gemeinschaft leben kann. Der Mensch ist wesenhaft ein soziales Wesen. Es kann also keiner Gott wirklich dienen, ohne auch dem Mitmenschen und der Gemeinschaft zu dienen. Christlicher Glaube kann nicht sein ohne die Bejahung und Bestätigung sozialer und politischer Verantwortung. Der Christ wird also seine jeweilige Gesellschaftsordnung kritisch daraufhin befragen müssen, wieweit sie asoziales und egoistisches Verhalten und die Bildung von Kastenprivilegien begünstigt, ja zu solchem Denken und Verhalten erzieht, und er wird sich einsetzen für die Umänderung zu solchen Ordnungen, die den einzelnen in die Gemeinschaft hinein weisen, zur Verantwortung für die Gemeinschaft anleiten, ihm zugleich aber den Raum für eigene verantwortliche Urteilsbildung und Entscheidung gewähren.

h) Der Christ erkennt als Hörer des Evangeliums unsere Zeit als Zeit »zwischen den Zeiten«, d. h. als Zeit, die herkommt von der schon geschehenen Offenbarung der Liebe Gottes zur Welt in der Erscheinung Jesu Christi und die hingeht auf die noch nicht geschehene Vollendung des göttlichen Heils im Reiche Gottes. Er wird von seiner »großen Hoffnung« her auch die Schritte der »kleinen Hoffnung« auf bessere Gerechtigkeit und bessere Freiheit in den gesellschaftlichen Verhältnissen tätig unterstützen; er wird zugleich in Nüchternheit der durch unser Tun wohl einzudämmenden, aber nicht zu beseitigenden Wirklichkeit der Sünde Rechnung tragen durch Bejahung der Notwendigkeit der staatlichen Ordnung und des Rechtszwanges.

i) Die Erkenntnis unserer Situation zwischen dem »Schon« und dem

»Noch-nicht« schützt den Christen sowohl vor einer Resignation, die alle vorwärtsdrängende Bewegung auf bessere Ordnung hin abschneidet und den Status quo ideologisch als gottgewollt rechtfertigt, wie auch vor der Versuchung, politische und soziale Tätigkeit als einen Heilsweg anzusehen, auf dem sich das Reich Gottes als eine konfliktlose, endgültige heile Welt verwirklichen ließe. Die nüchterne Einsicht in das Unverbesserbare lähmt nicht seine Phantasie und Energie in der Arbeit am Verbesserbaren, sondern beflügelt sie und schützt sie vor Verzweiflung bei Enttäuschungen und beim Anstoß an die Grenze des Möglichen.

k) Gottes Interesse geht laut des Evangeliums auf die wirklichen Menschen, nicht auf irgendwelche objektiven Größen. Damit ist der Politik die Richtung auf die Menschen gewiesen, denen sie zu dienen hat. Der Politiker hat sie nicht als Material für seine Visionen und Pläne zu betrachten. Nicht die Größe und Ausweitung eines Imperiums, nicht die Durchsetzung einer abstrakten Rechtsforderung, nicht das Prestige, nicht die Grundsätze einer Doktrin sind die Kriterien verantwortlicher Politik, sondern der Dienst für das Wohl der ihr anvertrauten Menschen. »Nachdem Gott selbst Mensch geworden ist, ist der Mensch das Maß aller Dinge, kann und darf der Mensch nur für den Menschen eingesetzt und unter Umständen geopfert, – muß der Mensch, auch der elendeste Mensch – gewiß nicht des Menschen Egoismus, aber des Menschen Menschlichkeit – gegen die Autokratie jeder bloßen Sache resolut in Schutz genommen werden. Der Mensch hat nicht den Sachen, sondern die Sachen haben dem Menschen zu dienen« (K. Barth, Christengemeinde und Bürgergemeinde, 1946, 16. Abschnitt).

8. Solche Gesichtspunkte bilden nicht ein System von Prinzipien, d. h. sie geben nicht die Voraussetzungen an, die gegeben sein müssen, damit ein Christ sich am politischen Leben beteiligen kann; sie sind auch nicht eine Liste von Vorschriften, die er anderen in ultimativer Form präsentieren und selbst in starrer Weise exekutieren müßte. Sie geben vielmehr die Richtung an, in der er sich mit seinem Handeln zu bewegen hat und in die sein Beitrag die Entwicklung des öffentlichen Lebens, soweit es auf ihn ankommt, drängen soll.

9. Keiner von uns tritt, wenn ihn Gottes Gebot trifft, in eine Welt ein, die noch unbestimmt wäre wie eine neue Schöpfung. Die Welt um ihn her und er selbst ist schon geprägt durch eine lange Vergangenheit, durch Traditionen aller Art, durch die Wirklichkeit des Bösen und die Wirklichkeit der göttlichen Erhaltung; die Gegenwart und wir selbst sind Ergebnis von Geschichte und Auftakt zu weiterer Geschichte. Was wir als Gottes

Willen durch das Evangelium vernehmen, will also von uns übersetzt werden in diese Geschichte hinein. Wir haben nicht nach idealen Bedingungen für unser Handeln zu verlangen und auf solche Bedingungen zu warten, sondern heute, unter den faktischen Bedingungen, unsere tätige Antwort auf Gottes Anspruch zu geben. Deshalb kann Nachfolge nicht in Befolgung eines starren Systems von Grundsätzen geschehen, sondern nur in schöpferischer Phantasie, in der Bereitschaft, jetzt unnachgiebig zu stehen, jetzt auf Angestrebtes zu verzichten, jetzt nachgiebig sich zu fügen, jetzt scheinbar aussichtslos vorzustoßen. Von grundsatzlosem Opportunismus unterscheidet sich diese Haltung dadurch, daß sie in stetem Hören auf Gottes Gebot, in beharrlichem Festhalten der von ihm gewiesenen Richtung, in brüderlicher Aussprache mit den anderen Gliedern der christlichen Gemeinde, mit der Bitte um ihren Rat und in Bereitschaft zum Anhören ihrer Kritik und ihrer Warnungen, gelebt wird.

10. Die Einsicht in die Geschichtlichkeit aller unserer Entscheidungen und Erkenntnisse gibt die Fähigkeit zur Toleranz. Von hier aus ist es dem Christen möglich, a) dem christlichen Teil seiner Umwelt die eigene Entscheidung mit allem Ernst als Frage und als Aufforderung zu gleicher Entscheidung vorzulegen, aber die Differenz von Entscheidungen zu ertragen –, b) den Christen in anderen Teilen der Welt ihre Entscheidungen nicht vorzuschreiben, wohl aber daran mitzuarbeiten, daß auch bei sehr unterschiedlichen Entscheidungen deren gleiche Herkunft und gleiche Richtung und damit die Gemeinschaft des Glaubens und des Dienstes sichtbar werden mögen –, c) mit Nichtchristen zusammenzuarbeiten. Diese Zusammenarbeit ist ermöglicht durch Zusammentreffen von konkreten Wertungen, Bestrebungen, Interessen; für sie genügt partielle Übereinstimmung; sie wird durch die Differenz der Weltanschauung und der Motivierung nicht unmöglich gemacht. Es bedarf also zur Ermöglichung der Zusammenarbeit nicht der Konstruktion einer naturrechtlichen Theorie; es wird sich vielmehr je und je ereignen, welche Partner der Christ unter den Nichtchristen bei seinem Dienst an der Welt findet und wie weit diese Partnerschaft reicht. Dabei wird der Christ nie vergessen dürfen, daß der göttliche Herr, der ihn in den Dienst sendet, auch der Herr der anderen Menschen ist und mit diesen Menschen, auch solange sie ihn noch nicht erkennen, in Verbindung steht, sie zur Erkenntnis der Welt erleuchtet und ihnen neben anderen Gaben Lebenserfahrung, Unterscheidung des Guten und des Bösen, Erkenntnis des zum Leben Notwendigen schenkt. Daraus folgt, daß der Christ in solcher Partnerschaft nie nur der Belehrende ist, sondern immer auch Belehrung und Hilfe von seiten der

Nichtchristen zu erwarten hat. Er steht in dieser Zusammenarbeit mit dem Wahlspruch: »Prüfet alles und behaltet das Beste!« (1 Thess 5, 21.) Vorurteilslosigkeit, Unbefangenheit und Beweglichkeit sind ebenso wie Mut und Festigkeit unerläßliche Zeichen christlicher Freiheit. Eben dies bringt der Christ ein in die Zusammenarbeit mit den anderen und wirkt damit korrigierend gegen Dogmatismus, gegen Vergewaltigung der Wirklichkeit um der Doktrin willen, gegen die Heuchelei der Phrase, gegen die Selbstgerechtigkeit und gegen das Denken in Fronten, befreiend im Freimachen der guten praktischen Erkenntnisse von ihrem falschen prinzipiellen Kontext. Freiheit steht immer kritisch gegen unsere Unfreiheiten. Der Anwalt solcher Freiheit zu sein ist die Sendung des Christen im politischen Leben.

Die Revolution des Reiches Gottes und die Gesellschaft[1]

I. Worin besteht der besondere Beitrag von Christen in einer humanistischen Bewegung der Weltveränderung?

1. Die Rückschläge, die Länge des Marsches und die Ungewißheit, ob das Ziel erreicht wird, bringen viele, die sich zunächst dafür gewinnen ließen, in die Versuchung, zu resignieren und sich zurückzuziehen in den Elfenbeinturm, das Fachidiotentum, in das Glück im Winkel und in private Religiosität. Wer mit Christus verbunden ist, bringt in die politische Bewegung Geduld und eine Zuversicht hinein, die unabhängig ist vom Gang der politischen Ereignisse. Denn sein Motiv zur Mitarbeit ist die Sendung durch Christus und die Vision einer Zukunft, deren er gewiß ist.

2. Die Gefahr einer solchen Bewegung ist, daß sie so recht hat. Daraus resultiert

a) die Versuchung zur Rechthaberei. Der mit Christus Verbundene, der von der Schuldhaftigkeit aller Menschen weiß, hat einzubringen die Bereitschaft zur Selbstkritik, zum Eingeständnis der eigenen Fehler und Verfehlungen, zur Bußfertigkeit;

b) die Versuchung, im Namen des Guten eine neue Herrschaft von Menschen über Menschen aufzurichten, statt solche Herrschaft möglichst abzubauen. Der mit Christus Verbundene kennt die List der menschlichen Selbstsucht. Er bringt in die politische Bewegung das Mißtrauen gegen die eigenen Motive und die kritische Überprüfung aller neu sich entwickelnden Herrschaftsformen ein;

c) die Versuchung, den Gegner zu verteufeln und mit ihm nach dem Freund-Feind-Schema zu verfahren. Der mit Christus Verbundene sieht auch im Gegner den von Christus geliebten Menschen, will mit seinem Kampfe auch dem Gegner auf einen besseren Weg verhelfen und weiß, daß aus Haß gegen Menschen nie Gutes, sondern immer nur Böses entsteht. Er bringt in die politische Bewegung die Sorge um den Gegner als Menschen und die Toleranz gegenüber dem Andersdenkenden ein;

d) die Versuchung, durch den Zweck die Mittel heiligen zu lassen. Der mit Christus Verbundene orientiert seinen Dienst an den Geboten Gottes.

Er weiß von daher, daß schlechte Mittel auch den besten Zweck verderben können. Er bringt in die politische Bewegung die Skrupulosität gegen die Methoden der Gewalt ein.

3. Der Abstand zwischen dem gegenwärtigen Zustand, der verneint wird, und dem kommenden, der angestrebt wird, verführt leicht dazu, sich in der Gegenwart auf die Negation zu beschränken. Der mit Christus Verbundene sieht, daß jetzt schon Menschen aus schlechterem zu besserem Leben verholfen werden muß. Er bringt in die politische Bewegung die Bereitschaft ein, an bescheidenen Verbesserungen und Verhütungen jetzt schon mitzuarbeiten.

4. Der gleiche Abstand kann auch dazu verführen, das größere Ziel aus den Augen zu lassen oder es als bloßes Fernziel zum Gegenstand bloßer Lippenbekenntnisse zu machen und einem zukunftslosen Pragmatismus zu verfallen. Der mit Christus Verbundene sieht auf das verheißene Reich Gottes und bringt von daher in die politische Bewegung die Unbescheidenheit ein, die sich an den partiellen Verbesserungen nicht genügen läßt, sondern von jeder erreichten Stufe aus weiterdrängt.

5. Jede politische Bewegung steht in der Gefahr, sich selbst absolut zu setzen, als sei sie im Besitz der Wahrheit, und von ihren Anhängern bedingungsloses Mitmachen zu verlangen. Der mit Christus Verbundene steht durch das Hören auf Gottes überlegenes Wort allen menschlichen Worten, Führern und Programmen frei und kritisch gegenüber. Er bringt in die politische Bewegung den Respekt vor der Freiheit des einzelnen Gewissens ein und kämpft für die Respektierung dieser Freiheit, zugleich für die Bereitschaft, nach dem Wahrheitsmoment auf der Gegenseite zu fragen und sich dadurch korrigieren zu lassen.

II. Thesen zur Gewalt

1. Unter Gewalt sei hier verstanden das Vorgehen von Menschen gegen Menschen, durch das diese anderen Menschen vergewaltigt, das heißt zu etwas, was sie nicht wollen, gezwungen oder in ihrem Leben geschädigt werden.

Die Welt, in der wir leben, ist voll von solcher Gewalt und von zunehmenden Möglichkeiten und Mitteln zu solcher Gewalt. Die menschliche Gesellschaft in Geschichte, Gegenwart und in aller Zukunft, die wir absehen können, ist durchdrungen von Gewalt, an der wir alle in irgendeiner Weise aktiv und passiv teilhaben.

2. Um trotz der Allgegenwart von Möglichkeiten der Gewalt die Zerstö-

rung des Lebens durch Gewalt zu verhindern und menschliches Zusammenleben zu ermöglichen, haben die Menschen die Gewalt monopolisiert und legalisiert in Form von staatlichen Rechtssatzungen. Gewalt ist also ebenso lebensschädlich wie lebensnotwendig.

3. Der mit Christus Verbundene hat Abscheu vor der Gewalt. Er lebt als Glied einer neuen Welt, deren Lebensweise nicht Zwang, sondern Freiheit ist und nicht Vergewaltigung des Nächsten, sondern Dienst am Nächsten. Er möchte dem Freiwerden und Neuwerden (Metanoia) anderer Menschen dienen. Er weiß: Gewalt macht unfrei; sie verschließt; sie hält den, der sie übt, und den, der sie erleidet, im Alten, in der Selbstdurchsetzung, im Gegensatz fest; die Haltung der Gewalt ist egoistisch, selbstgerecht, hochmütig, phantasielos. Gewaltlosigkeit befreit die Phantasie.

4. In einer Welt voll Gewalt steht der mit Christus Verbundene im Kampfe gegen die Neigung zur Gewalt, sowohl in seinem Innern wie bei den anderen. Darum muß christliche Gemeinde eine Schar von Kämpfern gegen die Gewalt sein und in ihrem eigenen Bereich alle Gewalt ausschließen. Im gesellschaftlichen Bereich gilt ihr Kampf dem möglichsten Abbau von Gewalt.

5. Gänzlicher Abbau der Gewalt ist nicht möglich, solange die Neigung zur Gewalt in uns Menschen vorhanden ist. Darin liegt die Notwendigkeit, Gewalt durch Gewalt einzudämmen. Nur diese Notwendigkeit rechtfertigt Gewalt; auf diese Notwendigkeit ist Gewalt zu beschränken. Dem soll die Legalisierung von Gewalt dienen. Wo aber legalisierte Gewalt dem Machtbedürfnis von Einzelnen und Gruppen und der Ausbeutung von Menschen dient, verliert sie ihre Rechtfertigung. Die politische Arbeit von Christen muß dem Abbau ungerechtfertigter Gewalt und dem Aufbau von Institutionen der Gewaltverwaltung unter gemeinsamer Kontrolle dienen, nach Maßgabe der Regel: So viel Freiheit und Gewaltlosigkeit wie möglich – so viel Gewalt wie nötig.

6. Bei *tötender Gewalt* erreicht die Fragwürdigkeit der Gewalt ihren Gipfel. Tötende Gewalt schneidet dem Menschen die Zeit ab, ist Raub nicht nur einzelner, sondern aller Möglichkeiten. Zu töten ist einzig das Recht dessen, der das Leben gibt. Hier erreicht auch die Legalisierung der Gewalt ihre eigentliche Bedeutung: Eindämmung von Gewalt durch Gewalt impliziert Eindämmung von tötender Gewalt durch Androhung und Ausübung von tötender Gewalt. Dazu kann der Mensch sich das Recht nicht nehmen; es muß ihm gegeben werden von dem, der allein über das Leben verfügen kann. Darum geschieht Legalisierung der Gewalt als ein Vollzug göttlichen Auftrags, von eigener Gewalt zu lassen *und* zugleich Gewalt einzudämmen. Das ist der Sinn von Röm 13, 1–7.

7. Dies bedeutet für einzelne Arten von tötender Gewalt:

a) *Notwehr* mit Todesfolge ist unter Gottes Gebot nicht erlaubt als Ausübung eines eigenen Rechtes, sondern höchstens als vertretungsweise Ausübung der von Gott beauftragten staatl. Gewalt.

b) Der staatlichen Gewalt ist nur die Eindämmung der ungerechtfertigten Gewalt befohlen, aber nicht deren Ausrottung, die ihr nicht möglich ist, und nicht die Vergeltung, die sich Gott selbst vorbehalten hat (Röm 12, 19). Darum ist die theologische Rechtfertigung der *Todesstrafe* als Ausübung göttlicher Vergeltung abwegig.

c) Der Ausübung kollektiver tötender Gewalt in *Kriegen und Revolutionen*, von der die Geschichte voll ist, wird der mit Christus Verbundene als Glied der neuen Welt mit allen Kräften widerstehen und für die Verhinderung und Abschaffung solcher Gewalt sich mit allen Kräften einsetzen. Die Nicht-Beteiligung wird ihm in allen Fällen näherliegen als die Beteiligung.

8. Diese Nicht-Beteiligung kann aber nicht als allgemeines Prinzip ausgesprochen werden. Gerade der, der durch Christus befreit wird vom Geist der Gewalt, ist berufen, an der legalisierten Gewalt und an der Verwaltung der Gewaltmittel teilzunehmen und dies nicht den Gewaltmenschen zu überlassen. Diese Verpflichtung des mit Christus Verbundenen zur Teilnahme am politischen Leben kann im Gedränge dieser Welt je und je die Beteiligung an Krieg und Revolution zu einer in jedem Fall höchst kritisch zu prüfenden, aber vielleicht nicht zu vermeidenden Pflicht machen.

9. Absolute Gewaltlosigkeit, absolute Nicht-Beteiligung an Gewalt ist in der Welt, in der wir leben, unmöglich. Nicht-Beteiligung an tötender Gewalt ist sinnvoll als Erinnerung an den Not-Charakter aller, auch der legalen Gewalt; als Konzentration aller Energie auf den schutzlosen leidensbereiten Dienst der Liebe; als Protest gegen den Nicht-Abbau ungerechtfertigter Gewalt und gegen den Aufbau menschenfeindlicher Zerstörungskraft; als Verweigerung der Beteiligung an einer konkreten, nicht zu rechtfertigenden Gewaltanwendung.

10. Leitwort für jedes Verhältnis zur Gewalt: »Laß dich nicht vom Bösen überwinden, sondern überwinde das Böse mit Gutem« (Röm 12, 21).

III. Thesen zu Reich Gottes und Revolution

1. »Reich Gottes« meint die alle anderen Veränderungen übertreffende Revolution.

2. »Reich Gottes« meint diejenige Revolution, die die Welt aus dem Verderben rettet und ans Ziel bringt.

3. »Reich Gottes« meint eine Revolution, die wir nicht machen können, die aber an uns geschehen muß.

4. »Reich Gottes« ist Inhalt einer Verheißung, die die Gegenwart revolutioniert. Die Revolution, die wir nicht machen, befähigt uns zu der Revolution, die wir zu machen haben.

5. Die Verheißung des Reiches Gottes tritt befreiend der Herrschaft aller »Götter« entgegen.

6. Das Hören dieser Verheißung macht in der Gegenwart frei zum Bewahren wie zum Verändern.

IV. Verheißung

1. Das Alte und das Neue Testament erzählen die Geschichte der Zuteilung einer Verheißung. Mit Israel, dem ersten Adressaten dieser Verheißung, ist die gesamte Menschheit und jeder einzelne Mensch gemeint.

2. Diese Verheißung bestreitet das Alleinsein und die Zukunftslosigkeit des Menschen. In ihr verspricht der Verheißende sich selbst und künftige Erfüllung des Lebens, also seine Gegenwart und unsere Zukunft.

3. Diese Verheißung ist durch prophetische Kundgaben übermittelt und bestimmt das Geschick Israels und des Judentums. In der Erscheinung Jesu findet sie nach christlichem Glauben ihre entscheidende Begründung. Damit ist sie noch nicht in dem versprochenen Umfang realisiert, aber unumstößlich festgemacht.

4. Für den, der in dieser Verheißung als der Sprechende, als der Geber der Verheißung und als der Garant ihrer Erfüllung genannt wird, reserviert die Bibel das sonst in vierlelei anderer Beziehung und Bedeutung verwendete Wort »Gott«. Von »Gott« kann also im biblischen Sinne nur im Zusammenhang mit Verheißung, Zukunft und Geschichte gesprochen werden. Die Frage, »ob es Gott gibt«, verwandelt sich in diesem Zusammenhang in die Frage: Gibt es eine Verheißung für uns – oder gibt es nur unsere Träume? Und: Steht der Verheißende zu seinem Wort?

5. »Glauben« heißt in diesem Zusammenhang: Von der Verheißung zum Vertrauen auf sie gewonnen werden, sich auf sie im Leben einlassen, es mit ihr (dem Augenschein des Bestehenden, der nur ungewissen Zukunftstraum ermöglicht und zur Resignation drängt, zum Trotz) im Leben riskieren, also im gegenwärtigen Leben geändert werden, sowohl innerlich wie äußerlich.

6. Die Verheißung kommt von vorn, aus dem Noch-nicht-Vorhandenen, nicht aus dem Vorhandenen. Deshalb ist für sie kein Beweis aus dem Vorhandenen möglich. »Glauben« heißt also: keinen anderen Beweis für die Wahrheit der Verheißung haben als die Verheißung selbst, es mit ihr wagen und sich an sie halten.

7. Indem die Verheißung der Zukunft in der Gegenwart laut wird, antizipiert sie die Zukunft und nimmt die Gegenwart für die Zukunft in Beschlag; sie ist also Antizipation von vorn, von der Zukunft her.

8. Alles menschliche Handeln ist ebenfalls Antizipation, aber Antizipation der Zukunft von der Gegenwart her. Subjekt der Verheißungsantizipation ist der kommende Gott; Subjekt der menschlichen Antizpation ist der gegenwärtige Mensch, der vom Vorhandenen aus antizipiert.

9. Darum ist zu unterscheiden: *futurum* als die von der Gegenwart her in Blick gefaßte Zukunft – *adventus* als das Kommen der verheißenen Zukunft in die Gegenwart herein in Gestalt des Verheißungsworts[2]. In das Futurum werfen wir unser Licht durch unser Hoffen und Planen, im Adventus wirft der Kommende sein Licht in unsere Gegenwart.

10. Darum ist weiter zu unterscheiden: eine Hoffnung, die gegründet ist im Vorhandenen und deshalb die Ungewißheit der Zukunft vor sich hat, und eine Hoffnung, die gegründet ist auf den Adventus der Verheißung und von daher den Adventus der Erfüllung mit gewisser Zuversicht erwartet.

11. Die Verheißung deshalb, weil sie von Menschen an Menschen weitergegeben wird, einzuordnen in die Reihe der menschlichen Träume, bedeutet: in die Einsamkeit und Verheißungslosigkeit zurückzufallen, die von der Verheißung gerade aufgehoben ist.

12. Verheißung will als Antwort von uns nicht träges Warten, sondern tätigen Aufbruch auf die verheißene Zukunft hin. Sie schließt also menschliches Hoffen, Tun und Planen nicht aus, sondern ermutigt dazu. Infolgedessen integriert sie in unsere Antwort unsere Bemühung, aus dem Vorhandenen, unter Ausnützung vorhandener Möglichkeiten und Tendenzen, Zukunft zu gewinnen und das Bestehende durch Besseres zu ersetzen.

V. Verheißung in der hebräischen Bibel (dem Alten Testament)

1. An den grundlegenden Geschichten Gen 12, 1–3 und Ex 3 zeigt sich und im ganzen Alten Testament bestätigt sich: Die Begegnung mit dem in der Verheißung sich zusprechenden Gott hat immer eine soziale und eine

Zukunftsdimension (im Unterschied zu solchen religiösen Erlebnissen und Lehren, bei denen es um den Austritt aus der Sozialität und aus der Zeit geht).

2. Der Verheißende ist selbst der eigentliche Revolutionär: Er revolutioniert eine unterdrückte Menschengruppe gegen die Unterdrückungsordnung; sein Name ist Freiheit (M. Buber übersetzt jeschuah nicht mit »Hilfe« oder »Heil«, sondern mit Freiheit: zum Beispiel Jes 12, 2 f; 26, 1; vgl. den Jesus-Namen Mt 1, 21; Lk 1, 31).

3. Der Verheißende ist auch der Ausführende: Die Verwirklichung der Verheißung bleibt *sein* Werk und ist ohne ihn undenkbar. Darum ist die erste Antwort von seiten des Menschen der Glaube (= Vertrauen).

4. Sein Herausführen will aber nicht ausschließen, sondern zur Folge haben das menschliche Sich-Herausbegeben, also menschliche Aktion, Kampf, Einsatz aller menschlichen Kräfte.

5. Die Herausführung geschieht nicht als Sprung aus dem Elend ins Glück, sondern ist Einführung in einen langen Marsch, auf einen geschichtlichen Weg, dem die Verheißung voranleuchtet. Israel versteht sich (ebenso wie dann die Kirche) als »das wandernde Gottesvolk« (Hebr 1; 4, 1–11).

6. Darum ist der Auftrag Israels nicht Herstellung und Verteidigung einer unwandelbaren Ordnung, sondern Bereitschaft zum Wandel und verantwortliche Teilnahme an Veränderung, Mitgehen mit dem die Wandlungen der Geschichte bewirkenden Herrn (Jer 18, 7 ff), dies aber nicht ins Ziellose hinein, sondern geleitet von der Verheißung, die Leitlinien gibt für das gegenwärtige Verhalten (vgl. zum Beispiel die soziale Predigt der Propheten).

7. Der Inhalt der Verheißung ist *Schalom*. Der Verheißende gründet die Welt im Schalom (Gen 1–2), schützt selbst sie gegen das Chaos und führt die Menschheit aus der selbstverschuldeten Zwischenphase des Unfriedens und der Selbstzerstörung in den Schalom. Die Menschheitsgeschichte wird also grundsätzlich positiv gesehen: nicht als Tragödie, nicht als ewiger Kampf von Licht und Finsternis, sondern gegründet im Licht und auf dem Wege zum Licht.

8. Der Gott der Verheißung beteiligt den Menschen an der Weltgestaltung. Er übergibt ihm eigene Verantwortung (Gen 1, 28–30). Er beruft den Menschen zu schöpferischer Selbstverwirklichung, damit auch zum Schöpfer seiner Gesellschaft.

9. Damit durchbricht die biblische Religion die in der marxistischen Tradition angenommene und von der übrigen Religionsgeschichte bestätigte Funktion der Religion: Sanktionierung der bestehenden Institutio-

nen durch die Gottheit. Wo die Kirchengeschichte ebenfalls diese Auffassung bestätigt, handelt es sich um Abfall von der biblischen Intention.

10. Nach biblischer Auffassung steht nicht eine von der Gottheit eingesetzte Ordnung dem Menschen verdinglicht gegenüber, sondern die Menschen werden angesehen als Produzenten ihrer Ordnungen, die sie vor Gott (= vor der Verheißung des Schalom) zu verantworten und daraufhin immer wieder zu verändern haben.

11. Beispiele dafür: die Geschichte von der Einsetzung des Königtums in Israel (1 Sam 8 und 10); die Salbung nicht als Tabuisierung, sondern als Unterstellung unter das Königsrecht; das Königsrecht selbst (Ps 72); die prophetische Kritik der Könige; der Sturz von Königen unter Mitwirkung von Propheten (1 Kön 20; 21; 2 Kön 9; 11; Jeremias' Verhalten während der Belagerung von Jerusalem)[3].

12. Während religiöse Sanktionierung gegebener Ordnungen entsteht aus fundamentaler Existenzangst vor dem Chaos, ist Israel durch den Verheißenden aufgefordert, nicht angstvoll die Veränderungen zu scheuen, sondern vertrauensvoll sie zu wagen.

13. Die Verheißung stellt eine Gesellschaft vor Augen, in der die Produkte der Menschen nicht mehr zu einer den Menschen gegenüberstehenden, verdinglichten und verdinglichenden Ordnung gerinnen, sondern in der die Ordnung beweglich gehalten ist, nicht unterjocht und eingezwängt, sondern dienend zur allseitigen Entfaltung (Jes 11; 25, 6–9; 26, 1–6; 60, 17–22).

14. Darum wird hier nicht, wie in späterer christlicher Theologie, ein Naturrecht etabliert, das als ewige, statische Norm vom Menschen zu exekutieren ist. Naturrecht ist entweder metaphysisch verkleidete Verheißung (E. Bloch) oder metaphysische Verdinglichung gegebener Gesellschaftsstrukturen, aus konkretem Material abstrahiert und dann wieder zur Vorschrift konkretisiert, und damit eine Ordnung der Unfreiheit, die von der Verheißung aufgebrochen wird.

15. Verheißung ist Tröstung angesichts der Misere der Geschichte, aber nicht Vertröstung. Sie ist Ermutigung zum Angriff auf die verdinglichende Ordnung. Erwählung Israels ist Einsetzung zu einer Randgruppe; ursprünglich outcasts, sollen diese Erwählten weiterhin »anders als andere Völker« sein, um diesen Angriff vorzutragen und die Integrierung in die religiös sanktionierten Systeme verweigern zu können. Ebenso versteht sich die neutestamentliche Gemeinde als Randgruppe (»Fremde und Pilger«, 1 Petr. 1, 1; 2, 11), und die gleiche Bedeutung hat Jesu Weg zu den outcasts im damaligen Israel: vom Rande her, wo die Verdinglichung zugleich unerträglicher *und* schwächer ist, gegen das Zentrum vorzustoßen.

VI. Verheißung des Reiches Gottes im Neuen Testament

1. Das Reich Gottes (= die Gottesherrschaft), die Jesus von Nazareth als nahe bevorstehend verkündigt, ist die Durchsetzung des Willens des Gottes der Verheißung, also die Durchsetzung der Verheißung. Ihr Inhalt ist in den sogenannten Seligpreisungen zu Beginn der Bergpredigt (Mt 5, 3–10) umschrieben.

2. Die kommende Gottesherrschaft ist revolutionär, eschatologisch, sozial, gegenwartsbestimmend.

3. Die Gottesherrschaft als *Revolution:* Mt 11, 4–6; Lk 1, 51–53; Mk 10, 42–45.

4. Die Gottesherrschaft als die Revolution aller Revolutionen, also die *eschatologische* Revolution: Apk 21–22.

5. Die Gottesherrschaft ist Heil als neue Gottesgemeinschaft (vertikal): Mt. 5, 3; Joh 17; 1 Joh 3, 1–2; Röm 8, 38–39.

6. Die Gottesherrschaft ist Heil als neues *soziales* Leben (horizontal), nicht nur als individuelle Lebenserfüllung. Die Gottesherrschaft wird von Jesus und von den Aposteln nicht in zuständlichen Glücksbildern (Schlaraffenland) ausgemalt; ihre Beschreibung findet sich aber in den Lebensanweisungen des Neuen Testaments, also zum Beispiel in der Bergpredigt und in den Paränesen (= Ermahnungen) der apostolischen Briefe. Sie leiten an zum Leben in der Freiheit der Liebe. Dies ist das Leben in und aus der Gottesherrschaft.

7. Jesus trat auf ohne institutionelle Autorisierung; seine Vollmacht und Legitimation war die ihn autorisierende Gottesherrschaft selbst. Von ihr her nahm er die Autorität, diejenigen für die Gottesherrschaft in Anspruch zu nehmen, die nach bisheriger Tradition für sie nicht in Frage kamen: das arme, unfromm lebende Volk und die outcasts.

8. Jesus hat nicht nach Weise der Apokalyptiker die zeitliche Distanz der kommenden Gottesherrschaft fixiert und die noch zu durchlaufenden Stationen beschrieben. Daß er die Gottesherrschaft weder als fern noch als schon gegenwärtig, sondern als »nahe herbeigekommen« verkündigte, bedeutet zweierlei:

a) Er überspringt nicht das, was der Gottesherrschaft in der gegenwärtigen Welt widerspricht, als sei es unerheblich – etwa zugunsten der inneren Gottesgemeinschaft. Er erkennt an, daß diese Welt noch nicht erlöst ist, und nimmt sie als eine der Verheißung noch widerstreitende liebend an.

b) Er lädt dazu ein, schon jetzt in seiner Nachfolge im Sinne der Gottesherrschaft zu leben, und verkündigt damit diese als die *gegenwartsbestimmende Macht.* Er trägt also die Revolution der Gottesherrschaft schon in die Gegenwart hinein: Mit seinem Auftreten hat die Zukunft der Gottesherrschaft inmitten der noch nicht erlösten Welt schon begonnen[4].

9. An die Stelle der Frage, *wann* die Verheißung der Gottesherrschaft erfüllt werden wird, tritt jetzt als einzig wichtige Frage, *wie* die Zugehörigkeit zur kommenden Gottesherrschaft, zum »neuen Äon«, jetzt schon, unter den Bedingungen des alten Äons, gelebt werden kann: unter was für Voraussetzungen, mit welcher Ausrüstung, in welcher Art und Weise, mit welchen Brechungen und Gestaltveränderungen durch die Bedingungen des alten Äons. Daß Jesus und die Urgemeinde sich hinsichtlich der *baldigen* totalen Weltveränderung (nach der These von A. Schweitzer) geirrt haben, ist unerheblich gegenüber dem eigentlichen Gehalt von Jesu Ruf: jetzt schon im Blick auf die *nahe* Gottesherrschaft zu leben.

10. Die in den Auferstehungserscheinungen sich kundtuende Auferweckung Jesu von den Toten ist nach der Erkenntnis der christlichen Gemeinde nicht die innerweltliche mirakulöse Wiederbelebung eines Leichnams, sondern die Offenbarung dessen, was im Auftreten, Reden, Handeln und Streben Jesu in Wirklichkeit geschehen ist: der verheißene Adventus der kommenden Gottesherrschaft, aber noch in verborgener Gestalt, der Sieg über die Todeswelt, der Beginn der verheißenen Zukunft. Die Erfüllung der Verheißung geschieht nicht so, daß das Neue das Alte einfach ablöst, sondern sie beginnt mit einem Einbruch des Neuen mitten im Alten und setzt sich fort in einer Zeit des Kampfes des Neuen mit dem Alten hin auf die endgültige Realisierung und Manifestierung, die im Neuen Testament »der Tag Jesu Christi« genannt wird.

11. Die in der Jetztzeit seit dem Erscheinen Jesu Christi eindringende, mobilisierende, weltverändernde Kraft des schon im Gange befindlichen Adventus ist die Kraft des Geistes Christi, des Heiligen Geistes. Mit dem Worte »Heiliger Geist« ist also die jetzt schon, aber noch verborgen wirkende Kraft der Revolution der Gottesherrschaft gemeint.

12. Das Wort vom Heiligen Geist ist die Antwort auf die Frage nach dem »neuen Menschen«, das heißt auf die Frage, wie unter den während den alten Verhältnissen, die ständig den alten Menschen reproduzieren, ein neuer Mensch entstehen kann, der allein neue Verhältnisse so schaffen kann, daß diese nicht sofort durch den alten Menschen wieder verdorben werden.

13. Weil es sich um die Zeit des *Kampfes* des Neuen gegen das Alte handelt, ist auch diese Neuschaffung des Menschen ein ständiger Kampf. Das heißt: Der neue Mensch ist nicht ein fertiges Sein, sondern ein ständiges Geschehen. Wir sind nicht neue Menschen, sondern wir werden

es. Das Evangelium ist Ruf und Ausrüstung zum täglichen Aufbruch aus dem Alten ins Neue, zum Bekenntnis zum Neuen gegen das Alte, zum Verändern der Verhältnisse im Sinne des Neuen gegen das Alte.

14. Weil es sich um die Zeit des Kampfes des Neuen gegen das Alte handelt, ist die Erneuerung der Verhältnisse nie ein fertiges Sein, sondern ein ständiges Geschehen, nie total, sondern immer nur partiell, nie endgültig gewonnen, sondern neu zu erringen.

15. Weil es sich um die Zeit des Kampfes des Neuen, das in der Auferweckung Jesu Christi schon gesiegt hat, gegen das Alte, das – in der Tötung Jesu Christi scheinbar siegend – in der Auferweckung Jesu Christi schon verloren hat, handelt, geschieht der Kampf in gewisser Zuversicht, Hoffnung gegen Resignation setzend, zähe Geduld gegen abenteuerliches Überspringen der Realitäten, bereit zum Bewahren des schon Errungenen und Bewährten und zum Abtun des Veralteten.

VII. Transzendenz und Immanenz des Reiches Gottes

1. »Das Denken im Widerspruch muß dem Bestehen gegenüber negativer und utopischer werden. Dies scheint mir der Imperativ der gegenwärtigen Situation in bezug auf meine theoretischen Versuche aus den dreißiger Jahren.«[5] Diese Worte treffen genau den Unterschied zwischen der durch die Jesus-Situation bestimmten neutestamentlichen Eschatologie und der alttestamentlichen.

2. Dieser Unterschied ist unter dem Einfluß des Griechentums später als der der Spiritualisierung, Individualisierung und Verjenseitigung des »Reiches Gottes« verstanden worden. In Wirklichkeit übertrifft das Neue Testament das Alte durch die Totalität und Radikalität der Utopie: Die Vision der neuen Menschheit befreit von Tod und Schuld und allen Lasten der Erde.

3. Der »Imperativ« kam her von Kreuz und Auferstehung Jesu:

a) Der gegenseitige Widerspruch zwischen Jesus und der Welt, in die er kam, wird am *Kreuz* enthüllt als ein tödlicher, als absolute gegenseitige Negation, die Kompromiß und Koexistenz unmöglich macht.

b) Er wird in der *Auferstehung Jesu* enthüllt als Widerspruch zwischen Wahrheit und Lüge, Gerechtigkeit und Ungerechtigkeit, Leben und Tod.

c) Während im *Kreuz* Jesu die Lüge über die Wahrheit, der Tod über das Leben, das Alte über das Neue siegte (Beweis für die Unveränderlichkeit und Unverbesserlichkeit der Welt; Bestätigung des Pessimismus), offenbart die *Auferstehung* Jesu diesen Sieg als Scheinsieg und zeigt die Wahrheit, das Leben, das Neue als den wahren und endgültigen Sieger (Beweis der Veränderlichkeit der Welt; Bestätigung des Optimismus). *Entscheidende Frage:* Was bedeutet es, daß diese Offenbarung nur durch das Kreuz hindurch geschieht, daß also das Neue nur durch seine Niederlage hindurch siegt?

4. Transzendenz des Reiches Gottes im Sinne des Neuen Testaments bedeutet nicht Jenseitigkeit als Beziehungslosigkeit, sondern radikale und totale Verneinung des gegebenen Weltsystems, dessen Krisis, Bestreitung seiner Alleingültigkeit, Notwendigkeit und Ewigkeit.

5. Transzendenz bedeutet Bestreitung von außen und von vorne, das heißt nicht Bestreitung eines gegebenen Zustandes von den immanenten Möglichkeiten dieses Zustandes her, sondern Bestreitung von einer neuen Wirklichkeit her.

6. Je transzendenter das Neue dem Alten gegenübersteht, desto mehr transzendiert die durch die Verheißung geweckte Hoffnung die einschränkenden Bedingungen der alten Welt und desto tiefer reicht die Negation des Alten.

7. Jede Moderierung des eschatologischen Gegenbildes ist Rehabilitierung und Sanktionierung der Welt, wie sie ist[6].

8. Die Eschatologie des Neuen Testaments ist ein Aufruf, sich mit der Welt, wie sie ist, nicht abzufinden, gegen sie den Kampf aufzunehmen und für die neue Welt Partei zu ergreifen (vgl. Röm 6, 4; 12, 2; Eph 2, 15; 4, 17–24). Die Wandlung der Eschatologie zu Spiritualisierung und Individualisierung macht sie zu einer Anleitung, sich mit der Welt, wie sie ist, abzufinden. Sie verwandelt den aufweckenden Fanfarenstoß (Eph 5, 14; 1 Thess 5, 6–8) in Opium.

9. Gegen einen Messianismus, der das Reich Gottes in der Geschichte durch menschliche Anstrengung und Organisation verwirklichen will, richtet christliche Theologie den eschatologischen Vorbehalt auf: Das Reich Gottes ist Gottes Tat, nicht Ergebnis menschlicher Bemühung; denn zwischen der Geschichte und dem Reiche Gottes steht das Kreuz Jesu Christi. K. Barth: »Wo das Reich Gottes im ›organischen Wachsen‹ oder ehrlicher, aber noch anmaßender gesagt: ›im Baue‹ gesehen wird, da ist es nicht das Reich Gottes, sondern der Turm zu Babel.«[7]

10. Die für den christlich-marxistischen Dialog entscheidende Frage ist, ob die Alternative zwischen Christus und Prometheus endgültig und exklusiv ist. Vergleiche K. Marx: »Prometheus ist der vornehmste Heilige und Märtyrer im philosophischen Kalender« (Schlußsatz der Vorrede seiner Dissertation, 1841), und P. Ricoeur: »Im Unterschied zur griechi-

schen Philosophie verurteilt das Christentum Prometheus nicht. Für die Griechen war die Schuld des Prometheus, das Feuer der Techniken und Künste, das Feuer der Erkenntnis und des Bewußtseins geraubt zu haben. Die Schuld Adams ist nicht die des Prometheus. Sein Ungehorsam besteht nicht darin, der Technik und Wissenschaft huldigende Mensch zu sein, sondern in seinem Wagnis des Menschseins das lebenspendende Band mit dem Göttlichen zerrissen zu haben.«[8]

11. Ob Christus und Prometheus im Gegensatz stehen oder nicht, entscheidet sich an der Frage, was wir durch unsere *Arbeit* erreichen können und was nicht.

12. Göttliche Gnade und menschliche Arbeit stehen nicht im Gegensatz:
a) Im Empfang der Gnade sind wir passiv, aber die Gnade macht nicht passiv, sondern aktiv.

b) Gott wirkt in der Welt durch wirkende Menschen. Er schaltet unser Wirken nicht aus, sondern ein. Er beruft den Menschen zum cooperator Dei in dieser Welt. Er betrauftragt zur Arbeit.

c) Der Erfolg unserer Arbeit steht nicht in unserer Hand, sondern hängt vom Segen Gottes ab. Darum ist von unserer Seite unsere Arbeit die tätige Form unseres Gebetes um seinen Segen: Ora et labora!

13. Es ist zu unterscheiden zwischen dem, was Gott durch unser Wirken verwirklichen will, und dem, was er ohne unser Wirken verwirklichen will. Unsere Befreiung von Schuld und Tod, unsere Änderung zu neuen Menschen, die glauben und lieben können, ist nicht unser Werk, sondern das Werk des Heiligen Geistes.

14. Das Reich Gottes ist das Leben der neuen Menschheit, die glauben und lieben kann, befreit von Schuld und Tod. Dieses Leben ist gegenwärtig und zukünftig: gegenwärtig in Verborgenheit und Kampf, zukünftig in offenbarer und widerspruchsfreier Vollendung (vgl. Thesenreihe VI, 10–15).

15. Weil das Reich Gottes in seiner gegenwärtigen und zukünftigen Gestalt nur durch die Kraft Gottes, nicht durch die Kraft des Menschen verwirklicht wird, ist es die absolute Utopie. Seine Transzendenz ist aber nicht Beziehungslosigkeit, sondern Mobilisierung zur Teilnahme an der Humanisierung der menschlichen Gesellschaft auf das Reich Gottes als der wirklich humanen Gesellschaft hin (vgl. VII, 4 und 8).

16. »Auf das Reich Gottes hin« meint nicht, daß die Verwirklichung des Reiches Gottes in der Verlängerungslinie unseres Wirkens läge, als Ziel auf unser Programm gesetzt werden könnte, so daß die Menschheitsgeschichte durch Fortschritt und Evolution approximativ auf das Reich Gottes zuginge. Das Reich Gottes ist nicht das Ergebnis des Produktions-

prozesses der Geschichte. Seine Transzendenz ist nicht von uns aus zu überwinden.

17. Dies ist der »eschatologische Vorbehalt« für alle unsere Bemühungen (vgl. VII, 9). Aus seiner Wahrheit ist in der Christenheit oft die falsche Konsequenz eines christlichen Konservatismus gezogen worden, der im Namen der Unverbesserbarkeit der Welt die Verbesserbarkeit der Verhältnisse bestritt, den Auftrag zum cooperator Dei-Sein auf die Erhaltung des Bestehenden reduzierte, die Phantasie für die Zukunft lähmte und jede gesellschaftliche Utopie als »Schwärmertum« verwarf. Damit provozierte man gerade einen Messianismus, der die von der Christenheit verkündigte absolute Utopie zum Programm der menschlichen Aktion machte – eine ebenfalls falsche Konsequenz aus der richtigen Erkenntnis, daß die absolute Utopie nicht nur jenseitiger Trost, sondern die das Diesseits und die Gegenwart bestimmende Macht sein will. Aus dieser falschen Antithese gilt es herauszukommen.

18. Gegenwartsbestimmend (und zwar gegenwartsrevolutionierend) ist das Reich Gottes auf zweierlei Weise:

a) In der Kraft des Heiligen Geistes mit dem Mittel der Verkündigung des Evangeliums revolutioniert es den Einzelnen zum Schlachtfeld des Kampfes zwischen dem neuen und dem alten Menschen (vgl. VI, 12–13). In diesem Sinne kommt das Christsein von dem in Jesus Christus schon geschehenen Adventus des Reiches Gottes her (VI, 10).

b) In der Verheißung der neuen Gesellschaft im Reiche Gottes ist eine revolutionäre (= grundstürzende) Kritik der bestehenden Gesellschaft enthalten. In diesem Sinne schaut das Christsein vorwärts auf das noch nicht realisierte Leben im Reiche Gottes und mißt an seinem Leitbild das Bestehende.

19. Dieses Messen ist nicht nur ein folgenloses Vergleichen samt Beseufzen der Schlechtigkeit des Bestehenden, sondern es wird zur praktischen Kritik des Bestehenden nach dem Maße des Künftigen. Diese praktische Kritik ist Betätigungsweise der Liebe als der Seinsweise des neuen Menschen, die gegen die Seinsweise des alten Menschen kämpft.

20. Die Liebe kämpft nicht nur gegen die Not, sondern für die Freiheit. Denn die Liebe will, daß der, dem sie dient, nicht nur physisch lebt, sondern selbst zum Lieben kommt. Liebe ist also interessiert an Freiheitsraum zur praktischen Betätigung liebender Verantwortung.

21. Darum folgt aus der absoluten Utopie der neuen Gesellschaft im Reiche Gottes eine irdische, relative Utopie als Leitbild für die Umgestaltung der bestehenden Verhältnisse mit dem Maßstab größtmöglichen Abbaus aller Ungerechtigkeit, Unfreiheit und Vergewaltigung. Denn

»Liebe muß als unbedingte Entschlossenheit zur Gerechtigkeit, zur Freiheit und zum Frieden *für die anderen* verstanden werden«[9].

22. Der Unterschied zwischen dem, was allein Gott ohne unser Zutun verwirklichen kann, und dem, was wir verwirklichen können und sollen, schließt also eine aus der absoluten Utopie des Reiches Gottes geschöpfte relative Utopie nicht aus, sondern hat sie zur Folge. Sie zum Leitbild unserer Aktionen zu machen, bedeutet nicht prometheischen Turmbau von Babel, sondern ist Konsequenz der gegenwartsmobilisierenden Verkündigung des Reiches Gottes. Daran erinnert der Marxismus die Christen, die für diese Erinnerung dankbar sein sollten, statt sie durch eine falsche Antithese von Christus und Prometheus abzuweisen.

23. Es sind zu unterscheiden: (A) die absolute Utopie – (B) die relative Utopie – (C) das sozialrevolutionäre Programm zur (mindestens approximativen) Realisierung der relativen Utopie. A ist Zielbegriff der christlichen Hoffnung; B ist Zielbegriff des gesellschaftlichen Handelns der Christen (in der ökumenischen Diskussion seit 1948: »die verantwortliche Gesellschaft«) und enthält in sich die Wertung des Menschen als Individuum und Sozialwesen, die aus der Botschaft vom Reiche Gottes folgt (christlicher Humanismus); C ist Produkt vernünftiger Überlegungen, ist offen für die Kooperation verschiedener Menschen mit verschieden begründetem Humanismus und ist vernünftig kontrovers.

24. Die relative Utopie (B) läßt sich leichter negativ als positiv beschreiben: Abbau von Herrschaft, Freigabe individueller Mitbestimmung, Beseitigung von Start-Ungleichheiten, Institutionalisierung der Hilfe der Stärkeren für die Schwächeren, Verhinderung von Ausbeutung u. ä. Sie zeigt die angestrebte irdische Gesellschaft als ein Abbild des Reiches Gottes unter den Bedingungen dieser Welt, als »ein menschliches ein die Art dieser vergänglichen Welt an sich tragendes Wesen«, weder als »Gleichung« mit dem Reiche Gottes, noch als »eine einfache und absolute Ungleichung«, wohl aber »als ein Gleichnis, eine Entsprechung, ein Analogon zu dem in der Kirche geglaubten und von der Kirche verkündigten Reiche Gottes«[10].

25. Das sozialpolitische Programm bezieht die normative Vorstellung einer humanen Gesellschaft aus der Utopie, letztlich aus dem eschatologischen Horizont der Reich-Gottes-Botschaft als dem »Horizont universaler Humanisierung«[11]. Es bezieht aber sein Material aus den im Vorhandenen liegenden Möglichkeiten (vgl. IV, 8 und 11) und entwirft den Weg in die Zukunft mit den beschränkten Mitteln menschlicher Erkenntnis. Darum hat sich das Programm vor der Utopie zu verantworten, kann sich aber nicht mit der Utopie identifizieren und die Autorität der Utopie

unmittelbar in Anspruch nehmen. Es ist vernünftig kontrovers und kritisierbar.

26. Weshalb ist die Unterscheidung von absoluter und relativer Utopie (der »eschatologische Vorbehalt«) wichtig?

a) Wer die absolute Utopie verwirklichen will, macht sich selbst zum Gott, das heißt, dieser Messianismus hat totalen Machtanspruch mit allen brutalen Konsequenzen zur Folge[12].

b) Die Unterscheidung verhindert die illusionäre Erwartung, daß alle existentiellen Fragen des Menschen durch die gesellschaftliche Änderung befriedigend beantwortet werden können. Der Mensch geht aber nicht in seinen gesellschaftlichen Beziehungen auf. Die Fragen von Sinn, Schuld und Tod sterben auch in der gelungenen Gesellschaft nicht ab.

c) Institutionen beeinflussen uns zum Besseren oder zum Schlechteren. Verbesserung der Institutionen kann das soziale Verhalten der Menschen bessern. Die Spannung zwischen Individuum und Gemeinschaft aber samt der ethischen Anforderung bleibt und muß bleiben; sie unterscheidet die menschliche Gesellschaft vom Termitenhaufen. Auch der Mensch der gelungenen Gesellschaft wird der Vergebung bedürfen.

d) Die Unterscheidung schärft ein, daß nicht alles, was wir wünschen und brauchen, von uns gemacht werden kann. »Der Mensch lebt nicht vom Brot der Machbarkeit allein.«[13]

e) Die Unterscheidung führt uns aus einem übersteigerten Zutrauen zu unseren menschlichen Möglichkeiten, dem dann im Rückschlag nur um so schlimmere Enttäuschungen zu folgen pflegen (Luther: superbia und desperatio), heraus zu nüchterner Beschreibung auf das vernünftig Erreichbare, ohne uns den Stachel der Utopie zu nehmen.

f) Der Unterschied hindert, das Ziel der irdischen befriedeten Gesellschaft und die Arbeit für sie als erschöpfende Antwort auf die Frage nach dem Sinn unseres Lebens auszugeben. Wo das geschieht, wird der Mensch nur nach seiner Leistung für den Fortschritt bewertet, den Leistungsunfähigen der Lebenssinn abgesprochen und die heute Lebenden nur als Material für den Bau der künftigen Gesellschaft angesehen. »Hier hat der eschatologische Vorbehalt der Kirche ... eine Individualität zu schützen, die nicht durch ihren Stellenwert im Fortschritt der Menschheit definierbar ist.«[14] »Der Christ ... steht ein für die wahre Freiheit und Unantastbarkeit jedes Menschen – dies darin begründet, daß jeder Mensch um seiner selbst willen da ist –, und dies darin begründet, daß jeder Mensch das geliebte Kind Gottes ist: er ist so um seiner selbst willen da, wie der Geliebte um seiner selbst willen und nicht seiner Funktionalität wegen geliebt wird.«[15]

b) Die Botschaft vom Reiche Gottes macht die Arbeit für die gesellschaftl. Veränderung nicht unnötig. – Auch in der gelungenen Gesellschaft wird die Botschaft vom Reiche Gottes nicht unnötig sein.

VIII. Revolution als theologisches Problem

1. Bei der heute diskutierten »Theologie der Revolution« handelt es sich nicht um eine Theologie, die die ideologische Funktion einer Rechtfertigung der Revolution hat, sondern um eine Theologie, die die Revolution zum Gegenstand ihrer Überlegungen macht.

2. Unter »Revolution« wird hier nicht der weitere Sinn des Begriffes gemeint (Revolution als tiefgreifender historischer Prozeß der Umwälzung von Lebensbedingungen: kopernikanische Revolution, industrielle Revolution u. ä.), sondern der von Menschen geplante und unternommene gewaltsame Umsturz der Staatsgewalt mit dem Ziel einer Veränderung der Lebensbedingungen (zum Beispiel Französische Revolution, mit Unterscheidung von Putsch, Staatsstreich u. ä.).

3. Die traditionelle »Theologie der Revolution« in allen christlichen Kirchen erschöpfte sich im wesentlichen in einer Warnung vor der Beteiligung an einer solchen Revolution, aber ohne absolutes Verbot. Als Ausnahme für extreme Fälle tyrannischer Obrigkeit wurde ein Widerstandsrecht (aus dem Naturrecht, sowohl in der Scholastik wie bei Melanchthon) und der Tyrannenmord konzediert, freilich unter strengen Kautelen[16].

4. Gründe für die Warnung:

a) die neutestamentlichen Mahnungen zur Unterordnung unter die Staatsgewalt (Mk 12, 13–17; Röm 13, 1–7; 1 Petr 2, 13–17),

b) das Vertrauen auf Gottes Lenkung der Geschichte und die Scheu, in diese einzugreifen,

c) die Überzeugung, auch eine schlechte Ordnung sei besser als die von der Revolution bewirkte Unordnung, und die Ungewißheit, ob Revolution bessere Ordnung bringen werde,

d) der christliche Abscheu vor der Gewalt und die daraus folgende Rechtfertigung nur der legalisierten Gewalt als Rechtsschutz gegen willkürliche Gewalt (vgl. II, 3 und 5).

5. Die traditionellen Bestimmungen sind heute nicht mehr hinreichend:

a) Sie werden den die neuere Zeit seit 1789 prägenden historischen Revolutionen nicht gerecht; den von diesen geschaffenen Tatsachen sich nur nachträglich zu unterwerfen (wie die alte Anweisung lautete) und ihre

Früchte zu genießen, ohne an deren Gewinnung mitgewirkt zu haben, ist nicht eine befriedigende Anweisung für das christliche Gewissen.

b) Sie sind unter den Bedingungen des Obrigkeitsstaates, das heißt des Gegenübers von Regierung und Untertanen, formuliert und ignorieren die moderne Idee der Volkssouveränität und die Pflicht des Bürgers in der Demokratie zu permanenter Kritik der Regierung und zur Beseitigung einer undemokratischen Regierung.

c) Sie moralisieren das Phänomen der Revolution, indem sie das Moment des Regierungssturzes isolieren von den gesellschaftlichen Problemen, die zur revolutionären Bewegung führen.

d) Mit ihrer Bevorzugung der bestehenden Ordnung bieten sie sich an als Tarnideologie für reaktionäre Interessen. Vor Ideologiekrtik können sie nicht bestehen.

e) Die Unerträglichkeit der sozialen Zustände in einigen Teilen der heutigen Welt preßt das Problem der Beteiligung an Revolution unabweisbar auch auf die theologische Tagesordnung.

6. Die prinzipielle Verwerfung der Revolution war eine wesentliche Ursache für das Versagen der Kirche in der sozialen Frage des 19. Jahrhunderts und für die Entfremdung von Kirche und Proletariat. Die Kirche wurde dadurch Hilfsorganisation für die Erhaltung der bestehenden Machtverhältnisse, und die Arbeiterbewegung, vor die Wahl zwischen der Revolution und einer Religion, die die Revolution verbietet, gestellt, entschied sich gegen diese Religion.

7. Die Vision des sozialen Lebens im Reiche Gottes ist Anweisung nicht nur für das Verhalten des Christen *in* der Gesellschaft, sondern auch für sein Bestreben *für* die Gesellschaft: Im dynamischen Prozeß der Geschichte sollen solche Veränderungen angestrebt werden, die Ausbeutung und Verelendung beseitigen, die zu freier, verantwortlicher Beteiligung des Einzelnen am gesellschaftlichen Leben führen, die Institutionen schaffen, durch die der Einzelne zu solcher Beteiligung erzogen und in sie eingeübt wird. Damit werden Verhältnisse verneint, die das Überfahren des Nebenmenschen in der Konkurrenz, die Unterdrückung der Schwächeren, den individualistischen Egoismus und den kollektivistischen Egoismus (Gruppenhaß, Nationalismus, Rassismus), Gruppenvorurteile und -aggressionen, Ausschluß von Bildung und von Information begünstigen. Daraus ergeben sich als Veränderungskriterien: Demokratie, Rechtsgleichheit und Rechtssicherheit, Freiheit von materieller Not und von Angst vor der Staatsmacht, Gleichheit der Bildungschancen, Minoritätenschutz[17].

8. Die Frage ist, ob neben diesen inhaltlichen Kriterien für das Streben

nach Veränderung noch ein formales genannt werden kann: die prinzipielle Verwerfung von *Gewaltanwendung*, so daß nur eine evolutionäre, nie eine revolutionäre Weise der Veränderung für den Christen in Frage käme. Begründet werden könnte das nur entweder mit der früheren Obrigkeitsmetaphysik, die heute in der evangelischen Theologie nicht mehr ernsthaft vertreten wird und die heute eo ipso antidemokratischen Effekt hätte, oder mit dem christlichen Abscheu gegenüber der Gewalt (II, 3).

9. Verwerfung der Revolution mit Berufung auf die christliche Verwerfung der Gewalt ist Heuchelei, solange aus der gleichen Begründung nicht auch die Verwerfung von Krieg und Militärwesen folgt. Wer in der Frage der Revolution pazifistisch argumentiert, in der Frage des Militärs aber nicht, enthüllt seine Argumentation als Ideologie der herrschenden Klassen.

10. Die traditionelle kirchliche Lehre von der Gewalt hat mit Recht erkannt, daß Liebe und Gewalt nicht auf gleicher Ebene stehen. Die Frage nach der Liebe ist die nach dem Subjekt der Tat; die Frage der Gewalt betrifft die Methode der Tat.

11. Der Liebe ist die Methode der Gewalt fremd. Unter den Bedingungen des alten Äons kann es aber vorkommen, daß die Liebe ihren Dienst am Nächsten nur verrichten kann, wenn sie sich zur Gewaltanwendung (einschließlich der Anwendung von tötender Gewalt, vgl. II, 6–9) entschließt. Weil sie die Gewalt verabscheut, kostet dieser Entschluß sie Überwindung. Ob das Subjekt der Gewaltanwendung Liebe ist oder nicht, wird am Maßstab dieser Überwindung zu messen sein. Mit ihr wird die Gewalt auf das nötigste Minimum reduziert – das ist ihre praktische Bedeutung. Gewaltanwendung kann fremde, paradoxe Gestalt der Liebe sein, Liebe in der Selbstentäußerung[18].

12. Kriegerische Gewalt ist in der kirchlichen Tradition seit Augustin (mit Ausnahme der sogenannten »historischen Friedenskirchen«) nie uneingeschränkt, sondern immer nur bedingt und begrenzt bejaht worden: für den Fall des bellum iustum. Für diesen galten folgende Kriterien: a) causa iusta (Krieg im Dienste der Erhaltung oder der Wiederherstellung des Rechtes); b) recta intentio (mit dem Ziel der pax, das heißt des Zusammenlebens mit dem Gegner, nicht seiner Vernichtung); c) debitus modus (Einhaltung der Kriegsregeln; Enthaltung von verwerflichen Mitteln und Methoden); d) legitima potestas (Subjekt der kriegerischen Gewaltanwendung müßte die für Gewalt legalisierte Instanz, die legitime Obrigkeit, sein); e) Güterabwägung (der durch den Krieg verursachte Schaden darf nicht größer sein als das in Frage stehende Rechtsgut). – Im

Zeitalter der ABC-Waffen ist die Möglichkeit der Unterscheidung von bellum iustum und iniustum mit Hilfe dieser Kriterien nahezu unmöglich geworden, ebenso nahezu unmöglich also eine mit Hilfe dieser Unterscheidung gerechtfertigte christliche Beteiligung an einem Kriege (»nahezu« ist eingefügt wegen der noch bestehenden Möglichkeit vor-atomarer Kriege)[19].

13. Revolutionäre Gewaltanwendung ist nicht problematischer als kriegerische Gewaltanwendung, im Gegenteil, diese ist in bestimmter Hinsicht problematischer als jene.

14. Revolutionäre Gewaltanwendung scheint problematischer zu sein als kriegerische Gewaltanwendung,

a) weil erfahrungsgemäß Bürgerkriege grausamer geführt werden als »reguläre Kriege«, und

b) weil sich die Revolution gegen die legitima potestas richtet.

15. ad a) Dieser Unterschied ist durch die Entwicklung der Waffentechnik einnivelliert worden.

ad b) Die Legitimität kriegerischer Gewaltanwendung der legitima potestas vorzubehalten, hatte sittlichen Sinn in Zeiten, in denen es darum ging, Untertanen einen Maßstab zu geben für die Frage, ob sie ihren Feudalherren bei einem Angriff gegen den übergeordneten Fürsten oder Kaiser unterstützen sollten. Das Kriterium der legitima potestas zur allgemeinen Richtlinie zu machen, bedeutet aber, Theologie in konservative Ideologie zu verwandeln: Die Gewalt von oben (also der herrschenden Gruppen und Ordnung) wird gerechtfertigt, die Gewalt von unten von vornherein moralisch diskriminiert.

16. Die von der theologischen Tradition (in bedingter und begrenzter Weise) gerechtfertigte kriegerische Gewaltanwendung ist problematischer als die von der theologischen Tradition verworfene revolutionäre Gewaltanwendung. Denn:

a) bei dieser kann (mit den gleichen Kriterien) ebenfalls die Unterscheidung zwischen revolutio iusta und revolutio iniusta vollzogen werden;

b) im Falle der revolutio iusta handelt es sich um Gewinnung besserer, menschenwürdigerer Ordnung (Lenins Begriff des bellum iustum), im Falle des bellum iustum nur um Erhaltung der bestehenden Ordnung;

c) im bellum iustum gehorcht der Untertan der Forderung seiner Regierung, sich auf ihre Entscheidung verlassend; in der revolutio iusta ist er auf seine eigene Entscheidung geworfen und bestimmt sich selbst zum Mitverantwortlichen für die Änderung des Bestehenden: »Auf zehn Revolutionen kommen tausend Kriege, und die Opfer bleiben brav; so schwer wird der aufrechte Gang gelernt« (Ernst Bloch).

17. Die traditionelle Verwerfung der Revolution übersieht, daß nur dem Schein nach die Initiative zur Gewaltanwendung beim Revolutionär liegt. In Wirklichkeit antwortet er auf je schon vorhergehende Gewalt – auf die Gewalt, auf der alle bestehenden politischen Systeme beruhen: »Wir haben nie die Wahl zwischen Gewalt und Gewaltlosigkeit, sondern immer nur zwischen zwei Arten der Gewalt, und niemand kann uns die konkrete Verantwortung abnehmen, in jedem einzelnen Fall zu entscheiden, wo die geringere, der freien Entfaltung des Menschen dienlichere Gewalt liegt ... Die vorübergehende Gewalttätigkeit des revolutionierenden Sklaven zu verurteilen bedeutet, an der stetigen, stummen Gewalttätigkeit dessen, der ihn in Ketten hält, mitschuldig werden.«[20]

18. Wer sich an einer Revolution beteiligt, muß alle Fragen auf sich gerichtet sehen, die die theologische Tradition an die Beteiligung an einem Krieg gestellt hat (siehe oben These 12). Weil es ihm um die bessere, humanere, freiere Ordnung zu tun ist, muß er

a) des Widerspruchs zwischen seinem Ziel und der Methode der Gewalt stets sich schmerzhaft bewußt bleiben (Gewaltanwendung als Fremdgestalt des revolutionären Humanismus, vgl. o. These 11),

b) im Gegner ein Opfer des Systems erkennen, das er bekämpft (und also nicht dem Freund-Feind-Schema verfallen),

c) das Wort Heinrich Heines im Bewußtsein haben: »Eine Revolution ist ein Unglück, aber ein noch größeres Unglück ist eine verunglückte Revolution«,

d) darum die Gewalt als ultima ratio ansehen, die er nicht verherrlicht, sondern bedauert und am liebsten vermeidet,

e) vor allem »sich über die Zeit *nach* der Revolution Gedanken machen, in der durch klares Denken und mit gutem Gewissen Gerechtigkeit aufgerichtet werden muß. Nicht die Gewaltanwendung selbst, sondern nur, was nach ihr kommen wird, trägt einen besonderen Wert in sich«[21].

19. Die kühnere, revolutionärere, dem humanen Ziel der revolutio iusta entsprechendere, die Selbstlosigkeit und die sittlichen Kräfte des Revolutionärs mehr beanspruchende Methode ist die der revolutionären Gewaltlosigkeit (M. Gandhi, M. L. King). Der echte Revolutionär ist daran zu erkennen, daß sie ihm näherliegt als die Methode der Gewalt.

20. Der revolutionäre Kampf um die approximative Verwirklichung der irdisch-sozialen Utopie findet nicht nur während der Revolution (im engeren Sinne des Begriffes, siehe oben These 2) statt, sondern ist ständig im Gange. Wer der irdisch-sozialen Utopie sich verpflichtet weiß, lebt dem bestehenden System gegenüber sowohl transzendent wie immanent:

Er ist ihm schon voraus, und er hat an ihm teil; er wirkt *gegen* das System und *in* dem System; er ist subversiv *und* konservativ. Denn:

a) Weil ihm die Gewalt ultima ratio und Fremdgestalt ist, ist ihm die gewaltsame Revolution nicht Selbstzweck; wo evolutionär voranzukommen ist, zieht er die Evolution vor.

b) Weil er weiß, daß im bestehenden System Errungenschaften früherer Fortschritte enthalten sind, ist er konservativ in bezug auf diese Errungenschaften. Sein Problem ist nicht der falsche Gegensatz zwischen Revolution und Reformismus, sondern zwischen System-Überwindung und System-Integrierung: Wie kann er immanent wirken, ohne integriert zu werden? Wie kann er zugleich bescheiden arbeiten und unbescheiden bleiben (vgl. I, 3–4)? Wie kann er dem Neuen unter den Bedingungen des Alten dienen, ohne dem Alten zu verfallen?

Anmerkungen:

1. Thesen zur Diskussion in einer Vorlesung an der Freien Universität Berlin im Sommersemester 1968. Zuerst veröffentlicht in: Die Funktion der Theologie in Kirche und Gesellschaft. Beiträge zu einer notwendigen Diskussion, in Verbindung mit N. Greinacher und P. Lengsfeld hg. v. P. Neuenzeit, 1969, 129–155.

2. Diskussion über die »Theologie der Hoffnung« von Jürgen Moltmann, hg. v. W.-D. Marsch, 1967, 120 ff.

3. Vgl. F. Werfels Roman »Jeremias. Höret die Stimme«.

4. Vgl. dazu E. Jüngel, Paulus und Jesus, 1962, 206–213.

5. H. Marcuse, Vorrede zu Kultur und Gesellschaft I, 1964, 16.

6. Vgl. H. Gollwitzer, Die marxistische Religionskritik und der christliche Glaube, 1965, Kap. VI.

7. Der Römerbrief, 1922[2], 419.

8. Zitiert nach R. Garaudy, Der Dialog zwischen Christen und Marxisten, in: EvKomm 1, 1968, 130.

9. J. B. Metz, Zur Theologie der Welt, 1968, 111.

10. K. Barth, Christengemeinde und Bürgergemeinde, 1946, 23.

11. J. B. Metz, aaO. 144; vgl. K. Barth, Kirchliche Dogmatik IV/3, 927: »Indem Gott sich des Menschen annimmt, eröffnet er ihm über seinen gegenwärtigen Status hinaus eine ganz andere Zukunft, treibt und führt er ihn in diese seine Zukunft hinein. ›Steh auf, nimm dein Bett und wandle!‹«

12. H. Gollwitzer, aaO. Kap. V–VI.

13. J. Ratzinger, Einführung in das Christentum. Vorlesungen über das Apostolische Glaubensbekenntnis, 1968, 47.

14. J. B. Metz, aaO. 110.

15. H. Gollwitzer, Forderungen der Freiheit, 1962, 218 f.

16. Vgl. K. Barth, Kirchliche Dogmatik III/4, 513 ff; H. Gollwitzer, Forderungen, 85 ff, 113–121, 387 ff.

17. K. Barth, Rechtfertigung und Recht, 1938, 43: »Die Phrase von der gleichen Affinität bzw. Nichtaffinität aller möglichen Staatsformen dem Evangelium gegen-

über ist nicht nur abgenützt, sondern falsch. Daß man in einer Demokratie zur Hölle fahren und unter einer Pöbelherrschaft oder Diktatur selig werden kann, das ist wahr. Es ist aber nicht wahr, daß man als Christ ebenso ernstlich die Pöbelherrschaft oder Diktatur bejahen, wollen, erstreben kann wie die Demokratie.«

18. H. Gollwitzer, Forderungen, 15 ff, 41–52.
19. Vgl. H. Gollwitzer, Art. »Krieg und Christentum«, RGG³ IV, 66–72.
20. R. Garaudy, aaO. 131.
21. Aus einer Resolution der ökumenischen Konferenz »Kirche und Gesellschaft«, Genf 1966, in: Appell an die Kirchen der Welt. Dokumente der Weltkonferenz für Kirche und Gesellschaft, hg. v. Ökumenischen Rat der Kirchen, 1967, 196; Hervorhebung von mir.

Die Weltverantwortung der Kirche
in einem revolutionären Zeitalter

Es soll von der Verantwortung der Christen und der Kirche für den Lauf der weltlichen Dinge gesprochen werden, in bezug auf das, was die beiden vorhergehenden Referate uns vor Augen gestellt haben, und mit besonderem Bezug auf die ökumenischen Konferenzen der letzten Jahre, die konkrete Aspekte christlicher Weltverantwortung, besonders den der Entwicklungspolitik, behandelt haben, also der Weltkonferenz »Kirche und Gesellschaft«, Genf 1966, der ökumenischen Konsultation über Entwicklungspolitik in Beirut, April 1968, und der Weltkirchenkonferenz in Uppsala, Juli 1968. Ich werde versuchen, einige theologische Fragen, die sich bei jeder Bewegung in der hier eingeschlagenen Richtung stellen, zu erörtern, in möglichster Nähe zu den praktischen Problemen. Es wird sich zeigen, daß es sich dabei nicht um Fragen akademischer Spezialistentheologie handelt, sondern um Fragen, die jedem von uns schon begegnet sind, mehr oder minder bewußt. Zunächst einige Vorbemerkungen zu den im Titel vorkommenden Begriffen:

1. Bei dem Wort Weltverantwortung sei erinnert an die besondere Bedeutung des Wortes »Welt« im Johannesevangelium. Dort ist Kosmos vor allem als Menschenwelt verstanden. Denken wir von daher, dann heißt Weltverantwortung soviel wie Menschenverantwortung – und damit ist das Wort jeder Bestreitbarkeit entnommen, die es vielleicht für manche Christen haben könnte, solange sie unter »Weltverantwortung« eine spezielle Art oder einen Sonderbereich von Verantwortung der Kirche *neben* ihrer eigentlichen kirchlichen Verantwortung verstehen. Unbestreitbar ist die Schar der Jünger Jesu zu den Menschen gesandt (Mt 28, 19), unbestreitbar sind sie Gottes Diener und Mitarbeiter an Gottes geliebter Menschenwelt, unbestreitbar ist die ganze Menschenwelt – und nicht nur ein privilegierter Teil – Adressat wie der Liebe Gottes in Jesus Christus, so auch des Dienstes und des Zeugnisses der Kirche, und unbestreitbar umfaßt dieser Dienst alle Bereiche des Lebens dieser Menschenwelt, so gewiß Gott der Herr über das ganze Leben und nicht nur über einen religiösen Sonderbereich sein will, so daß also das Interesse der Kirche grundsätzlich sich auf alle Lebensbereiche erstrecken muß (Barmen II). Erst wenn das feststeht, kann die Frage behandelt werden, ob

innerhalb dieser grundsätzlichen Bezeugung der Geltung des Willens Gottes für das ganze Menschenleben eine Verschiedenheit in der Art und Weise, wie die Kirche sich um den und jenen Lebensbereich zu kümmern hat, statuiert werden kann. Darauf werden wir nachher einzugehen haben.

2. Es ist in der Überschrift behauptet, wir lebten heute in einem revolutionären Zeitalter, womit ein Unterschied unserer Zeit von früheren angegeben sein soll. Revolution setzt man oft in Gegensatz zu Evolution. Dann ist mit Evolution eine stetige Entwicklung in allmählichen Schritten bei Erhaltung großer Kontinuität der Verhältnisse gemeint, mit Revolution aber eine sprunghafte Veränderung von tiefgreifender Wirkung, durch die eine in die Augen fallende Zäsur zwischen dem Bisherigen und dem, was nun beginnt, gesetzt ist. Der Gegensatz ist nur relativ; denn auch eine solche revolutionäre Veränderung ist eine Phase der ständig sich vollziehenden geschichtlichen Evolution, aber freilich eine besonders spürbare, weil tief und meist auch schmerzhaft einschneidende. Daß wir in einem rapiden Wandel der menschlichen Verhältnisse leben, im Unterschied zur allmählichen Veränderung früherer Jahrhunderte, ist uns allen bewußt. Ohne nähere Schilderung mögen dafür einige vielgebrauchte Stichworte genügen: technische Revolution, koloniale Revolution, sexuelle Revolution, atomare Revolution, kybernetische Revolution, strategische Revolution usw. Kein Wunder, daß in solcher Zeit der Begriff einer »Theologie der Revolution« aufgekommen ist.

I. »Theologie der Revolution« – was ist das?

Sieht man näher und ohne Vorurteile zu, dann handelt es sich bei diesem Stichwort um nichts anderes als um die Bemühung um eine Theologie, d. h. eine Gestalt des christlichen Denkens, die der Situation und der Aufgabe der christlichen Kirche in einem revolutionären Zeitalter entspricht.

a) Der Situation: Wir alle, wir Menschen, aus denen die Kirche besteht, sind ja selbst Kinder dieses Zeitalters. Wir stehen den anderen Menschen nicht gegenüber wie Insassen einer festen Burg, die zuschauen, wie draußen die Menschen vom Sturm der Veränderungen durcheinander gewirbelt werden, sondern auch wir leben mitten in diesem Sturm, wir werden ebenso revolutioniert wie alle anderen.

b) Der Aufgabe: Wir haben uns und den anderen eine Botschaft zu bezeugen, eine gleichbleibende Botschaft mit gleicher Lebensbedeutung wie für die Menschen der vergangenen Zeiten, so auch für die heutigen und für die künftigen Menschen: »Jesus Christus, heute und gestern derselbe – und in alle Ewigkeit« (Hebr 13, 8). Diese gleiche identische Botschaft ist Vereinigung aller Christen der verschiedensten Zeiten über alle revolutionären Brüche der Geschichte hinweg zu *einer* heiligen Kirche: Da ist nicht Jude und Grieche, nicht Hellene und Barbar, nicht mittelalterlicher Mensch und neuzeitlicher Mensch, nicht Angehöriger einer kapitalistischen Gesellschaft und Angehöriger einer sozialistischen Gesellschaft, sie sind allzumal einer in Christus (nach Gal 3, 28). Diese Botschaft gibt Halt und Ziel in den Stürmen der Veränderung. Aber sie ist nicht die vorhin erwähnte Burg in dem Sinne, daß sie uns der Veränderung entnähme, im Gegenteil, sie selbst stößt uns gerade in sie hinein. »Gehet hin in alle Welt!« heißt auch: hinein in diese Veränderungen, ohne Angst vor ihnen; denn ich bin bei euch alle Tage bis zum Ende der Welt! Es gehört zur Eigenart der christlichen Botschaft, daß sie als diese identische Botschaft nicht in einem ein für allemal festgelegten, immer gleichbleibenden Wortlaut rezitiert werden, sondern von Menschen, die samt denen, zu denen sie gesandt sind, den geschichtlichen Veränderungen unterworfen sind, bezeugt sein will in deren eigener, also ständig sich ändernden Sprache, und daß Verheißung und Anspruch Jesu Christi proklamiert werden soll in ständig sich ändernde Verhältnisse hinein für immer neue, oft unvorhergesehen andersartige Verhältnisse. Das bedeutet: Es gibt zwar ein Evangelium perenne, ein immerwährendes Evangelium, aber keine theologia perennis, keine immerwährende Theologie, sondern ein immer neues Sichbemühen um heutiges Verstehen, um heutige Sprache, um heutiges Zielen heutiger Prediger auf heutige Hörer. Hier kann nie auf den Lorbeeren der Väter ausgeruht werden, so sehr die Stimme der Väter bei diesem heutigen Bemühen mitangehört werden muß und nicht ohne Schaden überhört wird. Darum geht es auch in der so umstrittenen »modernen Theologie«. Auch ihren extremsten Vertretern ist anzumerken, daß sie das Identische des Evangeliums ins Heutige übersetzen wollen, und der nötige Streit darf nicht darum gehen, *ob* wir modern oder konservativ sein wollen, sondern *wie* wir als Moderne konservieren und als Konservative modernisieren, d. h. im Übersetzen ins Heutige die uns anvertraute Botschaft wirklich bewahren und im Bewahren wirklich übersetzen. »Modern sind wir heute alle«, sagte Martin Kähler, der zu seiner Zeit als konservativ galt.

»Theologie der Revolution« ist also a) eine Theologie, die die Christen öffnen will für die Erkenntnis des revolutionären Charakters unserer Zeit und für die Veränderungen, die sich daraus für die traditionelle Weise kirchlichen Lebens, Redens und Handelns ergeben. Sie ist, wenn sie sich recht versteht, nicht Bekenntnis zur Traditionslosigkeit, nicht Verneinung der Tradition, aber Kampf gegen eine Traditionsverhaftung, die die Kirche hemmt in dem heutigen Dienst. Sie kämpft damit gegen eine Gefahr, die der christlichen Kirche besonders droht, einmal deswegen, weil religiöse Gebilde, wie die christliche Kirche *auch* eines ist, besonders zäh an ihren Traditionen kleben und geneigt sind, sie zu tabuieren, zum andern deshalb, weil christlicher Glaube ohne eine bestimmte Tradition nicht sein kann, nämlich nicht ohne die Überlieferung von dem einen geschichtlichen Ereignis Jesus Christus und dessen Auslegung durch die Propheten und Apostel, von der der christliche Glaube lebt und die er weiterzugeben hat; die Angewiesenheit auf diese besondere Tradition kann aber die Kirche, wenn sie nicht kritisch aufmerkt, dazu verführen, auch an solchen Traditionen zu kleben, die als humanae traditiones, menschliche Traditionen, wie unsere Väter sagten, ihre Zeit haben und gehabt haben. Der dritte Grund ist ein soziologischer: Alle heutigen christlichen Konfessionen rekrutieren sich vornehmlich aus solchen Bevölkerungsschichten, die sich wehren gegen bestimmte Veränderungen unseres Zeitalters, weil sie sie aus Gründen des materiellen und geistigen Besitzes fürchten, aus dem Bauerntum und Bürgertum. Besitz macht revolutionsfeindlich und revolutionsängstlich. Im heutigen Weltmaßstab sind wir weißen Christen – als die Mehrzahl in der Christenheit – Angehörige der reichen Welt. Darum geht unser Interesse auf Erhaltung der gegenwärtigen Ordnung. Darum ist unsere besondere Gefahr, daß wir unfrei sind gegenüber unserer Aufgabe in einer revolutionären Zeit, daß wir unsere sozialen Traditionen mit dem Evangelium identifizieren und das Evangelium benützen zur Erhaltung unserer sozialen Traditionen, unseres materiellen und geistigen Besitzes.

»Theologie der Revolution« ist b) eine Theologie, die demgegenüber den revolutionären Charakter der biblischen Botschaft herausarbeiten will. Damit ist gemeint, daß der Gott der Bibel ein Gott der Geschichte ist, der sein Volk von Exodus zu Exodus führt, in die Wandlungen der Geschichte hineinstößt und für diese Wandlungen tüchtig macht, und daß die neue Wirklichkeit in Jesus Christus herausführt aus alter Wirklichkeit und sich deshalb immer kritisch zum Bestehenden verhält. Dieses Verständnis der Bibel steht polemisch gegen eine in der Tradition häufige Vorstellung von Gott als dem Gesetzgeber ewiger und gleichbleibender Ordnungen, die es zu verteidigen gibt gegen das jeweilige Neue in der Geschichte, also ein dynamisches Verständnis des Wirkens Gottes gegen ein statisches Verständnis.

»Theologie der Revolution« ist c) zukunftsgerichtet. Sie denkt nicht, wie die Theologie der Ordnungen, vom Anfang her, sondern eschatologisch auf das Ende, auf das Reich Gottes hin. Zu dieser Akzentuierung der Eschatologie ist sie angeregt durch den revolutionären Charakter der Zeit, der das Hergebrachte in die Vergangenheit stößt und uns zwingt, unsere Gedanken viel mehr als in früheren Zeiten auf die Zukunft zu richten und planend sie vorzubereiten. Jetzt wird vom Reiche Gottes nicht nur betont, daß es als Erfüllung des Glaubens jenseits der Geschichte steht und daß die innerweltliche Geschichte die Geschichte der unverbesserbaren, der Sünde verfallenen Welt ist, sondern es wird gefragt, ob nicht aus dem, was uns über das Reich Gottes gesagt wird, sich etwas für unser Handeln in dieser Welt ergibt. Die Allergie gegen den Chiliasmus hat unsere politische Theologie konservativ gemacht. Die Botschaft vom Reich Gottes will aber, daß die Christen in die alte Welt etwas Neues hereinbringen. Wir sollen zwar nicht vermessen das Reich Gottes selbst schaffen wollen, wir sollen aber hier, in der alten Welt, schon dem Leben in der neuen Welt entsprechen. Das Leben im Reich Gottes gibt uns das Maß für entsprechende Bewegungen schon in der alten Welt. Man darf also nicht, wie es unter uns noch häufig geschieht, die Frage nach einer besseren Gesellschaft gleich verketzern, als wäre sie ein Zeichen für schwärmerische Vermessenheit, man darf diese Frage nicht den Marxisten und Utopisten aller Art überlassen, sondern man muß erkennen: das Evangelium vom Reich Gottes selber hält uns dazu an, im Rahmen unserer jetzigen Bedingungen um Verbesserungen uns zu bemühen nach dem Maße, das uns das Reich Gottes gibt: also um etwas mehr Gerechtigkeit, etwas mehr Freiheit, etwas mehr brüderliches, friedliches Zusammenleben der Menschen und der Völker. Aus der absoluten Utopie der guten Gesellschaft des Reiches Gottes folgt die relative Utopie einer besseren Gesellschaft, für die wir arbeiten sollen.

»Theologie der Revolution« ist d) eine politische Ethik, die die Christen freimachen will zur aktiven Teilnahme an notwendig werdender radikaler Veränderung bisheriger Gesellschaftsordnungen, auch wenn diese gewaltsam vor sich gehen. Damit steht sie gegen das Verbot der politischen Revolution, das bisher in den christlichen Kirchen fast unbestritten galt. Wir sind dafür etwas vorbereitet durch das neue Nachdenken über das Widerstandsrecht, zu dem wir durch Ereignisse wie den 20. Juli 1944 und durch das Aufkommen totalitärer Unrechtsregime gedrängt worden sind. Bisher waren die christlichen Kirchen politisch antirevolutionär, und das Hauptargument dafür war die Ablehnung der Gewalt. Das ist auch heute meistens das Hauptargument gegen eine »Theologie der Revolution«, die man dann nur unter diesem Aspekt zur Kenntnis nimmt. Aber in Wirklichkeit ist dies ein sekundäres Problem, aus zwei Gründen:

1. Bei diesem Argument wird vergessen, daß christliche Ethik bisher die Gewaltanwendung nie absolut verworfen, sondern unter bestimmten, genau definierten Bedingungen gerechtfertigt hat, dann nämlich, wenn sie von der Obrigkeit ausgeht, die das Monopol der Gewaltanwendung hat, z. B. für die Polizei und Justiz, bis zur Todesstrafe, und für den Krieg (mit der Unterscheidung zwischen gerechtem und ungerechtem Krieg). Daß man das vergißt, ist Zeichen einer tiefsitzenden Schizophrenie, die sich ideologiekritisch durchleuchten läßt: Für die bestehende Herrschaft wird (unter Verwerfung des Pazifismus) die Gewalt gerechtfertigt, im Falle der Revolution aber denkt man auf einmal pazifistisch und preist die Gewaltlosigkeit als die einzige christliche Möglichkeit. So hat Papst Paul VI. in seiner Weihnachtsbotschaft 1967 die Christen zur militärischen Verteidigung verpflichtet und die Kriegsdienstverweigerer in den Verdacht der Drückebergerei gezogen und im August 1968 in Bogota jede Gewalt bei der Änderung sozialer Verhältnisse verworfen. Wenn die Kirche so aufteilt, dann verrät sie damit nur, daß sie im Bündnis mit den herrschenden Mächten steht und darum zu den Herrschenden und zu den Unterdrückten mit verschiedenen Stimmen spricht. Entweder es wird *jede* Gewaltanwendung christlich verworfen, oder es wird unterschieden zwischen sittlich vertretbarer und sittlich verwerfbarer Gewaltanwendung, und dann kann dies nicht mehr aufgeteilt werden auf Krieg und Revolution, sondern dann gilt das für beides, d. h. dann gibt es neben dem bellum iustum auch die revolutio iusta, und also kein Verbot der Revolution mehr, sondern nur noch die freilich höchst kritische Frage, wann und in welchen Grenzen und mit welchen Methoden Gewaltanwendung, sei es im Krieg, sei es in der Revolution, sich christlich rechtfertigen läßt.

2. Für die politische Revolution gehört, wie M. M. Thomas in Uppsala in einem glänzenden Vortrag gezeigt hat, Gewalt nicht zu ihrem Wesen, sondern ist eine nicht notwendige Nebenerscheinung. Das Wesen der politischen Revolution ist nicht die Gewalt, sondern der radikale Umbruch der politischen *und* sozialen Strukturen, und gerade der Umbruch der sozialen Struktur zum Besseren hin ist es, der eine Revolution rechtfertigt und deshalb die Teilnahme der Christen an ihr denkbar macht. Es ist nicht ein Ruhmeszeichen der Christenheit, daß sie in ihrer

Mehrzahl die von den Obrigkeiten geführten Kriege mitmacht, in den Armeen der Welt reichlich vertreten ist und den Soldateneid, der zum Töten verpflichtet, überall mit ihrer Eidesbelehrung sanktioniert, aber die politisch-sozialen Revolutionen bekämpft und dann hinterherhinkt, indem sie von den Errungenschaften dieser Revolutionen mit profitiert. Darum haben diejenigen Christen recht, die heute – z. B. in Lateinamerika und Vietnam – mit dieser fragwürdigen Tradition brechen und sich an revolutionären Bewegungen nach kritischer Prüfung beteiligen. »Es scheint mir, daß das Gedächtnis des Camilo Torres und des Che Guevara ebensoviel Respekt verdient wie das des Pastors Martin Luther King«, sagt mit Recht Helder Camara, der Erzbischof von Recife.

Wir haben damit das Schlagwort einer »Theologie der Revolution« der Begrenzung auf eine kleine, umstrittene Gruppe von Theologen entnommen und als Angabe für die theologische Aufgabe in einer revolutionären Zeit verstanden. Für unsere synodale Zusammenkunft beschränke ich mich nur darauf, an ein paar Hauptproblemen im sozialen Leben unserer Zeit zu verdeutlichen, wie die Kirche von ihnen auf Grund ihrer Botschaft gefordert wird. Es handelt sich um Fragen, die nach traditionellem Verständnis in den Bereich der Sozialethik gehören. Wir müssen uns aber darüber klar sein, daß das nicht nur irgendein Sonderbereich ist für spezielle theologische Lehrstühle. Wenn es wahr ist, daß das Christentum, wie Trutz *Rendtorff* sagt, heute in sein ethisches Zeitalter eingetreten ist[1], dann heißt das, daß solche Fragen heute das gesamte christliche Denken betreffen. Was christlicher Glaube ist, kann dann nicht mehr anders ausgesagt werden als in bezug auf das politisch-soziale Leben des Menschen, im Blick auf den Zusammenhang des Individuums mit der Gemeinschaft, im Aufweis der politischen Konsequenzen des Evangeliums – ähnlich wie in den apostolischen Briefen die »dogmatischen« Aussagen fast immer innerhalb praktisch-ethischer Abschnitte auftauchen.

In einer pluralistischen Gesellschaft gönnt man uns tolerant jeden Trost, den wir uns verschaffen, auch den religiösen, auch den von Ostern und ewigem Leben. Wir ernten dafür höchstens etwas Spott von den allzu Aufgeklärten. Wir ernten aber Feindschaft und Mord, wenn wir daraus die Konsequenzen für das Diesseits ziehen und uns, wie Martin Luther King, an die Spitze von streikenden Müllarbeitern stellen, und das wirklich tun, was in Uppsala beschlossen worden ist. Glaubensbekenntnisse, die nicht irdische, diesseitige Veränderungen tief in die Gesellschaft hinein zur Folge haben, sind Privatvergnügen und deshalb als irrelevant und ungefährlich längst toleriert. Die Relevanz jedes Satzes unseres Glaubensbekenntnisses werden wir unseren Zeitgenossen nur verdeutlichen können als politische und soziale, als gesellschaftlich revolutionäre Relevanz. »Es ist kein gutes Zeichen, wenn die Gemeinde scheut und erschrickt, wenn die Predigt politisch wird, als ob sie auch apolitisch sein könnte. Die ihrer politischen Verantwortlichkeit bewußte Gemeinde wird es wollen und verlangen, daß die Predigt politisch werde; sie wird sie politisch verstehen, auch wenn sie mit keinem Wort ›politisch‹ wird« (Karl Barth). »Wer einen Satz der Kirchlichen Dogmatik nicht politisch versteht, der hat ihn noch nicht verstanden«, sagte vor einiger Zeit ein japanischer Theologie-Professor seinen Studenten über Karl Barths Werk, und das gilt von jeder rechten Theologie und von jedem überlieferten Dogma. Unsere theologische Diskussion hat sich – zum Teil wenigstens – auseinandergividiert in ein konservatives Insistieren auf der dogmatischen Überlieferung und ein liberales Abschütteln des dogmatischen Gehaltes zugunsten einer Ethik der Mitmenschlichkeit, damit zurückfallend in das schlechteste Erbe des 19. Jahrhunderts, in dem die konservativen Theologen auch politisch konservativ zu sein pflegten und die liberalen um des Humanismus willen meinten, das Dogma abbauen zu sollen. Damit wird auseinandergerissen, was zusammengehört. Jeder Satz des Glaubensbekenntnisses hat explosive und offensive Bedeutung für den status quo der alten Welt, und ein Satz, der unser Verhältnis zu den anderen Menschen und zur Gesellschaft beim alten läßt, ist nicht wert, ein Satz des christlichen Glaubens zu sein. Nur durch ein verändertes Verhalten im Diesseits, nicht durch bloße Behauptungen über göttliche Wahrheiten, die angeblich »an sich« beschrieben werden können, können wir heute die Relevanz des Glaubensbekenntnisses bezeugen.

II. Die Verantwortung der Kirche für die Demokratisierung

Die Welt, in der wir leben, ist eine Welt von ungeheuren Möglichkeiten geworden, Möglichkeiten, die sich die Menschen durch Wissenschaft und Technik selbst erworben haben und die sich ständig noch ausweiten. In den erwähnten Stichworten von der atomaren und der kybernetischen Revolution sind sie angedeutet. Sie sind befreiende und bedrohende Möglichkeiten in einem. Wenn wir sie jetzt zuerst als bedrohende ins Auge fassen, dann nicht von einem Kulturpessimismus her, dem christliche Theologen oft huldigen, sondern um sie gerade so als befreiende Möglichkeiten erkennen zu können; menschliche Freiheit wird dann durch sie gewonnen werden, wenn es gelingt, ihre Bedrohung zu bewältigen.

Wir leben in einer Welt, in der Demokratie durch Technokratie abgelöst zu werden droht, und in der eine Hungerkatastrophe nie dagewesenen Ausmaßes sich anbahnt, bei der, wie Georg Picht schrieb, »mehr Menschenleben auf dem Spiele stehen, als in sämtlichen Kriegen der Weltgeschichte vernichtet wurden«. Es soll jetzt also die politische Aufgabe der Christenheit dargelegt werden an ihrer Verantwortung für die *Demokratie* und für die *Hungernden in der Welt*. Dafür, daß eine solche Verantwortung besteht, genügt das Gebot der Nächstenliebe als hinreichende Begründung. Wer seinen Nächsten liebt, wünscht für ihn – nicht nur, aber unvermeidlich auch – Hilfe aus materieller Not und rechtlich gesicherte Freiheit, sein Leben zu entfalten, also das, was heute in der »Allgemeinen Erklärung der Menschenrechte«, die die UNO am 10. 12. 1948 verkündet hat, umschrieben ist. Diese Menschenrechte sind, wie T. Rendtorff in dem genannten Aufsatz darlegt, in einem elementaren Sinne Freiheitsrechte und Friedensrechte, und man kann von ihnen sagen, was C. Fr. von Weizsäcker[2] von der großen Parole der Französischen Revolution »Freiheit, Gleichheit, Brüderlichkeit« sagt: »Ich meine, daß dieses Programm bis in die Feinheiten seiner Struktur hinein dem christlichen Verständnis menschlichen Zusammenlebens gesellschaftliche Realität zu geben sucht; und das, einerlei, ob seine Anhänger sich selbst für Christen halten.«

In Uppsala wurden drei Vorträge über Inhalt und Verwirklichung der Menschenrechte gehalten. Täglich war dort in irgendeinem Zusammenhang von sozialer Gerechtigkeit, von Menschenwürde, von persönlicher Freiheit, von Rechtssicherheit, von Selbstbestimmung, von verantwortlicher Teilnahme des einzelnen an der Gestaltung des gesellschaftlichen Lebens die Rede als von dem, wofür die Christen einzutreten haben. Mit diesen Begriffen ist umschrieben, was wir abkürzend *Demokratie* nennen wollen, und damit hat die Versammlung von Uppsala eine Utopie, d. h. ein Zukunftsziel vor Augen gestellt, das mit dem christlichen Glauben zusammenhängt, mit dem unsere Wirklichkeit noch nicht übereinstimmt, das also kritisch zu unserer Wirklichkeit steht und eine zu verwirklichende Aufgabe ist, die auch und gerade für die Christen gilt.

Das Paradox unserer Situation: In der gleichen Zeit, in der sich die Erkenntnis von der Identität von Demokratie und humaner Gesellschaft so durchgesetzt hat, daß auch in der christlichen Sozialethik ein ökumenischer Consensus darüber entstanden ist – in dieser gleichen Zeit ist die Möglichkeit von Demokratie so gefährdet, daß – allen Lippenbekenntnissen zum Trotz – Unzählige (und zwar nicht nur in den unteren Schichten der Bevölkerung, die die Grenzen der bürgerlichen Demokratie schon bisher täglich empfindlich zu spüren bekamen, sondern ebenso unter den

Intellektuellen und Politikern) mit der Unmöglichkeit von Demokratie sich schon resigniert abfinden. Jeder technische Fortschritt erhöht die gesellschaftliche Interdependenz, verringert die Unabhängigkeit des einzelnen, vermehrt mit der Herrschaft über die Natur auch die Möglichkeit von Herrschaft der Menschen über Menschen. Der gleiche technische Fortschritt drängt zu immer größerer Kapitalkonzentration, zu Vertrustung und Kartellabsprachen, weit über die nationalen Grenzen hinaus; der freie Unternehmer mit freien Konkurrenz versinkt zur Legende aus den guten, alten, erst so kurz vergangenen Zeiten des Neoliberalismus, gerade noch brauchbar zur propagandistischen Apologetik gegen den sozialistischen Kollektivismus. Der Kapitalismus der großen Monopole und der bürokratische Sozialismus im Osten sind ein bestenfalls aufgeklärter Absolutismus von Göttern, die jeder Kontrolle von unten entzogen sind und denen niemand von jenen, die von ihnen beherrscht werden, dreinreden kann. Alleinige Norm sind die Sachzwänge, auf die sie sich zur Rechtfertigung gegen alle humanen Forderungen berufen, und es gilt auch für sie, was Helmut Schelsky von ihren Werkzeugen, den Politikern, schreibt: »Für den ›Staatsmann des technischen Staates‹ ist dieser weder Ausdruck des Volkswillens noch die Verkörperung der Nation, weder die Schöpfung Gottes noch das Gefäß einer weltanschaulichen Mission, weder ein Instrument der Menschlichkeit noch das einer Klasse. Der Sachzwang der technischen Mittel, die unter der Maxime einer optimalen Funktions- und Leistungsfähigkeit bedient sein wollen, enthebt von diesen Sinnfragen nach dem Wesen des Staates.« Was hier noch »wollen« kann, scheinen nur noch die technischen Mittel zu sein, während die Frage nach dem Wozu und Wofür ihrer optimalen Leistung offenbar zu überwundener Metaphysik gehört. Oder ist dieses Wofür die Versorgung der Menschen? Aber deren so übergroß gewordene Massen sind ja selbst nur noch Mittel, entweder als Arbeitskraft oder als Konsumenten der von diesem selbstzwecklich erscheinenden Apparat erzeugten Produkte: »Die für die industrielle Betriebsform charakteristische Abhängigkeit dehnt sich auf die Gesamtgesellschaft aus ... Durch die Interdependenz wird die Industriegesellschaft in immer steigendem Maße zu einem Gesamtbetrieb, der als gesamter nur funktionieren kann, wenn seine Teilbetriebe kooperativ funktionieren. Störungen in Teilbetrieben führen zu Störungen des gesamtgesellschaftlichen Betriebs« (Eric Voegelin). Was sich in diesem Monsterbetrieb unterhalb der obersten Götter bewegt, sind beschränkte Funktionäre, auch die von den Universitäten produzierten: »Ihre Situation ist gerade durch ihr Spezialistentum und ihre Abhängigkeit von Vorgesetzten bedingt, ebenso durch die Betriebsorganisation, die auch im Bereich der Wissenschaft zunehmend bürokratische und industrielle Züge annimmt. Dieses neue Heer wissenschaftlicher Arbeitnehmer hat auch immer weniger Anteil an dem schillernden Prestige und der relativen Freiheit des alten Gelehrtenstandes« (Hans Paul Bahrdt).

Wenn, wie Nationalökonomen prophezeien, die ganze westliche Wirtschaft in wenigen Jahren von 300 Großkonzernen beherrscht sein wird, war dann die Menschheitsgeschichte nicht ein Weg zur Freiheit, wie Hegel träumte, sondern zur perfekten, freilich wohlernährten Sklaverei, in der auch die Automation nicht zur Freiheit, sondern nur zur Freizeit samt panis et circenses (»Brot und Spielen«) verhilft, – ein System, in dem »der Arbeiter sein Schicksal so wenig beherrscht wie die Ameisen den Ameisenhaufen« (de Gaulle während der Mai-Unruhen 1968)? Weit weg ist diese Gesellschaft von der »verantwortlichen Gesellschaft« der Ökumeniker, von den Ermahnungen zur Betätigung christlicher Freiheit in Liebe; diese können gerade noch für die privaten Beziehungen Sinn haben, weil im übrigen die Sachzwänge und die Befehle von oben gelten, und weil Verantwortung, die über das Private und über die Grenzen der Teilfunktion hinausblickt, abgetreten ist an jene obersten Götter, denen allein noch erlaubt ist, verantwortliche Persönlichkeit zu sein. Die heutigen Zwangsgesellschaften in Ost und West haben die Weichen von der Demokratie weg zur Technokratie gestellt. Entscheidend für das menschliche Leben in der Zukunft wird sein, ob es gelingt, diese Weichenstellung umzukehren: von der Technokratie zur realen Demokratie.

In der jungen Generation ist diese Entscheidungsfrage erkannt worden. Diese Erkenntnis ist eines der wichtigsten Motive in ihrem Aufstand. Für die kurze Geschichte der studentischen Bewegung waren die Empfehlungen des Wissenschaftsrates für die Hochschulreform (1966) ein wesentlicher Faktor. Sie bewiesen ihnen schlagend den unlöslichen Zusammenhang von Hochschulreform und Gesellschaftsveränderung und die Abhängigkeit der Ideen zur Hochschulreform von der jeweiligen Vorstellung von Gesellschaft. Was der Wissenschaftsrat, in dem neben Hochschullehrern vor allem Vertreter des Groß-Kapitals sitzen, vorschlug, war geleitet von der Frage, wie unser Schul- und Hochschulwesen effektiver arbeiten kann, um den Bedarf von Wirtschaft und Verwaltung nach qualifizierten Fachkräften zu befriedigen. Das Interesse an den Menschen, für die die Teilnahme am Geistigen ein Weg zur Selbstverwirklichung sein soll und die durch diese Teilnahme instand gesetzt werden sollen, selbst urteilende und mitbestimmende Glieder der Gesellschaft zu sein, trat demgegenüber zurück. Die Begegnung mit der Wissenschaft sollte hier nicht zur Emanzipation, zum Mündigwerden helfen, sondern zur Erfüllung begrenzter

Funktionen befähigen. Dieses Dokument des Wissenschaftsrates war für die Studenten – und beschämenderweise nicht entfernt in gleichem Maße für ihre Professoren! – ein Signal, das in die Richtung einer technokratisch organisierten und also unfreien Gesellschaft wies, und darum ein Signal, das sie alarmierte. Damit erkannten sie, daß der Demokratie die größte Gefahr nicht von den bei aller Schauerlichkeit doch immer wieder überwindbaren totalitären Tyrannen droht, sondern von der schleichend zur Herrschaft kommenden totalitären Technokratie, die so schwer zu hemmen ist, weil sie durch den technologischen Fortschritt selbst hervorgebracht wird (dafür waren die Analysen von Herbert Marcuse lehrreich), und die zugleich nicht imstande ist, aus den Widersprüchen des kapitalistischen Systems und ihren in der Dritten Welt besonders sichtbaren Folgen herauszuführen (hier liegt die Grenze von Marcuse, aber hier setzen die Analysen der neueren marxistischen Autoren ein).

Was die Dokumente von Uppsala verlangen, ist Kampf für Gerechtigkeit und andere Grundforderungen. Sie verpflichten jeden, der, wie es in Uppsala gefordert wurde, für Gerechtigkeit und Menschenwürde in der Gesellschaft arbeiten will, sich dem Phänomen des Hochkapitalismus und der Technokratie in aller kritischen Schärfe zu stellen und die Ursachen und Interessen, die die Emanzipation verhindern, ohne Rücksicht auf seine eigene Verflechtung mit ihnen aufzuspüren. Ohne die Utopie der sozialen Demokratie, also eines Sozialismus, wie wir ihn noch nicht haben, ist heute die formale Demokratie, die wir noch haben, nicht mehr zu retten, sondern wird zerrieben im Widerspruch zwischen Emanzipationsbejahung und Emanzipationsfurcht, zwischen Interesse an bürgerlichen Freiheiten und dem Interesse an ihrer Aufhebung, wie es dem Hochkapitalismus eigen ist. »Herrschaft« ist nach Werner Hofmann immer als politische und ökonomische Herrschaft in einem zu definieren: »institutionell gesicherte Nutznießung eines Teils der Gesellschaft gegenüber einem anderen. Nutznießung meint einen wirtschaftlichen Sachverhalt, nämlich einseitige Aneignung von Teilen des Arbeitsprodukts anderer«. Weil in diesem Zeitalter, bei dieser technischen Entwicklung und unter diesen gesellschaftlichen Bedingungen ständig neue Gesellschaftsmöglichkeiten und damit Herrschaftsversuchungen entstehen, muß ständig Herrschaft angegriffen, entlarvt und abgebaut werden, und es müssen Formen herrschaftsfreien Zusammenlebens eingeübt werden. Demokratie gibt es nur als permanente Demokratisierung.

Der Kirche darf das nicht fremd sein. Sie ist ja die herrschaftsfreie Bruderschaft in der Welt; denn »die verschiedenen Ämter in der Kirche begründen keine Herrschaft der einen über die anderen, sondern die

Ausübung des der ganzen Gemeinde anvertrauten und befohlenen Dienstes« (Barmen IV). Spricht die Kirche von der Herrschaft Gottes und der Herrschaft Jesu Christi, so befestigt sie, wenn sie das recht tut, damit nicht feudale Herrschaftsstrukturen, sondern sie unterminiert sie; denn jede menschliche Herrschaft wird damit nicht nur begrenzt (das ist die antitotalitäre Wirkung des christlichen Bekenntnisses), sondern darüber hinaus befragt nach der Dienstfunktion, die sie hat, und diese Befragung zielt auf ihre Ersetzung durch Funktionen, die in reinerer Weise nur mehr Dienst und nicht mehr Herrschaft sind. Die Kirche kann sich aber nicht damit begnügen, dies in ihrem eigenen Leben zu verwirklichen, etwa nur im Gegensatz zur Welt, sich von dieser als der bösen und unverbesserbaren abhebend. Im Gegenteil, wenn sie das nur bei sich selbst versucht, sich von der Umwelt isolierend, dann wird es ihr auch bei ihr selbst nicht gelingen, sondern die Herrschaftsweisen der Umwelt werden auch in sie hineinwirken, so daß schließlich ihre freie Bruderschaft nur noch in der Behauptung und im Gefühl, also in der falschen Innerlichkeit besteht, während im empirischen kirchlichen Leben ebenfalls Apparate und Personen herrschen und Theorie und Praxis wieder einmal auseinandergerissen ist. Nur indem das Leben der christlichen Gemeinde – mindestens tendenziell – auf die Umwelt hinauswirkt, kann es dem Hereinwirken der Umwelt entgegenwirken. Dienstgemeinschaft in der Welt ist die Gemeinde auch darin, daß sie bei sich selbst herrschaftsfreie Willensbildung verwirklicht, damit der Umwelt zum Exempel dient und ihre Glieder, die ja zugleich Glieder der Gesellschaft sind, ermutigt und durch Erfahrungen in ihrer Phantasie und Begier bestärkt, auch draußen am Abbau von Herrschaft sich zu beteiligen.

III. Die Verantwortung der Kirche in den Fragen der Entwicklungspolitik

Mehr noch als die Aufgabe der Verwirklichung der Menschenrechte in einer besseren Gesellschaft standen die brennenden Fragen der Entwicklungspolitik im Vordergrund der Beratungen von Uppsala. Die Konferenz war im Unterschied zu den bisherigen Weltkirchenkonferenzen gekennzeichnet durch die Beschäftigung mit diesen »weltlichen« Fragen, ja, ihre Hauptbedeutung dürfte darin liegen, daß diese größe Versammlung kirchlicher Repräsentanten wie noch nie sich mit der nackten Weltwirklichkeit hat konfrontieren lassen. Das muß nun weiterwirken. Es muß auf die nationale, regionale und lokale Ebene übertragen werden.

Nachdem schon die Synode der EKU im Februar 1968 sich diesen Fragen gestellt hat, sollte auch diese Synode der EKD dazu einen kräftigen Anstoß geben.

Es ist zu vermuten, daß auch an diesen Aufgaben sich zeigen wird, wie ungeeignet viele bisherige Formen unseres kirchlichen Lebens dafür sind und wie energisch wir an ihre Änderungen gehen müssen. Dafür werden die Referate von Herrn Krusche und Frau Büchsel vermutlich Hinweise geben. Ich beschränke mich hier auf diejenigen Fragen, die mit der Welthungerkatastrophe zusammenhängen. Sie sind nicht die einzigen Fragen der Dritten Welt, für deren Völker es ebensosehr um die Gewinnung ihrer nationalen Souveränität, um Weiterentwicklung ihrer kulturellen Traditionen und um Erringung neuer sozialer Ordnungen geht. Aber in unserer Beziehung zu ihnen steht das Hungerproblem im Vordergrund, also die Frage: Was tun wir zu seiner Lösung? – und: was tun wir faktisch zu seiner Verschlimmerung?

Wer sind wir? Wir sind der reiche Mann. Das ist unsere genaueste, unbestreitbare Ortsbestimmung. Wir gehören zu dem einen Drittel der Menschheit, das mit Entfettungskuren beschäftigt ist, während die anderen zwei Drittel mit Hunger und Verhungern beschäftigt sind (Peter Schilinski). Und dieses eine Drittel besteht zum größten Teil aus getauften Christen, die anderen zwei Drittel aus Ungetauften. So hat sich das seit jener Zeit, als Paulus bei den Sklaven in Korinth für die »Armen« in Jerusalem sammelte, verändert: Die Getauften sitzen als die Reichen am gedeckten Tisch, und der arme ungetaufte Lazarus liegt draußen vor der Tür – wirklich draußen und darum noch ohnmächtiger, bei unserem Mahle noch leichter zu übersehen, als wenn er in unserem Hause läge, wie es das Proletariat in unseren Ländern tat. »Christen plündern Christen«, war kürzlich die Überschrift eines Vortrags von Helder Camara, dem Erzbischof von Recife in Brasilien, in dem er die Ausplünderung der lateinamerikanischen Massen durch das nordamerikanische Kapital und die einheimischen Oberschichten beschrieb, und »Getaufte plündern Ungetaufte«, müssen wir im Blick auf Asien und Afrika noch daneben schreiben.

Die Fortsetzung steht in Jesu Gleichnis vom reichen Mann und vom armen Lazarus (Lk 16, 19–31): Die getauften Reichen verstößt ihr Herr und die getauften und ungetauften Ausgeplünderten nimmt er in seinen Schoß. »Was ihr nicht getan habt diesen meinen geringsten Brüdern, das habt ihr mir nicht getan.« »Hören sie Moses und die Propheten nicht, so werden sie auch nicht glauben, wenn einer von den Toten auferstünde.« Es ist einer von den Toten auferstanden, und die Reichen an ihrem Tische bekennen das, und trotzdem hungert und verhungert vor ihrer Tür weiter der arme Lazarus in Millionen. Der Skopus dieses Gleichnisses ist nicht, wie es manchmal verdächtigt wird, jenseitiger Opium-Trost für den armen Lazarus. Es ist einseitig an den reichen Mann adressiert und für das Diesseits gemeint; es will nicht die Armen mit jenseitigem Ausgleich trösten, sondern die Reichen vor der jenseitigen Verwerfung warnen und zu diesseitigem Hören und Handeln antreiben.

Uppsala hat uns beraten über das, was wir als christliche Bürger und Kirchen dazu tun können. Die Forderungen, die dort an die Kirchen gerichtet worden sind, umschreiben die Möglichkeiten unseres Tuns, wenn auch sicher nicht vollständig – unserer Phantasie und Energie sind keine Grenzen gesetzt! – so doch andeutend. Es sind teils Forderungen, die sich auf den innerkirchlichen Bereich beziehen, teils solche, mit denen sich die Kirchen nach außen, an die Bevölkerung, an die Politiker und an die in der Wirtschaft Verantwortlichen wenden sollen. Die letzteren sind es, bei denen in besonderem Maße theologische Probleme entstehen, vor allem die Frage nach dem politischen Reden und Handeln der Kirche. Deshalb werde ich mich hier auf sie beschränken. Wir hören heute für sie den Hilferuf von Männern wie Raoul Prebisch und dem bisherigen Minister für Entwicklungshilfe Wischnewski, die sich an die Kirche wenden in ihrer Verzweiflung über den derzeitigen Stand der Dinge.

Zuerst sei aus den ökumenischen Dokumenten eine Liste solcher Forderungen nach außen, die sich die Kirchen zu eigen machen sollen, aufgestellt. Zunächst die entsprechenden Punkte des Berichtes der Sektion III von Uppsala:

»1. Die Kirchen sollen darauf hinwirken, daß die politischen Parteien die Entwicklung als einen der wichtigsten Punkte in ihr Programm aufnehmen.

2. Die Kirchen sollen die Regierungen der Industrieländer beeinflussen und dazu drängen, daß sie:

a) internationale Entwicklungsmaßnahmen ergreifen, die mit den ausdrücklichen Wünschen der Entwicklungsländer in Einklang stehen (z. B. mit der Charta von Algier);

b) den jährlichen Prozentsatz des Bruttosozialproduktes, der offiziell für die finanzielle Entwicklungshilfe bereitgestellt wird, bis 1971 als einen ersten Schritt auf mindestens 1% erhöhen;

c) Abkommen schließen, die die Preise empfindlicher Rohprodukte auf einer annehmbaren Höhe stabilisieren und stützen und den Fertigwaren der Entwicklungsländer bevorzugten Zugang zu den Märkten der entwickelten Länder verschaffen;

d) die Beschlüsse der Vereinten Nationen bezüglich des zweiten Entwicklungsjahrzehnts übernehmen.

3. Die Kirchen sollen sich auf verantwortliche Weise an Bewegungen für radikale strukturelle Wandlungen beteiligen, die notwendig sind, um eine größere Gerechtigkeit in der Gesellschaft zu verwirklichen.

4. Die Kirchen sollen die Regierungen dazu drängen, anstelle der allgemeinen Wehrpflicht eine Zeit freiwilligen Dienstes in der Entwicklungsarbeit im eigenen oder in einem anderen Land anzuerkennen.«

Dazu im gleichen Bericht:

5. Hilfe und Handel sind so zu strukturieren, »daß sie nicht zu Instrumenten der politischen, ideologischen und Sicherheitsinteressen der entwickelten Länder werden«.

6. Stabilisierung des internationalen Marktes (d. h. der Rohstoffpreise);

7. Weltsteuer zur Schaffung von Entwicklungsfonds;

8. Stärkung multilateraler Hilfsprogramme (zur Verminderung der bilateralen Hilfe);

9. Stärkung der Vereinten Nationen;

10. Unterzeichnung des Atomsperrvertrags;

11. Abbau des Wettrüstens (9–11 im Bericht der Sektion IV);

12. Ausklammerung der Militärhilfe und der privaten Investitionen aus den geforderten 1% der staatlichen Entwicklungshilfe;

13. Aufhebung oder mindestens Erleichterung der »Lieferbindung« (d. h. der Bedingung, die Hilfsgelder nur zum Kauf von Waren aus dem Geberlande zu verwenden);

14. Gewährung von Zollpräferenzen, einseitiger Abbau von Importschranken, Umstellung auf technisch hochentwickelte Industrien zugunsten der einfacheren Industrien der Entwicklungsländer;

15. Festlegung der bilateralen Hilfsgelder auf längere Frist;

16. Maßnahmen zur Erleichterung des Schuldendienstes (13–16: Holland und Schweden auf der Welthandelskonferenz in Neu-Dehli, 1968);

17. Schaffung eines Umlauffonds für rückgezahlte Schulden, aus dem ohne neue Belastung wieder ausgeglichen werden kann;

18. Staatliche Einwirkung auf Privatunternehmen (und Aktionäre) zu Investitionen, die im Interesse der Empfängerländer liegen, und Unterstützung solcher und nur solcher Investitionen (etwa durch Garantien für nicht-kommerzielle Risiken) (17–18: Beirut 1968);

19. Beendigung der Autarkiepolitik der EWG auf dem Agrarsektor (K. Lefringhausen);

20. Erhöhung der Nahrungsmittelproduktion und -vorräte in den entwickelten Ländern zur Bekämpfung akuter Hungersnöte;

21. Überprüfung der Prioritäten zwischen Maßnahmen des kalten Krieges und der Entwicklungshilfe;

22. Koordinierung der Entwicklungshilfe der östlichen und der westlichen Staaten und Entwicklung gemeinsamer Projekte;

23. Ausbildung und Entsendung von Beratern, Technikern, Ärzten, Krankenschwestern, Lehrern usw.;

24. Unterlassung des Abwerbens qualifizierter Fachkräfte aus den Entwicklungsländern;

25. »Anerkennung des letzten Zieles: internationale Arbeitsteilung, die auf dem spezifischen Beitrag voll ausgestatteter Nationen beruht, die gleichberechtigt miteinander Handel treiben.«

IV. Politisierung der Kirche?

Diese – unvollständige – Liste zeigt, mit welch schwieriger, äußerst komplexer Sachproblematik wirtschaftlicher und politischer Art sich die Kirchen – und das heißt doch: Menschen, die in dieser Hinsicht zum größten Teil Laien sind – nun befassen sollen, in die sie sich einmischen, ja, in der sie mit Forderungen und Befürwortungen Partei ergreifen sollen. Nicht nur der auf personale Beziehungen gerichteten Caritas, nicht nur der privat gedachten Nächstenliebe ist das fremd; es scheint auch ganz der gewohnten Arbeitsteilung von Kirche und Staat auf Grund der überlieferten Zwei-Reiche-Lehre zu widersprechen und zu einem »Eingreifen in ein fremdes Amt« zu führen, vor dem unsere theologischen Väter immer gewarnt haben – und das nicht nur wegen des Mangels an Sachkunde bei Kirchenleitungen und Pastoren, sondern vor allem wegen der Gefahr der Vermischung der beiden Reiche und der Vermischung von Gesetz und Evangelium. Handelt es sich doch hier um Fragen der Vernunft, und kann sich doch die Kirche in solchen Fragen nicht anmaßen, gescheiter zu sein als die ökonomischen und politischen Fachleute. Spricht sie aber mit in Dingen, in denen andere genausoviel oder mehr verstehen, so wird aus dem Mittelpunkt rücken, was nur sie den Menschen sagen kann, was ihr »eigentlicher Auftrag« ist, für den allein sie ihre Autorität einsetzen darf.

Bei dem, was aus Uppsala »auf uns zukommt«, bekommen die Befürchtungen einer »Politisierung der Kirche«, die Bischof Hans-Otto *Wölber*[3] geäußert hat, noch viel mehr Anlaß als bei den Denkschriften der EKD:

1. Das Evangelium geht den Weg über die Änderung der Person. Wer Strukturen ändern will, predigt den Weg des Gesetzes.

2. Wer von der Kirche verlangt, sie solle begrüßenswerte Entschlüsse der Regierung unterstützen, der muß ihr auch zuschieben, daß sie zu solchen Entschlüssen drücken soll – und gibt damit der Kirche die Funktion einer politischen Partei.

3. Wer der Kirche solche Aufgaben zuschiebt, muß damit rechnen, a) daß er die Kirche in verschiedene Parteien zersplittert, weil es über derartige Sachfragen immer verschiedene Meinungen geben wird – und b) daß die Kirche möglicherweise eines Tages blamiert dasteht, wenn sich herausstellt, daß sie sich für die falschen Entschlüsse eingesetzt hat. Fazit: Nur im Ausnahmefall des status confessionis ist eine »Stellungnahme zum politischen Sachverhalt in gemeinsamer kirchlicher Verantwortung« legitim; sonst soll das möglichst den inoffiziellen Gruppen und Kreisen überlassen bleiben. Um jeden Preis ist das Proprium der Kirche zu hüten: die Botschaft von der Gnade Gottes, die für alle, auch für den politischen Gegner gilt.

Was an diesen Warnungen berechtigt ist, will wohl gehört sein, wenn wir nicht in eine Politisierung der Kirche geraten wollen, derjenigen ähnlich, die Luthers Reformation und Luthers strenge Unterscheidung der Aufgaben von Kirche und Staat nötig gemacht hat. Wer mit Verdruß das bewußte und unbewußte (das letztere ist das eigentlich schlimme und verräterische!) westlich-gerichtete Politisieren in der evangelischen Christenheit seit 1945 in Bischofsreden und Kirchenblättern ertragen hat, muß sich klar sein, daß die Festlegung der Kirche auf eine andere politische Tendenz und die Inanspruchnahme der kirchlichen Autorität für eine andere politische Meinung nicht weniger illegitim ist. Und wer das reformatorische Verständnis der Rechtfertigung wirklich in sich aufgenommen hat, der wird argwöhnisch gegen jede Vergesetzlichung in der Kirche und in ihrer Verkündigung auf der Hut sein.

Stehen wir damit vor einem Entweder-Oder? Haben wir keine andere Wahl als die zwischen Politisierung und Neutralisierung? Der Weg, den wir zu gehen haben, hat sicher –wie jeder Weg auf Erden – seine sorgsam ins Auge zu fassenden Gefahren, aber wer sich gegen ihn nicht aus Gefahrenscheu oder aus eigener, wenn auch unbewußter, politisch-ideologischer Bindung wehrt, dem löst sich das von Bischof Wölber gezeichnete Schreckbild bei näherem Zusehen doch auf.

1. Wir müssen uns freimachen von der Unterscheidung zwischen dem »eigentlichen« Auftrag der Kirche, der in der Verkündigung des Evangeliums von Jesus Christus besteht, und der Wahrnehmung politischer Verantwortung. Die Kirche hat nur zu tun, was zu ihrem eigentlichen Auftrag gehört, und nichts, was sie wirklich zu tun hat, ist etwas

»Uneigentliches«. Es gibt hier nicht eine Unterscheidung von Hauptsache und Nebensache, sondern höchstens eine Unterscheidung von Zentrum und Peripherie: im Zentrum das Evangelium, auf der Peripherie die Politik – im Zentrum das Heil, auf der Peripherie das Wohl des Nächsten. In Zentrum und Peripherie vollzieht sich das menschliche Leben; auf der Peripherie entscheidet sich und kommt an den Tag, was im Zentrum geschehen ist. »Fides sola justificat, sed nunquam est sola«, sagt Luther (»Der Glaube allein rechtfertigt, aber er ist nie allein«, sondern, wenn er echt ist, immer in der Freude und in der Liebe sich äußernd). Die Werke sind neben dem Glauben, die Heiligung ist neben der Rechtfertigung nicht das »Uneigentliche«, die Nebensache, sondern der Artikel von der Rechtfertigung und der von der Heiligung stehen zueinander, wie die lutherischen Väter sagten, als articulus fidei constituens und articulus fidei consequens, als Artikel von der Begründung des Glaubens und als Artikel von der Konsequenz des Glaubens. Die Konsequenzen des Evangeliums sind nicht die Nebensache, sondern die Frucht und das Ziel: »in Christus Jesus geschaffen zu guten Werken« (Eph 2, 10). Ebenso ist im Verhältnis zum Mitmenschen der Dienst an seinem Wohl nicht Nebensache gegenüber dem Dienst an seinem Heil. Beides ist untrennbar. Wie ihm sein leibliches Elend den Weg zum Heil, das Hören des Evangeliums versperren kann, so kann mein Dienst Heuchelei werden, wenn ich mich nur um seine Seele kümmere, für seinen Leib aber nichts opfere.

2. Das Wort »Gesetz« darf nicht schrecken. Allerdings verwirklichen sich soziale Strukturen in Gesetzen, aber sie sind nicht identisch mit jenem Gesetz der Leistung und der Vergeltung, von dem uns das Evangelium befreit. Hinter jenen Befürchtungen steht an diesem Punkte m. E. die alte Entgegensetzung von Gerechtigkeit und Liebe, als schlössen die beiden sich aus. Das ist aber nicht wahr. Vielmehr sind gerechte Zustände eine der Verwirklichungsweisen von Liebe. Gerechtigkeit kann kalt und lieblos sein, Liebe aber sagt immer ja zur Gerechtigkeit. Liebe ist nicht gleichgültig gegen Gesetze, sondern will ungerechte Gesetze durch gerechte ersetzen. Wenn der barmherzige Samariter Minister wird, hört er doch nicht auf zu tun, was er im Gleichnis tat, sondern setzt das auf neuer Ebene fort, z. B. indem er den Räubern das Handwerk legt und die Kriminalität durch sozialen Fortschritt bekämpft. Maxima caritas lex, hat uns Heinrich Albertz auf der letzten Westberliner Synode zugerufen, und ich denke, man kann auch alle Intentionen unseres Freundes Max Kohnstamm in diesem Satz zusammenfassen, wenn er von »Love in structures« spricht.

3. Wie steht es aber zwischen dem Evangelium und der Vernunft? Hat die

Kirche denn das zu predigen, wofür uns die Vernunft genügen kann, oder verrückt sie damit nicht den Inhalt ihrer Verkündigung von dem, was Gottes Wort und nicht die Vernunft uns sagt, zu dem, was wir uns selbst sagen können und wofür wir keine Kirche brauchen? Antwort: Keineswegs kann Interesse, Kompetenz und Wort der Kirche da aufhören, wo es sich nicht mehr um Offenbarung über aller Vernunft handelt, sondern ums Menschlich-Vernünftige. Wo der Glaube in der Liebe zur Tat wird, begibt er sich in den Bereich der Vernunft. Was unvernünftig ist, ist auch lieblos. Die Frage ist allerdings: Was ist vernünftig?

Dafür kann vielleicht die alte Unterscheidung unserer idealistischen Philosophen zwischen Vernunft und Verstand hilfreich sein. Vernunft ist das Vermögen, dem Handeln die Zwecke zu setzen; Verstand ist das Vermögen, die für die Zwecke geeigneten Mittel auszuwählen. Deutlich ist: Im Bereich der so definierten Vernunft können wir auf keinen Fall neutral sein. Es gibt mißleitete Vernunft, die dem Handeln böse Zwecke setzt, wie wir in unserer deutschen Geschichte erlebt haben. Im Streit der Zwecksetzungen und der obersten Werte sind wir Christen von vornherein Partei: Die Philanthropie Gottes in Jesus Christus (Tit 3, 4) macht uns zu Philanthropen, macht uns im politisch-sozialen Handeln den Menschen zum Maß aller Dinge und macht uns damit zu Bundesgenossen aller ehrlichen Humanisten, ob sie nun aus christlichen Traditionen stammen oder nicht.

Nach dem Streit der Zwecksetzungen aber gibt es den Streit des Verstandes über die Mittel zum Zweck, den Bereich der sog. Ermessensfragen. In ihm wird sicher Vorsicht geboten sein bei Worten der Kirche, da hier Sachkunde unerläßlich ist und der Verstand der Christen wahrhaftig nicht größer ist als der der Nicht-Christen. Aber ausgesperrt kann das Wort der Kirche auch hier nicht werden. Denn a) dieses Feld darf nicht den Spezialisten überlassen werden, die leicht den Zweck als kritische Instanz aus den Augen verlieren, bei denen die Mittel unversehens selbstzwecklich zu wuchern beginnen und die Sachzwänge diktieren, statt je und je kühn gesprengt zu werden, und der Gesichtspunkt der Effizienz alles beherrscht. b) Viele Mittel sind keineswegs moralisch indifferent: böse Mittel können den Zweck verderben, wie gerade an der Geschichte des Sozialismus studiert werden kann. c) Wer, wie es die Kirche tun soll, in konkreter Lage zu konkreter Liebestat anleiten will, darf sich nicht vornehm aus dem Bereich der Mittel heraushalten. Weil Gott und der Teufel im Detail sitzen, kommt schließlich alles auf das Wie der Verwirklichung an. Es wird zwar breite Sektoren dieses Bereichs geben, die den Experten überlassen bleiben; wo aber deren Grenze verläuft, kann nicht a priori angegeben werden. Deshalb muß die Kirche sich auf ein Studium der Mittel einlassen, kritisch das Gewicht der gegeneinander stehenden Argumente prüfen, nach den hinter diesen verborgenen Interessen fragen, und dann wird es von Fall zu Fall möglich und nötig sein, daß die Kirche in ihren verfaßten Organen sich nach ihrem Verstande – natürlich, wonach denn sonst? – und mit ihrem Wort für die eine Praxis gegen eine andere einsetzt, wie es in jenen 25 Punkten geschieht. Natürlich kann sie dafür nicht Offenbarung, sondern nur Verstandesargumente vorbringen; natürlich kann sie sich dabei im einzelnen irren und also blamieren. Das darf sie nicht aus Selbstliebe scheuen. Die wahre kirchliche Autorität, für die sie in der Tat Sorge tragen soll, wird dabei nicht gefährdet, wenn sichtbar ist, daß sie sich das Urteil nicht leicht gemacht hat, daß es ihr in allem um den Zusammenhang der Mittel mit dem Zweck geht, und daß sie gute, gewichtige Argumente anführen kann. Vermeidet sie das, dann versäumt sie ihre Aufgabe, kritischer Anwalt des Zweckes im Bereich der Mittel zu sein, dann läßt sie aus lauter devotem Respekt vor dem Sachverstand der Spezialisten die Interessen, die möglicherweise hinter den Argumenten stehen, unentlarvt (z. B. bei dem von Wölber angeführten und in den 25 Punkten aufgeführten Problem des Atomsperrvertrags!); dann trägt sie, indem sie selbst über ein bequemes Lippenbekenntnis zu idealen Zwecken nicht hinausgegangen ist, dazu bei, daß auch die anderen sich beim Lippenbekenntnis beruhigen, nach dem treffenden Wort von Jürgen Habermas: »Die Ideen hängen so hoch, daß sie einer ungetrübten Praxis dienen können.«

Die Geschichte der Kirche ist voll von Beispielen solch selbstbetrügerischen Versagens. Die Forderungen von Uppsala stellen uns vor das harte Entweder-Oder, aus Selbstsicherung unserer Einheit und Autorität schöne Ideale unverbindlich zu proklamieren oder politisch und also parteilich zu werden, wie wir es mit den EKD-Denkschriften begonnen haben. Damit wird die Kirche keineswegs zur politischen Partei und die »Ungleichheit des Christen mit der Welt« (Wölber) keineswegs einnivelliert. Politisiert im schlechten Sinne ist die Kirche nicht dann, wenn sie in politischen Fragen Ja und Nein sagt, sondern dann, wenn dieses Ja und Nein nicht aus aufmerksamem Hören des Evangeliums, als ein Versuch, seiner heutigen Forderung gerecht zu werden, entsteht, sondern nebenher, aus anderen Quellen und Bindungen, die dann sicher »gottlose Bindungen« (Barmen II) sein werden. Ihnen unterliegt, wie die Erfahrung zeigt, eine Kirche und eine Frömmigkeit gerade dann, wenn sie meint, unpolitisch sein zu können, was ja in dieser Welt, in der alles und jedes auch politisch ist, schlechthin unmöglich ist. Die einzige Rettung vor dieser schlechten Politisierung ist die verantwortliche Politisierung, die Wahrnehmung politischer Verantwortung in sorgfältig geprüfter und kritischer, zu allererst selbstkritischer Weise. Dies wird dann immer auch ein Parteiergreifen bedeuten. Die Glaubwürdigkeit der Kirche hängt nicht an ihrer Neutralität (das reden uns nur diejenigen ein, deren Interessen jeweils durch ein Ja oder Nein der Kirche empfindlich getroffen werden), sondern an ihrer Unabhängigkeit, daran also, daß sie, indem sie parteilich ist, d. h. Partei ergreift, nicht parteiisch ist. Daran wird sich die wahre »Ungleichheit der Christen mit der Welt« erst je und je herausstellen, nicht aber dadurch, daß man sie als Lehrsatz behauptet. Überparteilichkeit ist eine Chimäre, mit deren Verehrung wir uns selbst dienen, nicht aber denen, zu denen wir gesandt sind. Für eine legitime politische Parteinahme der Kirche (d. h. ihrer amtlichen Repräsentanten und Organe) läßt sich m. E. folgender Richtsatz aufstellen: Das Interesse, in dem sie erfolgt, soll nicht das Interesse der Selbsterhaltung der Kirche und ihrer Privilegien sein, sondern das Interesse des Friedens (d. h. der Kooperation und der Verhütung von tötender Gewalt) und das Interesse derer, denen weltliche Gerechtigkeit (d. h. Gleichheit vor dem Gesetz und angemessener Anteil am Sozialprodukt) und bürgerliche Freiheit (d. h. Raum zu verantwortlicher Selbstbestätigung und in Mitgestaltung der Gesellschaft) vorenthalten werden; sie soll nicht geschehen als dauerhaftes Bündnis mit politischen oder sozialen Gruppen oder als Einordnung in eine Front, sondern konkret und punktuell jetzt als Befürwortung, jetzt als Bekämpfung einer anstehenden Entscheidung.

Uppsala läßt uns keine Wahl. Das Evangelium läßt uns keine Wahl. »Bei den Budgetberatungen der Parlamente sieht man sehr schnell, wie schwierig das ist (die Ansetzung von 2% des jährlichen Bruttosozialprodukts für die Entwicklungshilfe), weil es für die Entwicklungsaufgabe selbst dort keine Lobby gibt« (C. Fr. von Weizsäcker). Lobbies sind sonst Vertretungen von Interessengruppen. Hier handelt es sich um die Vertretung der Interessen derer, die in unseren Parlamenten keine Lobby haben. Für sie stellvertretend Lobbyisten zu sein, fordert die ökumenische »Konferenz für weltweite Zusammenarbeit in Entwicklungsfragen« in Beirut (21.–27. 4. 1968) in ihrem Schlußbericht die Kirchen und Christen ausdrücklich auf: »Die Parlamentarier einem ständigen Trommelfeuer gezielter Befragung aussetzen, nötigenfalls Verstärkung herbeiholen . . .« und »das Ergebnis einer Wahl von der Einstellung des Kandidaten zu Entwicklung und Gerechtigkeit abhängig zu machen versuchen.« »Die gegenwärtige Überzeugung der Parlamentarier (daß die Bürgerschaft an keinem von beiden interessiert ist) kann erschüttert werden, wenn nur zehn bis fünfzehn Prozent der Wähler, die möglicherweise den Ausschlag geben, hartnäckig genug sind.« Die Befürchtungen von Bischof Wölber, es würde dann möglicherweise nicht nur ein Regierungsbeschluß einmal von der Kirche gestützt, sondern sogar durch Druck erpreßt werden, trifft also genau zu. Die Kirche muß zur pressure-group in Entwicklungsfragen werden. Daß dies als Befürchtung vorgebracht wird, ist nur dann merkwürdig, wenn man – ein Freudsches Vergessen? – in diesem Augenblick vergißt, daß die Kirche schon immer pressure-group gewesen ist in Fragen, die ihr wichtig schienen, von der Sonntagsheiligung bis zum Religionsunterricht. Sollte sie nun auf einmal davor zurückscheuen, wo es sich um die Interessen ferne wohnender Menschen handelt? »Tue deinen Mund auf für die Stummen und für die Sache derer, die verlassen sind!« (Spr 31, 8) – so prosaisch, politisch gefährlich, »ungeistlich« sieht das aus, wenn man es zu realisieren beginnt!

An diesen ungewöhnlichen Aufgaben zeigen sich die Auswirkungen unseres revolutionären Zeitalters auf Christsein und Kirche. Wir schrecken mit Grund vor ihnen zurück, und wir haben allen Grund, zwar nicht vorsichtig, wohl aber umsichtig in dieses neue Verhalten hineinzugehen, damit der berechtigte Kern der uns von den Reformatoren überlieferten Zwei-Reiche-Lehre, nämlich die Warnung vor einer Vermengung der Aufgaben von Kirche und Staat und vor einer Vermengung von Evangelium und Gesetz, nicht verlorengeht.

Unvermeidlich aber ist dieser Weg, weil die traditionelle Caritas nicht mehr genügt. Unter traditioneller Caritas verstehe ich hier diejenige Art christlicher Liebestätigkeit, die sich 1. auf Linderung der aktuellen Nöte beschränkt, also an den Symptomen kuriert, die Beseitigung der gesellschaftlichen Ursachen aber entweder für unmöglich hält oder den politischen Instanzen überläßt, und die 2. sich auf diejenige Hilfe beschränkt, die in der Macht der einzelnen Christen und in der Macht der kirchlichen Gemeinschaft liegt, aber nicht Druck auf die Öffentlichkeit zu größerer Hilfe ausübt.

Traditionelle Caritas in diesem Sinne muß weiter geschehen. An ihr zeigt sich der Ernst unseres Willens zum Helfen; denn mit ihr fangen wir bei uns selbst an, bei dem, was in unserer Macht steht. »Brot für die Welt« als unser größtes diakonisches Unternehmen im heutigen deutschen Protestantismus, das schon über die Grenze der traditionellen Caritas hinausdrängt, muß weitergehen und vermehrt werden. Aber »Brot für die Welt« – wir wissen es – ist ein Tropfen auf den heißen Stein, oder besser gesagt (und um einen berechtigten Zwischenruf unseres Freundes Christian Berg zu vermeiden!), ist, wie eben Christian Berg[4] vorschlägt zu sagen, nicht ein sinnlos verzischender Tropfen auf den heißen Stein, wohl aber ein Tropfen Öl ins Getriebe, also sehr nützlich, aber, weil nur *ein* Tropfen, ungenügend und also eben doch sinnlos, solange nicht mehr Tropfen hinzukommen. Kirchliche Entwicklungshilfe betrug 1965 nur $\frac{1}{20}$ der von Regierungen gegebenen Entwicklungshilfe und nur $\frac{1}{13}$ der Investitionen von privater Seite.

»Brot für die Welt« ist aber nicht nur ungenügend, sondern schädlich, wenn es für uns ein Beruhigungsmittel ist in der Meinung, wir hätten damit alles getan, was wir tun sollten. Es ist der Anfang unseres kirchlichen Tuns, es darf aber nicht sein Ende sein. Solange wir uns darauf beschränken, haben wir es freilich bequemer. Denn wenn wir darüber hinausgehen mit jenen Forderungen nach außen, werden wir nicht nur Fehler machen und unser Ansehen ramponieren, wir werden uns auch Feinde machen; denn wir werden auf mächtige Interessen stoßen, mit denen wir in Konflikt kommen. Wir werden auf die Fragwürdigkeiten unserer Gesellschaftsordnung stoßen und in der bequemen Meinung gestört werden, sie sei, wenn auch unvollkommen wie alles Irdische, dennoch die beste aller möglichen Ordnungen. Wir werden die marxistische Analyse und Kritik des Kapitalismus, die bisher in der Ökumene und in der deutschen Christenheit (trotz der Worte von Paul VI. in Populorum progressio über den Kapitalismus) so erfolgreich tabuiert ist, nicht mehr umgehen können; denn bei kritischer Analyse der bisherigen Entwicklungspolitik der entwickelten Länder werden wir nicht nur das Versagen der östlichen und westlichen Regierungen feststellen müssen, sondern kapitalistische Prinzipien und imperialistische Praktiken (besonders der USA) als ursächlichen Faktor für das Elend von Millionen Menschen. Die Kapitalismuskritik von Christoph Blumhardt, Hermann Kutter, Leonhard Ragaz und den religiösen Sozialisten, ungehört verscholllen, wird neu aktuell und mit der marxistischen Analyse verbunden werden müssen. Wir werden den Nebelvorhang der westlichen Propaganda durchstoßen und uns informieren müssen, wie vier von uns verschiedene Länder der Dritten Welt es geschafft haben, Hunger und Ausbeutung zu beseitigen und mit ihren ca. 750 Millionen aus dem Elend des Welthungers herauszukommen, nämlich China, Nordkorea, Nordvietnam und Kuba, und wie sich bei ihnen vermeidbare und unvermeidbare Übel bei diesem anstrengenden Prozeß unterscheiden lassen. Es wird der Sozialismus von den zwei Ausgangspunkten her, vom Technokratieproblem und von der Entwicklungspolitik her, aufs neue auch zum kirchlichen Diskussionsthema werden.

Unsere Jungen haben das verstanden. Mehr als den Älteren ist es ihnen unerträglich, am gedeckten Wohlstandstisch zu sitzen, während neben uns die Hungerlawine immer neue Millionen unter sich begräbt. Darum ist ihnen unsere Gesellschaft so fragwürdig geworden. Darum greifen sie so begierig nach der Soziologie, darum denken sie nicht mehr existentialistisch, sondern marxistisch, darum rekrutiert sich der SDS so beträchtlich aus den Pfarrerskindern, aus den evangelischen Studentengemeinden, aus ehemaligen oder jetzigen Theologiestudenten. Das ist nicht Abfall vom Christentum, auch wenn es manchmal mit der Abkehr von der Kirche und mit Schwierigkeiten gegenüber dem christlichen Glauben verbunden ist, sondern Wirkung dessen, was sie vom Evangelium gehört haben. Eltern, die darüber ratlos oder gar bekümmert sind, mögen daran sehen: Ungestraft erzieht man nicht seine Kinder im Hörbereich des Evangeliums! Unversehens kommen sie auf den Gedanken, daran unsere gesellschaftlichen Zustände zu prüfen, vor der Not – sei sie auch weit entfernt in Vietnam und Afrika – nicht mehr die Augen zu verschließen, die Ursachen anzugreifen und also – das meinte Bonhoeffer m. E. mit seiner Forderung einer nicht-religiösen Interpretation! – das Religiöse, das Christliche ins Politische zu übersetzen, auf love in structures aus zu sein.

Die heutige Lage der Welt ruft uns weg von jedem noch so heimlichen Egoismus in unserer Frömmigkeit, in unserem theologischen Denken, in unserem kirchlichen Leben. Kümmert sich Gott um den notleidenden Nächsten, wie die ganze Bibel sagt, dann heißt das: Gott kümmert sich um die Strukturen und die Institutionen in Wirtschaft, Politik, Arbeitsorganisation, die geändert werden müssen, um Hunger und Unterdrückung zu beseitigen. Der »Nächste« ist nicht ein nur einzelner Mensch, nicht ein isoliertes Ding, sondern auch, wie Marx sagt, ein Ensemble gesellschaftlicher Verhältnisse. Wer ihm helfen will, darf also bei seiner einzelnen Not nicht stehenbleiben, er muß die gesellschaftlichen Verhältnisse ändern. Liebe muß also heute love in structures sein.

So schreibt Gott der Kirche ihre Tagesordnung durch die agenda der Welt, wie in Uppsala gesagt wurde, und so kommt es darauf an, to preach the gospel in the world's agenda (das Evangelium zu predigen in der Tagesordnung der Welt), wie in Genf 1966 gesagt wurde, und eben dies ist, wie ebenfalls in Genf gesagt wurde, für die »alte Kirche« jetzt eine neue Gelegenheit zur Wiedergewinnung eines wesentlichen Kennzeichens der Kirche Jesu Christi, nämlich Dienstgemeinschaft in der Welt zu sein.

Damit ist uns anschaulich geworden, wie unmöglich heute eine Theologie ist, die Glauben und Werke auseinanderreißt im Namen des richtigen und bleibenden Satzes, daß die Werke vor Gott nicht rechtfertigen. Das Evangelium ist zugleich Trost des Gewissens und Mobilisierung des getrösteten Gewissens. Jakobus hat neben Paulus seine legitime Stelle im Neuen Testament und unterstreicht nur, was Paulus selbst sagt. Die Liebe ist, wie Luther sagt, das Nach-Außen-Treten, das Äußerlichwerden des Glaubens, ohne das seine Innerlichkeit verdirbt. *»Wer sein Ohr abwendet, das Gesetz zu hören, dessen Gebet ist ein Greuel«* (Spr 28, 9). Das Gesetz, unter dem die Jüngerschar Jesu Christi steht, ist die Sendung in den Dienst der Liebe. Machte die Sünde den einzelnen zum eingekrümmten Menschen ohne Gemeinschaft, so restituiert die Vergebung den einzelnen wieder hinein in die Gemeinschaft. Gottes Vergeben ist Gottes Einigen und Gottes Einigen ist Gottes Vergeben, so sagte es Visser't Hooft in Uppsala, und von daher kam sein schon berühmt gewordener Satz: »Uns muß klar werden, daß die Kirchenglieder, die ihre Verantwortung für die Bedürftigen in irgendeinem anderen Teil der Welt praktisch leugnen, ebenso der Häresie schuldig sind wie diejenigen, welche die eine oder andere Glaubenswahrheit verwerfen.«

Nachgemerkung: Mehrere Abschnitte dieses Referats sind meiner Schrift »Die reichen Christen und der arme Lazarus. Die Konsequenzen von Uppsala« erschienen im Chr. Kaiser Verlag, München 1968, die aus dem ersten Entwurf für dieses Synodal-Referat entstanden ist, wörtlich entnommen. In dieser Schrift ist eine ausführlichere Begründung der hier vorgetragenen Auffassung zu finden.

Anmerkungen:

1. Vgl. seinen Aufsatz »Freiheit und Recht des Menschen. Theologische Überlegungen zur Erklärung der Menschenrechte«, in: Lutherische Rundschau, Juli 1968, 215–227.
2. T. Rendtorff, aaO. 219.
3. Politisierung – Gefahr für die Kirche, in: EvKomm 3/1968 und 6/1968.
4. Die lautlose Massenvernichtung, Berlin 1968.

Der Wille Gottes
und die gesellschaftliche Wirklichkeit

Thesen*

1.1 Der Wille Gottes in bezug auf die Menschen ist das Reich Gottes.

1.2 Das Reich Gottes ist eine Menschheit, die lebt in »der alleinigen, alles durchdringenden und bestimmenden Herrschaft Gottes, des Wortes und des Geistes Gottes« (K. Barth, KD IV/3, 906 f), die also mit Gott und miteinander das gute Leben lebt, das ihr von Gott zugedacht ist (Dt 30, 15; Gen 1; Offb 21–22).

1.3 Das gute Leben umfaßt alle Dimensionen des menschlichen Lebens: Leib, Seele, Geist, Sozialbeziehungen.

1.4 Gottes Versöhnungswerk in Jesus Christus hat zum Ziel die Rettung jedes Menschen und der Menschheit als ganzer für das Reich Gottes.

1.5 Das Reich Gottes ist Gottes Gabe; darin steht die Gewißheit der Verheißung und unserer Hoffnung.

1.6 Gottes Geben ist immer ein Instandsetzen zu unserem eigenen Tun.

1.7 Die Verheißung des Reiches Gottes als der Gabe Gottes an seine Menschheit schließt also nicht aus, sondern ein die Frage: Was können wir tun zum Kommen des Reiches Gottes zu uns und zu anderen Menschen?

2.1 Das Reich Gottes ist die Bejahung der Schöpfung und die Verneinung der Sünde, d. h. es tritt in Gegensatz zu der Welt, wie sie ist, aber es sagt Ja zur Welt als Schöpfung, und zwar ein dynamisches, auf Befreiung und Vollendung zielendes, wirksames Ja.

2.2 Metanoia, apolytrosis, dikaiosyne, eleutheria, aletheia, soteria, kainotes, zoe – (Buße, Erlösung, Gerechtigkeit, Freiheit, Wahrheit, Heil, neue Schöpfung, Leben) die neutestamentlichen Grundbegriffe zeigen das Reich Gottes als die große Revolution aller Verhältnisse, »in denen der Mensch ein erniedrigtes, ein geknechtetes, ein verlassenes, ein verächtliches Wesen ist« (K. Marx).

2.3 Die Reich-Gottes-Verkündigung Jesu ist

* Vorgetragen beim Schweizer Reformierten Pfarrerverein in Liestal, September 1972.

a) Verheißung der Treue Gottes zu seinen Menschen, die diese in ihre Bestimmung hinein rettet,

b) Gericht in Aufdeckung des gegenwärtigen Menschseins als ein Sein in der Unwahrheit, in der Inhumanität,

c) Aufruf zu der durch diese schöpferische Verheißung ermöglichten Tat des Menschen: metanoia.

2.4 In der Reich-Gottes-Verkündigung Jesu, die sich in der Christus-Verkündigung seiner Gemeinde fortsetzt, ist das Reich Gottes zukünftig und gegenwärtig:

a) Das Reich Gottes ist die künftige Vollendung, Aussicht der Hoffnung des Glaubens und Gegenstand des Seufzens der Kreatur.

b) Das Reich Gottes ist verborgene gegenwärtige Wirklichkeit, das durch die Dynamik des Heiligen Geistes beginnende Herrschen Gottes im Leben von Menschen, die jetzt schon durch Umkehr in eine neue Lebensweise geändert werden.

2.5 Die Gegenwartsgestalt des Reiches Gottes bewirkt die Relevanz des Reiches Gottes für das gesellschaftliche Leben:
Glieder gegenwärtiger Gesellschaft werden durch die Gegenwartsgestalt des Reiches Gottes in ein neues und kritisches Verhältnis zu ihrer Gesellschaft gebracht, und zwar sowohl individuell wie kollektiv:

a) Die individuelle metanoia bewirkt den Bruch mit denjenigen Lebensweisen der Umwelt, die den Kriterien des Reiches Gottes nicht entsprechen.

b) Die individuelle metanoia fügt ein in die Gemeinde, die inmitten der alten Umwelt ein neues Sozialleben verwirklicht, das als »Licht« und »Salz« auf diese Umwelt wirken soll.

Die »Kriterien des Reiches Gottes« sind in den evangelischen Beschreibungen des »neuen Lebens« enthalten (apostolische Paraenesen, z. B. Röm 12, 9–21, und Gal 5, 13–26; Bergpredigt; prophetische Visionen, z. B. Jer 31, 31–34; Hes 36, 12–32; Mich 3, 1–4; Offb 21–22).

3.1 Diese Kriterien besagen:

a) Im Reich Gottes hat jedes Glied die Erfüllung seines Lebens im Leben für die anderen (agape).

b) Im Reich Gottes tut jedes Glied den andern, was es von ihnen begehrt (Mt 7, 12).

c) Im Reich Gottes opfern die Starken ihre Stärke für die Schwachen.

3.2 Die Kriterien des Reiches Gottes ändern nicht nur die Lebensweise der einzelnen im Verhältnis zu ihren einzelnen Nächsten, sondern versetzen die von ihnen bestimmte Gemeinde und ihre Glieder in ein kritisches Verhältnis zu den gesellschaftlichen Strukturen ihrer Umwelt. Diese Strukturen werden nun befragt danach, wieweit sie Leben nach den Kriterien des Reiches Gottes erlauben oder gegenteiliges Leben erzwingen. Soweit letzteres der Fall ist, arbeitet die Gemeinde an der Ersetzung solcher Strukturen durch bessere:

a) durch das beispielhafte Modell eines Soziallebens, das sie selbst jetzt schon verwirklicht,

b) durch ihre gesellschaftspolitische Tätigkeit in Zusammenarbeit mit anderen Gruppen, die ebenfalls solche besseren Strukturen anstreben.

3.3 Das Reich Gottes ist die radikale Alternative zur alten Welt. Daraus folgt:

a) Deshalb stellt die Gemeinde in ihrem Zusammenleben diese Alternative modellhaft, noch begrenzt durch die jeweiligen historischen Bedingungen des alten Aeons, dar.

b) Deshalb ist sie brennend interessiert an den Vorschlägen gesellschaftlicher Alternativen, die jeweils zur Diskussion stehen, und arbeitet nach Maßgabe vernünftiger Einsicht an ihrer Realisierung mit.

c) Deshalb ist sie mit jeder gelungenen Realisierung immer unzufrieden und drängt über sie hinaus (»permanente Revolution«); denn das Reich Gottes ist die immer radikalere Alternative zu unseren Realisierungen. Hans J. Iwand: »Die bekennende Kirche ist immer in der Opposition.«

3.4 Weil Gott in Jesus Christus sich zur Rettung derer, die verloren sind, leiblich an die »untersten Örter der Erde« (Eph 4, 9) begeben hat, in den Stall, in die Obdachlosigkeit und an den Verbrechergalgen, darum ist der Gesichtswinkel, von dem aus die Gemeinde die gesellschaftliche Wirklichkeit sieht und prüft, immer der Ort der Opfer dieser Wirklichkeit; von den Gefängnissen, Slums, Bordellen her, von der geschundenen Plebs her sieht sie das gesellschaftliche Leben und wird der Anwalt dieser Opfer im Klassenkampf.

4.1 Die Geschichte der Kirche ist eine Geschichte der verschiedensten Versuche, den Willen Gottes in der gesellschaftlichen Wirklichkeit zu bezeugen, eine Geschichte der Entdeckung immer neuer Verantwortungsbeziehungen und Möglichkeiten, eine Geschichte der Anpassungen und Kompromisse.

4.2 Das entscheidende Faktum in dieser Geschichte war die Integration der Kirche in die abendländische Gesellschaft. Damit sah sie, was ihren Klerus und ihre Theologie betrifft, die gesellschaftliche Wirklichkeit nicht mehr von unten, sondern von oben und wurde Komplizin der herrschenden Schichten. Sie war nun nicht mehr eine der bestehenden Gesellschaft transzendent gegenüberstehende, sie revolutionär in Frage stellende Gruppe, sondern ideologischer Kitt des Bestehenden, bestenfalls reformistisch, d. h. durch verbesserte Mitarbeit das bestehende Herrschaftssystem in seinem Bestande schützend (als deutliches Beispiel vgl. die päpstlichen Sozialenzykliken oder Motivation und Argumentation von J. H. Wichern).

4.3 Für die systemstabilisierende Funktion der Kirche in der Klassengesellschaft war nötig:

a) Individualisierung der Reich-Gottes-Verheißung zur Heilsverheißung für den bedrängten einzelnen, dem die Kirche das Heil (sakramental oder durch Wortverkündigung) vermittelt;

b) Individualisierung des Sündenverständnisses: die Sündenerkenntnis – und dem entsprechend die metanoia – wird auf Verhaltensweisen des einzelnen beschränkt; das basileuein der Sünde (Röm 5, 20 f), das sich in den gesellschaftlichen Strukturen verobjektiviert, bleibt außer Betracht;

c) Spiritualisierung der Reich-Gottes-Verheißung: die verborgene Gegenwart des Reiches Gottes wird zum inneren Friedenstrost, ohne soziale Dynamik;

d) Verjenseitigung: das Reich Gottes wird zukünftig-jenseitiger Gegenstand der Hoffnung ohne gegenwartsbestimmenden Anspruch; metanoia, die auch die gesellschaftlichen Verhältnisse angreift, wird als Schwärmerei denunziert und durch eschatologischen Vorbehalt und Zwei-Reiche-Lehre blockiert.

4.4 Deshalb ist es eine wichtige Aufgabe heutiger Theologie, unter Wahrung der neutestamentlichen Wahrheitsmomente des individuellen, spirituellen und jenseitigen Aspektes der Reich-Gottes-Verheißung diese als Kraft und Anspruch zur Veränderung des Diesseits, zur Verleiblichung und Sozialisierung der metanoia zu verstehen und wirksam zu machen.

Diese Aufgabe für Kirche und Theologie wird uns heute aufgedrängt durch die Zeitsituation, die uns zur Antwort herausfordert:

5.1 Die kapitalistische Revolution aller Lebensverhältnisse in der Neuzeit hat an die Stelle der Unveränderbarkeit der Welt mit göttlich vorgegebener Ordnung, unter deren Bann die vorneuzeitliche Welt einschließlich des Christentums stand, die Geschichte der Menschheit zu einem veränderbaren Prozeß gemacht und unter die Verantwortung der Menschen gestellt.

5.2 Diese kapitalistische Revolution, aus deren Bann auch die durch sozialistische Revolutionen entstandenen Gesellschaftssysteme noch nicht wirklich ausgebrochen sind, und die von der integrierten Kirche weder durchschaut noch bekämpft worden ist, hat heute zu einer Gefährdung der Menschheit von apokalyptischem Ausmaß geführt (vgl. Dai Dong), in der die apokalyptische Dimension des metanoia-Rufes Jesu neu aktuell wird: »Wenn ihr nicht umkehrt, werdet ihr ebenso umkommen« (Lk 13, 3.5).

5.3 Die sozialistische Gesellschaftskritik zeigt die in den Produktionsverhältnissen sich verobjektivierende Habgier und Herrschsucht als vornehmliche Gestalt der Sünde. Ihre Forderung einer Gesellschaftsgestaltung von den gemeinsamen Interessen her gegen die Herrschaft der Partikular-Interessen bekommt durch die Menschheitsgefährdung höchste Dringlichkeit. Diese Forderung ist die weltweite Gestalt christlicher metanoia. Darum ist der Sozialismus die Frage an die Kirche nach der gesellschaftlichen Konkretion und Relevanz ihrer Umkehr-Predigt und nach deren Verhältnismäßigkeit zur Größe der heutigen Gefahren.

5.4 Das apokalyptische Ausmaß der heutigen Gefahr ist eine harte Infragestellung der Reich-Gottes-Verheißung und des in ihr zugesagten Bundes des treuen Gottes mit seiner Menschheit. Christlicher Glaube besteht diese Anfechtung in neuem Hören und Ergreifen der Verheißung. Er entnimmt aus ihr weder ein beruhigendes Vorherwissen der Zukunft, das die Größe der Gefahr verharmlosen würde, noch einen Trost, der uns von der irdischen Verantwortung löst, wohl aber den Trost der Hoffnung, die im Diesseits an die Arbeit stellt, weil ihr das Jenseits zugesagt ist: »Das Jenseits ist die Kraft des Diesseits« (E. Troeltsch).

Luthers Ethik

I

Daß er eine Schrift mit dem Titel »*Von der Freiheit eines Christenmenschen*« (1521) geschrieben hat, will zu dem Bilde Luthers im heutigen Bewußtsein (von den theologischen Lutherkennern abgesehen) nicht recht passen. Hier erscheint er mehr als der Verursacher deutscher Untertanenmentalität, als der Feind der rebellischen Bauern, als der Fürstenknecht und Pöbelverächter, als der Lehrer einer autoritären Religion (Erich Fromm[1]) und der dickleibige Anfänger einer penetrant bürgerlichen Form von Christentum, der – wie Herbert Marcuse[2] findet – gerade in der erwähnten Schrift durch die Abtrennung der inneren Freiheit vom gesellschaftlichen System dieses in seiner Unfreiheit und Schizophrenie befestigt habe. Man sah ihn nicht immer so. 18. und 19. Jahrhundert haben Luther gefeiert als den Zerbrecher kirchlicher Zwangsherrschaft, als den Verinnerlicher der Religion gegenüber ihrer Entartung zu einem äußerlichen Ritualsystem, als den Befreier und Bekenner des individuellen Gewissens, und noch im nationalen Lobpreis des deutschen Vorkämpfers gegen römische Fremdherrschaft ist ein Rest von Erinnerung an diese positive Rolle Luthers in der europäischen Freiheitsgeschichte enthalten.

Die neuere Lutherforschung mit ihrer unübersehbaren Literatur hat bei aller Korrektur am Lutherbild der Aufklärung und des Idealismus doch den Freiheitszug in Luthers Denken bestätigt und einen revolutionären Durchbruch zu einer gegenüber der kirchlichen Tradition sehr neuartigen Gestalt des christlichen Glaubens, für die das Wort von der »Freiheit eines Christenmenschen« kennzeichnend ist, bei Luther herausgearbeitet, ohne damit aber gegen jenes Vorurteil vom autoritären Luther genügend aufkommen zu können. Damit ist Größe und Tragik des Werkes dieses Mannes angedeutet. Die Zwiespältigkeit der Beurteilung gründet in der Zwiespältigkeit seines Wirkens. Luthers Folgen stimmen mit Luthers Denken nur teilweise überein. Jener Durchbruch ist in diese Folgen nicht so, wie er versprochen hatte, eingegangen. Ein dem Durchbruch entsprechendes Christentum der Freiheit ist in der lutherischen Kirche nicht – oder doch nur in Einzelfällen, deren verborgene Zahl und Wirkung freilich nicht unterschätzt werden soll – verwirklicht worden. Was historisch als Luthertum herauskam, gehört mehr in die Geschichte der autoritären Religion als in die Geschichte der Emanzipation, und dies keineswegs nur durch Unverstand der Epigonen und wegen der Übermacht der sozialen Faktoren einer unfreien Gesellschaft, sondern auch wegen bestimmter Brüche und Inkonsequenzen in Luthers Denken selbst. Zur Enttäuschung an ihm, wie sie sich in jener Lutherkritik äußert, hat Luther selbst Anlaß gegeben. Wo eine große Entdeckung vom Entdecker nur teilweise realisiert wird, versperrt er selbst seiner Entdeckung den Weg in die Geschichte – und bleibt doch denkwürdig und würdig, als ein großer Lehrer – wie sehr auch gegen sich selbst – gehört zu werden.

Daß Religion und Freiheit einander ausschließen, gehört zum Pathos neuzeitlicher Religionskritik. Gott als heteronome Instanz, als Symbol des Über-Ich, fordert gehorsame Untertanen; Religion verinnerlicht mit Lohn und Strafe die gesellschaftlichen Normen, bewirkt Angst und Schuldkomplexe und hält den Menschen im infantilen Zustand der Vaterbindung. Ob man sie deswegen verurteilt oder eben deswegen als bedeutenden Sozialisierungsfaktor schätzt, hängt davon ab, ob man geleitet ist von einer Vision menschlicher Freiheit oder von dem resignierten Interesse an der Anpassung der Menschen an eine in ihrer autoritären Struktur für unveränderlich eingeschätzte gesellschaftliche Ordnung.

Luther fand ein Christentum vor, das diesem Schema entsprach. Seine Entdeckung war die eines ursprünglichen Christentums, das diesem Schema widersprach, und weil er dies in der Bibel fand, wurde ihm die Bibel wichtig und unersetzlich, nicht aber, weil er sie als »papierenen Papst« in Konkurrenz zum römischen Papst inthronisieren wollte. Die Frage: »Wie kriege ich einen gnädigen Gott?«, die man gewöhnlich für seine Zentralfrage hält, war freilich seine Ausgangsfrage; seine Zentralerfahrung aber war die Befreiung von dieser Frage. Sie ist die Frage im besonderen des spätmittelalterlichen Menschen und freilich überhaupt eine zentrale religiöse Frage: eine Frage der Angst. Das Kind fürchtet den Verlust der elterlichen Liebe; Erziehung internalisiert ihm die Wünsche und Normen der Eltern, mit denen diese die Agenten der gesellschaftlichen Wünsche und Normen sind. Wir wollen denen, von denen wir abhängig sind, gefallen, und das Gefallen sichert uns das Überleben, das physische nicht nur, sondern auch das innerliche, das wesenhaft menschliche. Das Gefallen sichert uns das Bewußtsein unseres Wertes, ohne das wir nicht leben können; denn aus ihm beziehen wir unser Recht, zu sein. Als soziale Wesen müssen wir ständig unser Leben rechtfertigen. Es ist ständig in Frage gestellt von Ansprüchen, die sich auf uns richten. Sie fordern Triebunterdrückung und Leistung, und ihre Erfüllung gewährt uns das Bewußtsein des Wertes und des Lebensrechtes. Mindestens von einem Teil der Umwelt, von dem je für uns wichtigen Teil, müssen wir dadurch Anerkennung erlangen. Das »Gewissen« ist das innere Sich-Messen an solchen Ansprüchen, der »innere Gerichtshof im Menschen« (Kant), und eben dieses Gewissen treibt uns nicht nur zur Anpassung an die internalisierten Normen, sondern überschreitet sie auch, indem es uns fragt, ob wir uns vielleicht nur äußerlich angepaßt und damit durch Täuschung der Umwelt die Anerkennung erreicht haben, oder ob wir wirklich die sind und geworden sind, als die zu scheinen wir uns bemühen. Je höher die Normen sind, die uns vorgehalten werden, und je mehr wir durch sie nicht nur nach unserem äußeren Verhalten, sondern auch nach der Übereinstimmung dieses Verhaltens mit unserem Ich, mit unserer wirklichen Gesinnung gefragt werden, desto größer wird die innere Daseinssorge, das Schuldgefühl, und desto unruhiger, möglicherweise zur neurotischen Erkrankung sich steigernd, das immer neue Bemühen, es durch vermehrte Leistung und Gesinnungskontrolle zum Bewußtsein einer nicht mehr in Frage zu stellenden Identität von Ich und Forderung zu bringen, damit also des Wertes und des Rechtes, zu sein, gewiß zu sein.

Das Gericht der Gesellschaft ist ein täuschbares, darum nur ein vorläufiges Gericht, dem wir trotzig und nonkonformistisch unser Wertbewußtsein entgegensetzen können, wenn es uns verwirft, und das uns nicht endgültig befriedigt, wenn es uns anerkennt. »Der Mensch sieht, was vor Augen ist, Gott aber sieht das Herz an« (1 Sam 16, 7). »Gott« und »Jüngstes Gericht« – das meint: das Ende jeder Täuschung und Selbsttäuschung, das unwidersprechliche An-den-Tag-Kommen des wahren Wertes meiner Lebensleistung. Wir spüren, daß Umwelt-Anerkennung uns nicht endgültig schützt vor der Anfechtung unseres Wertes. »Gericht Gottes« ist also Symbolwort für den Horizont einer letzten, unbestechlichen, untäuschbaren Bestreitung unseres Wertes; erst wenn wir hier bestehen, sind wir unseres Rechtes, zu sein, so objektiv gewiß, sind wir so endgültig bejaht, daß auch der Tod, diese härteste Verneinung, dieses Ja nicht mehr durchstreichen kann.

Diese Infragestellung unseres Lebens mit einem so unendlichen Horizont nannte Luther das »Gesetz«. Er fand eine christliche Predigt vor, die Gott und Christus dem Menschen als unbestechliche Gerichtspersonen vorstellte, die in ihren veröffentlichten Geboten Auskunft gegeben haben, wie man vor ihrem Gericht bestehen könne. Eine Auskunft, die übrigens nicht so heteronom war, wie man es heute gerne hinstellt; jene offenbarten Gebote stimmen, worauf die Scholastik großen Wert legte, überein mit dem, was jedem Menschen bei ernster Gewissensprüfung als sittlich wertvoll evident werden kann; sie sind uns nicht fremd, sondern entsprechen dem Wesensgesetz des Menschlichen (*lex naturalis*). Luther entdeckte, daß das eigentliche Problem nicht dort liegt, wo neuzeitliche Religionskritik das Mittelalter und mit ihm die religiöse Ethik meint kritisieren zu sollen, nämlich im Gegensatz von Heteronomie und Autonomie, sondern dort, wo neuzeitliche Autonomie-Ethik mit der mittelalterlichen Theologie gerade übereinstimmt: in der Meinung, daß der Mensch seines Glückes Schmied sei, d. h. daß das Recht seines Lebens abhänge von der Anerkennung, die er sich durch sein Verhalten erwerbe – wobei es gleichgültig ist, ob als letzte Instanz für diese Anerkennung die Umwelt gedacht wird oder das individuelle Gewissen (das Ich in seinem Selbstgericht oder auch in seiner Selbstzufriedenheit) oder – radikaler, weil objektiver – das Gericht Gottes. »Gesetz« bedeutet: vor dieser letzten Instanz sind wir das wert, was wir an Tüchtigkeiten in Eigenschaften und Handlungen aufzuweisen haben. Die Urteile dieser Instanz sind objektive Tatsachenfeststellungen; sie sind korrigierbar durch Aufweisen von Besserung unsererseits, wobei aber spätestens der Tod dieser Korrekturmöglichkeit die Grenze setzt. Das Leben bis zum Tode steht darum unter dem ständigen Antrieb zur Verbesserung, bei ständiger Ungewißheit, ob sie ausreicht, da die ideale Forderung immer noch mehr ist als das von uns Erreichte. Eben diese Ungewißheit aber ist ein moralisch positiver Faktor, weil sie selbstzufriedenen Stillstand, der schon Rückschritt wäre, verhindert. Die Einsamkeit vor diesem letzten Gericht wird gemildert, aber nicht aufgehoben dadurch, daß die mittelalterliche Predigt – im Unterschied zur Gnadenlosigkeit der modernen Ethik von Kant bis zum Sowjet-Marxismus – als eine christliche auch von Gnade Gottes sprechen mußte und konnte. Gnade Gottes bedeutet, daß jene letzte Instanz nicht nur als eine richtende, sondern auch als eine helfende gesehen wird; ihre Hilfe besteht aber darin, daß sie auf mancherlei Weise dem Menschen beisteht bei der Erfüllung seiner Aufgabe, ihn instandsetzt, der Forderung so zu genügen, daß er im letzten Gericht bestehen kann. Ob und wieweit er dieses Beistandes sich bedient, und wie weit er es bringt, das ist seine Sache, und insofern macht die Verkündigung der göttlichen Gnade zwar Mut, hebt aber nicht auf, daß der Mensch seines Glückes Schmied ist, daß er selbst die Rechtfertigung seines Daseins leisten muß – und darum ist die mutmachende Gnade auch eine angstmachende, weil auch die Hilfe eingeklagt wird: je mehr Hilfe, desto schärfer die Anklage gegen mein Versagen, desto geringere Möglichkeit für mich, mich mit meiner Ohnmacht zu entschuldigen – »du kannst; denn du sollst«, sagt grimmig die Kantische Ethik; »du sollst; denn du kannst«, korrespondiert ihr, nicht minder furchterregend, die mittelalterliche Gnadenlehre.

Der Mensch lebt davon, daß er sich Gefallen erwirbt bei der über sein Recht, zu sein, entscheidenden Instanz. Insofern ist er Schöpfer seiner selbst. Das ist sein Stolz und seine Angst. Das ist seine Freiheit, die aber zugleich seine Unfreiheit ist; denn damit untersteht er der Peitsche des Gesetzes, in beständiger Sorge um seine Geltung (Alfred Adler), in ständigem Kampf gegen die dem jeweiligen Über-Ich mißfallenden Triebe (S. Freud nennt das Verdrängung, Luther nennt es die Heuchelei, die darin besteht, daß der Mensch die Rolle des Frommen spielen muß und sich sein Sündersein nicht eingestehen darf). Er muß sich selber rechtfertigen, also sich ständig gegen die Infragestellung seines Wertes verteidigen. Man lese Memoiren – und man wird die allermeisten als Plädoyers in eigener Sache vor dem Jüngsten Gericht erkennen; dann wird man verstehen, weshalb Luther einen auf seine Freiheit hin Angeklagten nicht als einen wahrhaft Freien ansehen konnte. Wahrhaft frei ist der, der ohne Sorge um sein Leben in der Sonne lachen und spielen kann – der sich dem Mitmenschen zuwenden und ihm helfen kann, ohne das Gute für den Nächsten zugleich als Gutes für sich buchen zu müssen – der aus eigener Einsicht über sein Verhalten entscheiden kann, ohne nach den Vorschriften eines Über-Ich schielen zu müssen.

II

Luther hörte in der christlichen Botschaft ein Wort, das mit einem Schlage diese ganze Situation aufhob. Auf einmal stand er jenseits von dem, was Philosophien und Religionen das Selbstverständliche gewesen war. Die christliche Botschaft entdeckte er als Evangelium, *eu-angelion*, als eine erfreuliche Botschaft, weil sie ein Ja der letzten Instanz zum Menschen, zu jedem Menschen, ausspricht, das ohne Bedingungen geschieht, in dem Gott als mein Schöpfer die Rechtfertigung meines Lebens übernimmt, vorlaufend vor allen meinen Bemühungen, aus dem Stande des Angeklagten mit seinen mühseligen und letztlich doch fruchtlosen Verteidigungsversuchen mich in den Stand des Freien versetzt, der mit aufrechtem Gang sein Gesicht frei erheben und lachen und spielen kann, in den Stand des »fröhlichen Gewissens« mit Gewißheit des Gefallens.

Luther hat die Situation des Menschen unter dem Gesetz nicht für einen bloßen Irrtum angesehen, aus dem einer durch eine Veränderung seiner

Lebensanschauung mit Leichtigkeit herauskommen kann. Sie ist ein Verhängnis, in das wir gebannt sind. Sie hat ihre eigene Wahrheit, sofern der Mensch ja wahrhaftig ständig von allen Seiten, von außen und innen, nach der Rechtfertigung seines Verhaltens und seines Lebens gefragt wird. Daraus können wir uns nicht selbst herausbringen. Wie Marx und Freud sah Luther das freie Menschsein mit wahrem Liebenkönnen als transzendent gegenüber dem uns bekannten Menschsein. Aber anders als Marx und Freud hat er das weder als ein durch Veränderung der gesellschaftlichen Verhältnisse behebbares, noch als ein wegen der Natur des Menschen unbehebbares Verhängnis angesehen. Er hat die Tiefe und Ausweglosigkeit dieses Verhängnisses ja erst von seiner Überwindung her erkannt, von einem großen rettenden Unternehmen jener letzten Instanz her, durch das ihm sowohl die Unbehebbarkeit der menschlichen Verhängnissituation (durch moralische Anstrengung oder durch gesamtgesellschaftliche Entwicklung) wie auch ihre faktische Behebung sichtbar wurde. Dieses Unternehmen ist das Christusereignis: Im Kommen Jesu Christi identifiziert sich der Ankläger und Richter so mit dem Angeklagten, daß er einerseits die Anklagen auf sich zieht, andererseits dem Angeklagten seine eigene Vollkommenheit zur Verfügung stellt – Luther nennt das den »seligen Wechsel« und illustriert das in der Freiheitsschrift mit einem Kurzroman, der an Kierkegaards Märchengeschichte in den *»Philosophischen Brocken«* erinnert: Ein junger Ritter freit um eine Prostituierte, was für ihn Übernahme ihrer Schande, für sie Aufnahme in seine Ehrenstellung bedeutet. Effekt des »seligen Wechsels«: Die sich bisher isoliert gegenüberstanden – der Richter und der Angeklagte – sind jetzt so miteinander verbunden, daß keiner mehr ohne den anderen angetroffen werden kann. Wer die Hure vor Gericht ziehen will, muß ihren Freier, den Sohn des Richters – und in ihm den Richter selbst – vor Gericht ziehen; wer den Richter gegen die Hure anruft, trifft auf dem Richtstuhl ihren Freier an, der sich schon unwiderruflich dafür entschieden hat, sich nicht mehr von ihr zu trennen.

Damit hat sich aber die letzte Instanz selbst gänzlich geändert. Was wir bisher mit diesem Titel beschrieben haben, war ein Abstraktum, für das Personen nur als symbolischer Ersatz fungieren konnten; ob man sich die ägyptischen Totenrichter oder den Weltenrichter Christus, wie er an mittelalterlichen Domportalen dargestellt ist, als Gerichtspersonen vorstellt, immer vertreten sie nur die abstrakte Idee eines letzten, unbestechlichen, objektiven Gerichtes, vor dem die Wahrheit meines Lebens an den Tag kommt, um durch das Gericht festgestellt zu werden. Für Luther aber verwandelte sich beim Hören des Evangeliums das abstrakte Gericht in eine konkrete Person, dem Gericht überlegen, mit der Kraft, durch seine Intervention jenen tödlichen Tatsachen- und Feststellungszusammenhang gänzlich zu verändern.

Einfacher gesagt: An die Stelle des Gottes des Gesetzes tritt durchs Evangelium der liebende Gott – und zwar nicht nur durch eine Liebeserklärung, sondern durch eine liebende Tat der Selbstaufopferung für den Menschen, mit der er sich jenem Gericht entgegenwirft und den Tatsachenzusammenhang von Schuld und Vergeltung, von Nicht-Erfüllung der Forderung und Entzug des Rechtes, zu sein, sprengt. »Er ließ sein Bestes kosten«, sagt Luther in einem seiner Lieder. Wenn Luther christlich das Wort »Gott« ausspricht, denkt er also nicht an jene Gott-Hypostase, die dem Menschen die Freiheit bestreitet, an einen himmlischen Drahtzieher irdischer Marionetten, ebensowenig an das Vater-Über-Ich, das notwendig unsere ödipale Auflehnung provoziert und zugleich, solange wir es nicht erschlagen können, uns mit seinen Forderungen ängstigt und entfremdet. Dies alles ist der Gott des Gesetzes, der Gott der menschlichen Religion, Gott im System der menschlichen Selbstrechtfertigung. Wenn Luther christlich, d. h. vom Christusereignis her das Wort Gott ausspricht, dann will er damit sagen, daß – vor und über und gegen jenen Gott, der der letzte Horizont der Infragestellung meines Lebens ist, und der mein Leben nur bedingt bejaht (nur unter der Bedingung, daß ich es durch meinen Werterwerb zu rechtfertigen vermag), der also sein Ja nur im Tausch gegen mein Verdienst gibt – ein erstes und letztes Ja zu meinem Leben gesprochen ist, unumstößlich, nicht mehr durchkreuzbar, in alle Ewigkeit geltend, allen Infragestellungen sich siegreich entgegenstellend. Was »Vater« heißt, ändert sich: nicht mehr diese mit Liebesverlust drohende Über-Ich-Figur, der patriarchalische Despot; das Wort besagt vielmehr mein bedingungsloses Bejahtsein durch die Quelle meines Lebens als Ausgangssituation für all mein Tun. Ausgangssituation war bisher: am Ziel steht ein Ja, dessen Erlangung von mir gefordert, aber äußerst ungewiß ist. Jetzt steht das Ja am Anfang, Vorbedingung für alles Weitere. Liebe Gottes heißt: ich gefalle Gott, bevor ich noch etwas dafür tue.

»Gott ist ein glühender Backofen voll Liebe, der da reicht von der Erde bis an den Himmel« (WA 10 III, 56). »Gott ist nichts anderes als Liebe. Wer vermag das zu glauben . . .? Da siehst du, wieviel wir noch zu studieren haben in Christo« (WA 20, 755, zu 1 Joh 4, 17)[3]. »Wenn Gott gemalt werden soll, will ich ihn so malen, daß im Abgrund seiner göttlichen Natur nichts anderes ist denn ein Feuer und Brunst, die genannt wird: Liebe zu Leuten. Wiederum, Liebe ist nicht eine menschliche oder engelhafte, sondern eine göttliche Sache, ja Gott selber« (WA 36, 424)[4]. »Wie könnte sich Gott mehr ausschütten und liebreicher oder süßer dargeben?... Meinst du nicht, wo ein menschlich Herz sollte recht fühlen solches Wohlgefallen Gottes an Christus, es müßte vor Freuden in hunderttausend Stücke zerspringen?... Aber wir sind zu kalt und zu hart, das Fleisch ist zu schwer auf unserem Halse, daß wir solch Wort nicht recht fassen..., sonst würden wir ohne Zweifel darinnen sehen, daß Himmel und Erde voll Feuers göttlicher Liebe, voll Lebens und Gerechtigkeit, voll Ehre und Lob wäre, daß dagegen die Hölle mit ihrem Feuer, mit Tod und Sünde nichts wäre denn ein gemaltes Ding« (WA 20, 229, zu Mt 3, 13–17).

III

Was hat das für unser Tun, also für die Ethik zu bedeuten? Es gibt nun zweierlei Tun. Das eine geschieht mit einer letzten Finalität auf mich selbst: es soll mir zu meiner Rechtfertigung dienen; soweit es eine Erfüllung des göttlichen Liebesgebotes sein will, richtet es sich zunächst und scheinbar auf Gott (in der Gottesliebe) und auf den Mitmenschen (in der Nächstenliebe), letztlich aber auf mich selbst, und Gott und der Mitmensch sind nur Mittel, um mein Lebensrecht zu erlangen; was ich tue, hat – um mit Marxschen Kategorien zu sprechen – nicht Gebrauchswert, d. h. es geschieht nicht um seiner selbst willen, sondern nur Tauschwert, um das »Heil«, um mein Lebensrecht dafür einzutauschen. Das andere Tun ist das des freien Menschen, der nicht mehr in Sorge um sein Leben steht, der das umfassende Ja Gottes zu seinem Dasein gehört hat und darauf vertraut (das heißt für Luther: Glauben!), und der darum frei ist, sich – statt ständig um sich selbst – um anderes und andere zu kümmern, nicht mehr handelnd, um das Gefallen Gottes zu erwerben, sondern vom vernommenen Wohlgefallen Gottes herkommend.

Worum wird sich ein solcher Mensch nun kümmern? Wer sich geliebt weiß, dessen Leben wird zum Dank für die Liebe, von der er lebt. Im Dank wird ihm der Wille dessen, der ihn liebt, wichtig. Er möchte am Werke dessen, der ihn liebt, teilnehmen, für dieses Werk sich nützlich erweisen. Der Wille Gottes ist Gottes Gesetz. Dieses Gesetz hat sich nun aber durch die Offenbarung Gottes als des sich aufopfernd Liebenden gänzlich geändert. Vorher war es die Forderung des Liebesgebotes, die ich erfüllen sollte, um Gottes Gefallen zu erlangen, und doch – eben wegen dieses Um-zu – nicht erfüllen konnte, weil ich es ja um meiner selbst willen, in Liebe zu mir selbst, zu erfüllen suchen mußte. Jetzt ist es – inhaltlich gleichbleibend – die Anleitung dafür, wie ich im Dank und in der durch die Liebe des mich Liebenden geweckten Gegenliebe dem Liebenden dienen, an seinem Werke, dem Werk seiner Liebe zu seiner Schöpfung, teilnehmen kann.

Was Liebe heißt, erfahre ich durch das Lieben Gottes. Ein halbes Jahr nach seinem berühmten Thesenanschlag beschreibt Luther in einer Disputation mit seinen Ordensbrüdern vom Augustinerorden in Heidelberg (April 1518) Gottes Weise zu lieben auf eine unvergeßliche Art und gibt dieser Beschreibung zugleich eine Tendenz auf unser dadurch hervorgerufenes menschliches Verhalten zu unseren Mitmenschen: »Gottes Liebe findet das, was für sie liebenswert ist, nicht vor, sondern erschafft es; menschliches Lieben (sc. von der gewöhnlichen Art) entsteht durch das, was ihm liebenswert ist. Letzteres liegt auf der Hand und ist die Meinung aller Philosophen und Theologen, weil nach Aristoteles das Objekt die Ursache der Liebe ist. ... Ersteres aber geht daraus hervor, daß Gottes Liebe, die im Menschen lebendig ist, die Sünder liebt, die Schlechten, die Dummen, die Schwachen, um sie zu Gerechten, Guten, Weisen, Starken zu machen. ... Solcher Art ist die Liebe des Kreuzes, die aus dem Kreuz geboren ist, die sich nicht dorthin wendet, wo sie das Gute findet, um es zu genießen, sondern wo sie Gutes dem Armen und Dürftigen zuteilen kann« (WA 1, 365)[5]. Gott liebt, ohne daß er Gegenliebe als Bedingung setzt; er liebt, indem er sein Leben für seine Feinde aufopferte; er liebt, damit Menschen von der Angst, die sie auf sich selbst zurückwirft und am Lieben hindert, frei werden, damit sie wirklich leben – und Leben heißt Lieben –, damit sie Subjekte werden, die andere lieben können, Gott und ihre von Gott geliebten Mitmenschen, damit sie anderen durch ihr Lieben zum gleichen Subjektwerden, zum Liebenkönnen verhelfen können. »Siehe, das sind recht gottförmige Menschen, welche von Gott empfangen alles, was er hat, in Christo, und wiederum sich auch, als wären sie der anderen Götter, mit Wohltaten beweisen ... Götter sind wir durch die Liebe, die uns gegen unseren Nächsten wohltätig macht; denn göttliche Natur ist nichts anderes denn eitel Wohltätigkeit« (WA [1]I, 100). »Deshalb werde ich mich sozusagen als ein Christus meinem Nächsten geben, gleichwie Christus sich mir gewährt hat, in diesem Leben nichts tuend, als was ich sehen werde, daß es meinem Nächsten nötig, nützlich und heilsam sei, da ich ja durch den Glauben Überfluß an allen Gütern in Christus habe ... Also wie der himmlische Vater uns in Christus umsonst zu Hilfe gekommen ist, so sollen auch wir umsonst leiblich und durch Werke unserem Nächsten helfen und jeder dem anderen sozusagen ein Christus werden, damit wir wechselweise Christi und Christus sind in allen Stücken, d. h. wahre Christen« (WA 7, 66; *Tractatus de libertate Christiana*)[6]. Was zuvor ideale und deprimierende Leistungsforderung war, ist jetzt Beratung für die von beiden Seiten gewünschte Mitarbeit: »Alles, was wir haben, muß stehen im Dienst; wo es nicht im Dienst steht, so stehet's im Raub« (WA 12, 470). Oder: »Vermaledeit sei das Leben, darin jemand sich selber lebt und nicht seinem Nächsten. Und wiederum: Gebenedeit sei das Leben, darin einer nicht sich, sondern seinem Nächsten lebt und dient mit Lehre, mit Strafen, mit Hilfe, wie es mag geschehen« (WA 10 III, 98).

Luther betonte gern, daß wir, wenn wir im Glauben die Zusage des göttlichen Wohlgefallens vernehmen, mit dem Gesetz Gottes, das wir zuvor haßten, versöhnt werden, so daß uns das Gesetz lieb wird. Er konnte davon mit Bildern sprechen, die, mit kritischem psychologischem Auge gelesen, nicht unbedenklich sind: »Als wenn dich ein Herr im Kerker gefangen hätte und du über die Maßen ungerne drinnen wärest, möchte man dich auf zweierlei Weise draus erlösen: Zum ersten leiblich, daß der Herr den Kerker zerbreche und dich frei machte leiblich, ließe dich gehen, wohin du wolltest. Zum andern, wenn er dir so viel Gutes im Kerker täte, machte dir denselben lustig, licht, weit und aufs allerreichste geziert, daß kein königlich Gemach und Reich so köstlich wäre, und breche und wandelte dir also den Mut, daß du nit für aller Welt Gut aus dem Kerker wärest ... Siehe, also hat uns auch Christus vom Gesetz erlöst geistlich, nit das Gesetz zerbrochen und abgetan, sondern unser Herz, das zuvor ungerne darunter war, also verwandelt, so viel Gutes ihm getan, und das Gesetz so lieblich gemacht, daß es kein größer Lust noch Freud hat denn in dem Gesetz, wollt nit gern, daß ein Tüttel abfiele« (WA 10 I 1, 459). Das klingt bedenklich, weil es als das Resultat perfekter Entfremdung durch restlos gelungene Internalisierung der von außen zugebrachten Normen gelesen werden kann: der eindimensionale Mensch ist ins Normensystem so integriert, daß er seine Unfreiheit nicht einmal mehr spüren kann und seine Fähigkeit zu kritischer Distanz und damit zu *eigener* Entscheidung gänzlich verloren hat; der glückliche Sklave ist durch Bestechung so angepaßt, daß er die Freiheit fürchtet und den Kerker liebt. Aber der fragwürdige Vergleich liest sich anders, wenn man bedenkt, daß die Versöhnung mit dem Willen Gottes dadurch zustande gekommen ist, daß Gott selbst sich geändert hat: Aus einem Herrn, der das Leben nur bedingungsweise gewährte und den Menschen versklavte, um ihn zum Befolger fremder Befehle in fremdem Interesse zu machen, wird Gott in der Offenbarung seiner Liebe, also »in Christo«, zum »Gott für uns«, der uns nicht für sich ausnutzen, sondern zur Fülle *unseres* Lebens bringen will, und was diese Fülle anlangt, so ist Luther freilich tief überzeugt, daß wir sie nicht gewinnen, wenn wir in Willkürfreiheit, uns selbst uns zum Ziel setzend, für uns leben (».. . gehen, wohin du wolltest«), sondern wenn wir für anderes Leben leben, in anderem Leben und nicht in uns selbst unseren Reichtum haben, also lieben. »Es ist ein jeder Mensch um des anderen willen geschaffen und geboren« (WA 21, 346). Dies ist unsere wahre Natur, der uns die Sünde gerade entfremdet hat. Das Gesetz hielt uns mit seiner zur Bedingung unseres Lebens gemachten Liebesforderung gerade in dieser Entfremdung zum Egoismus, in der Existenz des in sich selbst verkrümmten Menschen *(homo incurvatus in se ipso)* fest. Gott, im Evangelium uns begegnend als für uns seiend, befreit uns zum Sein in der Liebe, dem wahren Menschsein. So ist Versöhnung mit dem Willen Gottes identisch mit Befreiung zu uns selbst gerade als Befreiung von uns selbst.

Es ist also schief, wenn der junge Marx Luther zwar als äußeren Befreier von kirchlicher Zwangsherrschaft rühmt, das Lob aber sofort einschränkt dahin, daß Luther dafür leider die innere Unfreiheit des Menschen durch Verinnerlichung der religiösen Bindung verstärkt habe: »Luther hat allerdings die Knechtschaft aus Devotion besiegt, weil er die Knechtschaft aus Überzeugung an ihre Stelle gesetzt hat . . . Er hat den Leib von der Kette emanzipiert, weil er das Herz in Ketten gelegt«.[7] Diejenige Linie in Luthers Denken, die wir hier herauspräparieren, wird davon nicht getroffen. Denn der Gott des Evangeliums arbeitet nicht mit Ketten, Drohungen, Entzug der Liebe, Bedingungen, sondern mit Hingabe an sein geliebtes Geschöpf und versetzt es damit aus einem bedrohenden, angsterzeugenden Horizont in einen freundlichen, mutmachenden; so ist Gott nicht die Einschränkung, sondern die Ermöglichung, die Quelle wahrer menschlicher Freiheit.

Die neue Situation des Menschen, der das hört und dem das zur inneren Erfahrung wird – letzteres ist das Werk des göttlichen Geistes, der dazu die Verkündigung des *eu-angelion* verwendet: »Der heilige Geist drückt das Wort ins Herz« (WA 15, 565)[8] – läßt sich nun folgendermaßen beschreiben:

1. An die Stelle der Angst, des Krampfes der Selbstrechtfertigung tritt heitere Gelassenheit, *hilaritas.* Mit Worten Dietrich Bonhoeffers: »Zuversicht zum eigenen Werk als Kühnheit und Herausforderung der Welt und des vulgären Urteils, als feste Gewißheit, der Welt mit dem eigenen Werk, auch wenn es ihr nicht gefällt, etwas Gutes zu erweisen, als hochgemute Selbstgewißheit.«[9] Diese Rühmung des »fröhlichen Gewissens« durch-

zieht alle Schriften Luthers. Dazu gehört auch die Offenheit für Kritik und die Bereitschaft zum Eingeständnis der Fehlsamkeit des eigenen Handelns, weil dessen Manifestwerden nicht mehr jedesmal zum Stoß fürs Selbstbewußtsein wird, zum Sturz in die Depression des Versagens, vor dem man sich schützen muß. Denn auch beim Manifestwerden des bleibenden Sünderseins befindet sich der Mensch in grundsätzlich freundlicher Umgebung, in freundlicher Gottesumgebung durch das Hören des Evangeliums, welches »nichts anderes ist denn eine fröhliche Botschaft, nichts anderes darinnen denn ein fröhlicher Anblick Christi, dadurch er die Herzen fröhlich macht und stärkt verzagte Gewissen« (WA 9, 554).

2. Die guten Werke werden diesem Menschen nun nicht mehr abgezwungen. Liebe ist Freude am Anderen, damit auch Freude am Dasein für den Anderen. Der Gott des Evangeliums ist dadurch charakterisiert, daß er keinen »erzwungenen Dienst« haben will (wie Luther besonders in seiner großen Schrift über die Mönchsgelübde, *De votis monasticis*, 1521, ausführt). Gnade macht den, der sie freilich passiv empfängt, ja gerade nicht passiv, sondern aktiv, zum *cooperator dei* (Mitarbeiter Gottes) – nicht an der eigenen Erlösung, sondern als Erlösten am Werke Gottes in der Welt interessiert. Gnade ist Gewährung des Dabeiseins bei und des Mitwirkens an dem Werke Gottes zur Befreiung der Welt, also an einem nun Gott und dem Menschen gemeinsamen Unternehmen, bei dem unser Interesse mit dem Interesse Gottes zusammenfällt und an dem wir deshalb mit Freude beteiligt sind. In Jesus Christus wird Gott aus einem fremden Gebieter zu einem Freunde, der uns an einem für uns selbst sinnvollen Werk beteiligt. Das gottgehorsame Tun geschieht nun »aus Spaß an der Freud'«: »Wegen dieser Freude will ich mich fortan freuen und tun, was ich soll, allein aus Freude, weil er (Christus) uns nicht predigt Gerechtigkeit aus Vorschriften, sondern reine Freude. Wer das ohne Zweifel glaubt, weil der Vater den Sohn geschenkt hat . . ., um Gunst zu erweisen dir zu gut, . . . der bedarf nicht des Gesetzes und des Moses, sondern die einige Freud wird ihn fromm (= gut) machen . . . Wo Glaube im Herzen ist, folgt solche Freude und Besserung des ganzen Lebens« (WA 36, 394)[10].

3. Solange das Gefallen nicht Ausgangssituation, sondern Ziel ist, beherrscht uns die ängstliche Frage: »*Was* soll ich tun?«, und um sicher zu gehen, beachten wir sorgsam die Vorschriften und kleben am Buchstaben: das Gesetz Gottes wird zum Buchstabengesetz, der Gehorsam eingeengt zur Exekution von Paragraphen. Im Stande der Freiheit ist der Mensch nicht Sklave, sondern mitarbeitender Freund (Joh 15, 14 f). Nun sind eigene Initiative, Einfall, schöpferisches Mitdenken gefragt. Der Glaubende weiß nun nicht durch äußere Vorschrift, sondern durch innere Willens-

übereinstimmung, worauf es dem göttlichen Freunde ankommt. Er kann die Neuheit jeder Situation ernstnehmen, er handelt schöpferisch. »Luther« – so sagt Karl Holl – »gewinnt jetzt die Kraft, Gottesgewißheit und innere Freiheit so ineinander zu denken, daß das eine als die Kehrseite des anderen erscheint«. »Luther tritt damit bewußt in die Fußstapfen des Paulus. Denn nicht, wie die heutige Unbildung glaubt, erst Pascal, geschweige erst Nietzsche, sondern Jahrhunderte vor ihnen hat Paulus den für alle kleinen Geister erschreckenden Mut besessen, es auszusprechen, daß die Freiheit vom Gesetz die wahre Sittlichkeit sei.« »Der vollkommene Christ wäre – man sieht, wie Luther das Nietzschewort von den ›neuen Tafeln‹ vorwegnimmt – imstande, aus der Gemeinschaft mit Christus heraus neue Dekaloge zu schaffen, die klarer wären als die des Moses.« »Luther hat damit eine sittliche ›Autonomie‹ höchsten Stils begründet.«[11]

4. Dadurch wird mein Tun überhaupt erst *mein* Tun. Wo das Über-Ich des Gesetzes mich zu seinem Exekutor macht, handle ich nach dem, was mir eingebleut wird bis zur Verinnerlichung. Der Stärke des Über-Ich entspricht die Schwäche des Ich. Nicht ich handle, sondern das Gesetz handelt durch mich als durch sein anonymes Werkzeug. »Die Werke des Gesetzes sind in Wahrheit die des Gesetzes, nicht unsere Werke, weil sie nicht geschehen durch das Wirken unseres Willens, sondern dadurch, daß das Gesetz sie durch Drohungen herausquetscht oder durch Versprechungen hervorlockt« (WA 2, 492, zu Gal 2, 16).[12] Gerade durch den Eigenbezug auf *meinen* Vorteil, meinen Gerechtigkeitsgewinn tue ich nicht, was ich will, sondern bin Instrument fremden Willens. Die Selbstentfremdung durchs Über-Ich macht auch meine Handlungen zu entfremdeten, zu Ware im Marxschen Sinne, deren Tauschwert ich einsetze, um etwas anderes, was inhaltlich nichts damit zu tun hat, einzuhandeln: meine Seligkeit, d. h. das Gefallen der Gerichtsinstanz. Nur im Stande der Freiheit, also schon bejaht, haben die Werke ihren Gebrauchswert, d. h. ich verwirkliche mich in ihnen, indem ich sie um ihrer selbst willen vollbringe, und das heißt: um des anderen willen, mit dem ich durch sie in Kommunikation trete, dem ich mit ihnen helfe, und den ich durch sie erfreue.

5. Schöpferischsein ist Spontaneität und Mut zu ihr. Das gesetzliche Über-Ich hemmt uns, spontan zu sein, indem es uns veranlaßt, Gelerntes zu rekapitulieren, statt dem Drang unseres Herzens zu folgen. Luther wußte natürlich, daß auch das im Leben seinen Wert hat: wir brauchen Geländer von Normen, im Technischen wie im Moralischen. Sein Recht hat das aber nur, solange wir nicht darunter geknechtet sind und uns in

gegebener Situation davon emanzipieren können, solange wir immer wieder frei musizieren können und nicht nur nach den Noten anderer. »Was Gesetz ist, geht nicht von statten; was Evangelium ist, geht von statten. So hat Gott das Evangelium auch durch die Musik verkündigt, wie man es an Josquin (des Prez) sieht, wo alle Komposition fröhlich, willig, milde herausfließt, ist nit gezwungen und genötigt durch Regeln wie des Finken Gesang« (WA, Tischreden, Nr. 1258)[13]. Oder einen Wittenberger Organisten zum Beispiel nehmend: »Daß das Gesetz Zorn wirkt, sieht man wohl an dem, daß Jörg Planck alles besser schlägt (auf der Orgel), was er von sich selbst schlägt, denn was er anderen zu Gefallen schlagen muß, und das klingt aus dem Gesetz ... Wo Gesetz ist, da ist Unlust; wo Gnade ist, da ist Lust« (WA, Tischreden, Nr. 5391)[14].

6. Freiheit, die am Anfang, nicht am Ende steht, als bedingungslos zugestandenes Lebensrecht des Geliebten, umschließt die Ermächtigung, nicht besser scheinen zu müssen, als man ist. Sie ist »Mut zur Unvollkommenheit«, wie Alfred Adler das genannt hat. Ein biblisches Wort wie das Vollkommenheitsgebot in Mt 5, 48 (»Ihr sollt vollkommen sein, wie euer himmlischer Vater vollkommen ist«) konnte gesetzlich mißverstanden werden; dann treibt es als Peitsche an, ständig unser Tun am Ideal zu messen oder an den Leistungen anderer, von denen wir vorteilhaft abstechen, oder hinter denen wir in so deprimierender Weise zurückbleiben. Minderwertigkeitskomplexe sind eine unglückliche Art von Bescheidenheit im Gewande der Demut, hervorgerufen durch die permanente Selbstreflexion auf *meine* Bewährung, zu der das Gesetz treibt – ob sie sich nun im pathologischen Unterlegenheitsgefühl oder im Hervorkehren der eigenen Tüchtigkeit äußern. Heilen kann hier nur eine »umfassende und in die Tiefe wirkende Ermutigung«[15], wie sie durch bedingungslose Liebesbejahung geschieht. Der Mut, der aus der Gewißheit des Geliebtwerdens erwächst, macht mich frei, meine Grenzen einzugestehen, aber nicht nur sie, sondern auch meine Fehler, meine Vergehen. Liebe holt mich aus der Verteidigungsstellung heraus, vergebende Liebe gibt mir den Mut, mich zu sehen, wie ich bin. So beginnt für Luther das Leben des Glaubens gerade damit, daß ein Mensch das Sündenbekenntnis, das er bisher in der Kirche konventionell mitgesprochen hat, ohne dadurch von seinem Besser-Scheinen-Wollen abgebracht zu werden, nun endlich persönlich ernst meint: Christen sind »wahre, nicht fingierte Sünder«. »Wir sind alle schnell bei der Hand zu sagen: Ich bin ein ganz erbärmlicher Sünder. Aber die Rolle des Sünders spielen will keiner oder selten einer ... Und sich nur mit dem Munde als einen solchen bekennen, es aber nicht mit der Tat tun wollen, das ist Heuchelei« (WA 56, 232)[16]. Heuchelei meint hier

nicht nur subjektiven Schwindel, sondern einen objektiven Zwang: Religiöse Konvention, die das Sündenbekenntnis verlangt, und gesellschaftliche Konvention, die den Anschein des Gerechten verlangt, widersprechen einander. So spielen wir in der Kirche die Rolle des Sünders, außerhalb der Kirche die des untadeligen Bürgers, weder hier noch dort sind wir echt. Luther hat ebenso wie S. Freud und A. Adler die gesellschaftliche Funktion dieses Rollenzwangs mit seiner Schizophrenie erkannt: dank seiner benehmen wir uns sozialer, als wir sind (Luther nannte das die *iustitia civilis*, die bürgerliche Gerechtigkeit). Aber ebenso wie jene beiden anderen Therapeuten, die mit Entlarvung arbeiten, hat er die objektive Heuchelei mit ihren pathologischen Folgen durchschaut und aufgedeckt. Wo Ehrlichkeit uns das Leben kostet, können wir nicht ehrlich sein. Gottes Solidarität gibt Mut zur Ehrlichkeit. »Gott hat wenig Reine zum Himmel geführt«, sagt Luther einmal, »die meisten hat er aus dem Schlamm gezogen«. Dazu uns bekennend, werden wir zu erträglicheren Zeitgenossen; der Rollenzwang, der Zwang zur Selbstrechtfertigung macht uns unerträglich.

IV

Damit ist der große Durchbruch Luthers zu einer Ethik der Freiheit skizziert. Gott ist Befreier, nicht Unterdrücker; eine Befreiung muß am Menschen geschehen, damit er recht handeln kann – eine Befreiung freilich, über die er nicht selber verfügt. Aber gerade dies, daß er nicht selber darüber verfügt, hat das Positive an sich, daß er an dieser Angewiesenheit auf befreiende Hilfe lernen kann, wie sehr seine Isoliertheit – mag er sie noch so stolz als seine »Autonomie«, als die Würde seines Selbstschöpfertums bekennen und damit verkennen – in Wirklichkeit sein Verderben ist. Nicht als einsames, auf sich selbst gestelltes Ich ist er geschaffen, sondern von vornherein als soziales Wesen, als Empfänger seines Lebens von anderem Leben her, von den Mitmenschen her und zuerst und zuletzt, umfassend von Gott her. Nur in Gemeinschaft kann er existieren, nur als Nehmender kann er geben, nur als Befreiter kann er frei sein.

Ist dieser Durchbruch aber geschichtlich wirksam geworden? Ist das hier gezeichnete Bild von Luthers Denken das einzig richtige und jenes Bild eines Luther, der zum Untertanengehorsam erzogen und die Freiheit in die abgeschlossene Innerlichkeit verbannt hat, schlechthin falsch? Haben nur seine Nachfolger ihn nicht verstanden und seine Lehre zum Kitt des

Obrigkeitsstaates gemacht, oder liegen dafür die Wurzeln schon bei Luther selbst?

Man kann Luther nicht vorwerfen, daß er von Glauben und Freiheit nur im Blick auf die Innerlichkeit gesprochen habe, als sei – wie H. Marcuse ihn liest – der Christenmensch nur innerlich ein Herr aller Dinge, äußerlich aber um so mehr ein Knecht der vorhandenen Ordnungen. Es gibt für Luther wohl einen Unterschied, nicht aber eine Trennung des Inneren und des Äußeren. Die Befreiung ist ein inneres Geschehen; innen im Menschen, in seinem »Herzen«, also in seinem Existenzzentrum, muß sich zuerst etwas ändern, bevor sein äußeres Leben anders werden kann. Aber diese Änderung kommt von außen und drängt nach außen. Sie kommt von außen, sofern das befreiende Evangelium, die Nachricht von der bedingungslosen Liebe Gottes, nicht als ein inneres Wissen auf einmal in ihm selbst, im einsamen Kämmerlein des einsamen Menschen entsteht (so verstand Luther den Spiritualismus der »Schwärmer«, z. B. des Kaspar Schwenkfeld, den er erbittert ablehnte), sondern von außen zu ihm kommt, durch die Sozialität, als »äußeres Wort«, als Gotteswort durch Menschenmund, durch das lebendige Zeugnis anderer Menschen. Und die dadurch bewirkte innere Änderung drängt nach außen, sofern der Mensch ständig ein tätiges Wesen ist. Darum ist auch sein nun entstandener Glaube, sein Vertrauen auf die vernommene Liebe Gottes ein »lebendig, tätig, geschäftig Ding«, und zwar in der Gestalt der Liebe. »Der Glaube ist der Täter, die Liebe ist die Tat«; die Liebe ist das Nach-außen-Treten des Glaubens; »der Glaube empfängt Gut, die Liebe gibt Gut« – so wird Luther nun unermüdlich wiederholen.

Kritisch wird es aber bei der Frage, ob Luther sein Verständnis des Gesetzes als des Willens Gottes, und zwar als des göttlichen Liebeswillens, so durchgehalten hat, wie wir es oben dargestellt haben. Bei diesem Verständnis wird der Mensch nicht an gottgegebene Regeln des Verhaltens gebunden, sondern seine neue Freiheit erweist sich gerade in dem Recht, der Pflicht und der Fähigkeit, alle Regeln und Gesetze, die er vorfindet, kritisch am Kanon der Liebe zu prüfen (und d. h. mit der Frage, ob sie den Mitmenschen zum Leben und zum Subjektsein, zum gleichen freien Dienst der Liebe, zu dem ich selbst erweckt bin, verhelfen und Raum geben können) – also jeweils (ganz situationsethisch!) auch »neue Dekaloge« zu schaffen.

Wo Luther in seinen sozialethischen Äußerungen vom Gesetz Gottes spricht, da schleichen sich unversehens göttliche, aus der Bibel entnommene Gebote ein, die den Christen, der eben noch so frei den weltlichen Ordnungen gegenüberstand, wieder in diese hineinbinden: in eine patriarchalische Ehe- und Familienordnung, in eine obrigkeitliche Staatsordnung, auch in eine pastörliche Kirchenordnung. Wird Gottes Gesetz durch die innerliche Verwandlung aus einem Gegenstand der Auflehnung und des Hasses zu einem Gegenstand der Liebe des zur Freude an Gottes Willen bekehrten Menschen, so bedeutet das bei Luther nun nicht eine überlegene Freiheit gegenüber den weltlichen Ordnungen samt kritischer Infragestellung und dynamischer Weiterentwicklung, ja auch Revolutionierung, sondern die neue Liebe zu Gottes Gesetze äußert sich als willige Beugung unter die menschlichen Gesetze, als ergebene Einordnung in die vorhandenen, angeblich gottgegebenen Ordnungen und als Anerkennung ihrer Notwendigkeit und Heilsamkeit.

Denn mit der neuen Freiheit wollte es Luther praktisch nicht so entschlossen wagen, wie es seine zentrale Erkenntnis versprochen hatte. Zu neuen Gestaltungen in Staat und Kirche, etwa zu einer vom Staat selbständigen Kirche der Gläubigen, wie sie den täuferischen Gruppen seiner Zeit vorschwebte, fehlten ihm, wie er sagte, die Leute, und außerdem fürchtete er, es könne damit wieder ein gesetzliches Messen der Menschen nach ihren äußeren Werken und ihrer äußeren Frömmigkeit einreißen. Er war realistisch genug zu wissen, daß er in einer Welt lebte, in der das Christentum nur scheinbar eine bestimmende Macht ist. »Die Christen wohnen ferne voneinander«, konnte er inmitten des scheinchristlichen Abendlandes sehr nüchtern sagen, und ebenso, daß ein frommer Fürst ein seltenes Wildbret im Himmel sei. Weil er sich in einer bösen, tief unchristlichen Welt vorfand und zudem die Bosheit so zunehmen sah, daß er den »lieben jüngsten Tag« nahe glaubte, hat er von einer Verbesserung der Gesellschaft, gar von ihrer Verchristlichung nichts gehalten und von Versuchen dazu nur eine neue Verkehrung des Evangeliums befürchtet, nämlich in ein repressives Gesetz, das nichts als Unterdrückung und Heuchelei anrichtet, ebenso wie es bei der soeben durch seine Reformation überwundenen Verkehrung des Christentums in ein klerikales Herrschaftssystem der Fall gewesen war. So sah er die Welt skeptisch, ja pessimistisch als ein nicht aufhebbares Gefängnis, in dem mühsam eine minimale Ordnung zum Schutz des Lebens aufrechterhalten werden kann durch Anwendung von Gewalt gegen Gewalt, von Zwang und Strafen gegen die Übeltäter, gegen die asozialen Triebe in uns allen. Und so nüchtern er auch die Lumpigkeit der Regierenden seiner Zeit erkannte, so fürchtete er doch noch mehr die Zuchtlosigkeit der Massen, des »Pöbels«, und meinte mit Goethe und allen Konservativen, daß eine schlechte Ordnung immer noch besser sei als Unordnung.

Darum kann, wie Luther in seiner Schrift »*Von weltlicher Obrigkeit, wieweit man ihr Gehorsam schuldig sei*« (1523) ausführte, ein Christ, der als ein zur Liebe befreiter Mensch weder das Drohen des göttlichen Gesetzes noch den Zwang der irdischen Gesetze mehr nötig hat, um sich sozial zu verhalten, nichts Besseres zu tun, als in seinem äußeren Leben keine Ausnahmestellung beanspruchen, sondern zu seinen von der Sünde noch beherrschten Menschenbrüdern in das Gefängnis der für sie so nötigen gesellschaftlichen und staatlichen Zwangsordnungen zurückkehren und diese Ordnungen ein wenig humaner, sachgerechter, dem Zweck des Lebens- und Rechtsschutzes entsprechender gestalten. Dazu muß er sich an der Durchführung des nötigen Zwanges beteiligen und darf sich deshalb nicht zu gut sein, politische Macht zu verwalten und die Funktionen des Zwanges, also des Regierenden, des Richters, ja auch des Henkers zu übernehmen. Daß er diese Funktionen nicht den Machtgierigen überläßt, die sie zu ihrem Vorteil ausnützen, sondern von Sorge um sich selbst, also von Selbstsucht und Ruhmsucht befreit, sich die Hände mit dem schmutzigen Geschäft der Macht und des Zwanges schmutzig macht, das ist seine Nachfolge des Kreuzes Christi zum Wohle seiner Mitmenschen.

Man sieht: das hat Größe und Nüchternheit, das ist Freiheit zum weltlichen, vernünftigen Dienst. Aber es ist zugleich eine Wendung zu konservativer Haltung. Mehr als kleine Verbesserungen können hier angesichts der Unverbesserbarkeit der Welt nicht angestrebt werden; das Erhalten der Ordnung wird wichtiger als ihre Veränderung. Die dynamische Bedeutung des Evangeliums wird hier auf das Individuum reduziert, für das gesellschaftliche Leben gerät sie aus dem Blickfeld. Letztere Konsequenz haben die aufrührerischen Bauern mit ihrer Forderung von Freiheiten aufgrund der evangelischen Freiheit vertreten und besonders rasant Thomas Münzer. Luther, der die Auflösung der mittelalterlichen Ordnung selbst befördert hatte, aber die Notwendigkeit, gesellschaftliche Autoritäten zur Bändigung des Chaos aufzurichten, für das Dringlichste ansah, konnte im Bauernaufruhr, so sehr er ihm zunächst einigen Rechtsgrund zugestand, nur eine weitere Ausbreitung des Chaos erblicken und schlug darum maßlos dagegen.

So schien ihm die repressive Funktion des Gesetzes, die er doch durch das Evangelium als außer Kraft gesetzt erkannt hatte, unentbehrlich, um uns selbst unserer Lieblosigkeit und Vergebungsbedürftigkeit zu überführen und um die bösen Triebe im Zaum zu halten. So flossen ihm in die Beschreibung des göttlichen Willens Elemente der ererbten statischen Gesellschaftsordnung ein, und er dämmte durch seine Zwei-Reiche-Lehre (d. h. durch seine Lehre von der Pflicht des Christen, in der bösen Welt mit den dieser Welt entsprechenden Methoden seinen Dienst zu tun) die politischen Impulse des Evangeliums ein, statt sie zu entfalten. Den Fürsten übertrug er die Verantwortung für die Kirchenverwaltung und bewirkte damit eine Bindung seiner Kirche an den Staat, die ihr die kritische Funktion beschnitt und die demokratischen Konsequenzen seiner Lehre vom allgemeinen Priestertum und von der Freiheit der Gemeinde verkümmern ließ. Seine Nachfolger, von Melanchthon an, noch ängstlicher besorgt um die Erhaltung der bestehenden Ordnung, haben dies dann weitergetrieben. Es ergab sich daraus eine Lebensanweisung für Regierende und Regierte, deren positive Folgen für moralische Erziehung im individuellen und politischen Leben nicht unterschätzt werden sollen (man lese dazu nach, was Hegel über die Versöhnung von Individuum und Staat in der Geschichte der protestantischen Staaten zu sagen wußte!). Aber Luthers Freiheitsethik konnte dadurch die historischen Auswirkungen nicht bekommen, die in ihr angelegt waren. Sie wurde aber weder ganz unwirksam noch ist sie dadurch antiquiert. Luthers Selbstbewußtsein, als Erster seit Jahrhunderten die christliche Botschaft, dem Neuen Testament gemäß, wieder als *euangelion,* als ein Befreiungsgeschehen, verstanden zu haben, besteht zu Recht. Die praktische Verwirklichung im Leben des Einzelnen wie im Leben der Gesellschaft, in Erziehung, Recht, Ökonomie und Politik bleibt weiter die christliche Aufgabe. Für sie ist es ebenso nötig, Luthers Grunderkenntnis ernst zu nehmen, wie an seiner historischen Verwirklichung Kritik zu üben. Da Luther in der heutigen Öffentlichkeit mehr der Aburteilung als der (früheren) Verherrlichung ausgesetzt ist, wurde hier sein kühner Durchbruch mehr als seine historischen Grenzen ins Licht gestellt; über Luther mag den Stab brechen, wer sich von gleicher Begrenzung durch die Ängste seiner Zeit und seines Lebens frei weiß.

Anmerkungen:

1. E. Fromm, in: *Psychoanalyse und Ethik,* 1954, und *Psychoanalyse und Religion,* 1966.
2. H. Marcuse, *Ideen zu einer kritischen Theorie der Gesellschaft,* es 300, 1969, 59 ff.
3. »Immo deus est aliud nihil quam charitas. Quis potest credere hoc . . . Vides quantum noch wir zu studiren haben in Christo.«
4. »Si deus pingendus, sol ich malen, quod in abgrund seiner Gottlichen natur nihil aliud est quam ein feur und brunst, quae dicitur lieb zun leuten. Econtra lieb est talis res, ut non humana, angelica, sed Gottlich, ja Gott selber.«
5. »Amor Dei non invenit sed creat suum diligibile, Amor hominis fit a suo

diligibili. Secunda pars patet et est omnium Philosophorum et Theologorum, Quia obiectum est causa amoris ponendo iuxta Aristotelem ... Prima pars patet, quia amor Dei in homine vivens diligit peccatores, malos, stultos, infirmos, ut faciat iustos, bonos, sapientes, robustos ... Et iste est amor crucis ex cruce natus, qui illuc sese transfert, non ubi invenit bonum quo fruatur, sed ubi bonum conferat malo et egeno.«

6. »Dabo itaque me quendam Christum proximo meo, quemadmodum Christus sese praebuit mihi, nihil facturus in hac vita, nisi quod videro proximo meo necessarium, commodum et salutare fore, quandoquidem per fidem omnium bonorum in Christo abundans sum ...: ideo sicut pater coelestis nobis in Christo gratis auxiliatus est, ita et nos debemus gratis per corpus et opera eius proximo nostro auxiliari et unusquisque alteri Christus quidam fieri, ut simus mutuum Christi et Christus idem in omnibus, hoc est, vere Christiani.«

7. K. Marx, *Frühe Schriften* I, 1962, 497 f (Einleitung zur Kritik der Hegelschen Rechtsphilosophie).

8. »Spiritus sanctus truckt das wort in cor.«

9. *Widerstand und Ergebung,* Neuausgabe 1970, 257, Brief vom 9. 3. 1944.

10. »Propter hoc gaudium wil mich fort an freuen et facere, quicquid debeo, solum propter gaudium, quia non praedicat iusticiam praeceptorum, sed merum gaudium. Qui hoc credit sine dubio, quod pater geschenkt filium, ut foveret dir zu gut, ... non indiget lege et Mose, sed die einige freud wird yhn from machen ... Ubi est fides in corde, sequitur tale gaudium und besserung totius vitae.«

11. Karl Holl, *Der Neubau der Sittlichkeit,* in: Gesammelte Aufsätze I, Luther, 1927[5], 218, 222, 223, 227.

12. »Opera legis vere legis sunt, non nostra, cum non fiant voluntate nostra operante, sed lege per minas ea extorquente vel per promissa eliciente.«

13. »Was lex ist, gett nicht vonstad; was euangelium ist, das gett vonstadt. Sic Deus praedicavit euangelium etiam per musicam, ut videtur in Josquin, des alles composition frolich, willig, milde heraus fleust, ist nitt zwungen vnd gnedigt per regulas, sicut des fincken gesang.«

14. »Das lex iram operatur, siht man an dem wol, das Jörg Plank ... als besser schlecht, was er von sich selbs schlecht, den was er andern zu gefallen schlagen mus, vnd des kumpt ex lege ... Wo lex ist, da ist vnlust; wo gratia ist, da ist lust.«

15. M. Sperber, *Alfred Adler,* 1970, 223, 220.

16 »Omnes itaque prompti sumus dicere: Ego miserrimus sum peccator. Sed peccatorem agere nullus vel rarus cupit ... Et ore se talem fateri, opere autem nolle facere, hoc hypocrisis.«

II. KRIEG, GEWALT UND FRIEDEN

Das Menschenleben und der Krieg der Menschen

Von der Herrlichkeit des Lebens wollen wir ausgehen, vom Wunder des Lebens, das uns auf allen Seiten umgibt und zu dem wir selbst gehören. Wir wollen staunend stillstehen vor dem Wunderwerk des Zusammenspielens der Glieder, vor der Freude jeder Bewegung, jedes Atemholens. Dieses Wunder ist das Gewohnteste und im Augenblick, wo es irgendwie versagt, das Unselbstverständlichste und Ersehnteste. »Ehrfurcht vor dem Leben«, – das ist die angemessene Haltung, und Albert Schweitzer hat recht, uns einzuprägen, daß damit alle Moral anfangen und daß davon alles Zusammenleben durchdrungen sein muß.

Zum Leben gehört der Tod. Wenn Lebendiges stirbt, wird uns die Herrlichkeit des Lebens in der Trauer bewußt. Die Mücke, die eben noch im Sonnenstrahl spielte, ein unglaubliches Kunstwerk, von Lebensdrang und -lust durchpulst, – jetzt ein Fleckchen Brei auf meiner Hand, roh zerdrückt, – jedesmal ein Augenblick der Trauer. Voll von Tod ist die Natur, sonst könnte sie nicht unaufhörlich quellendes Leben sein. Eines lebt vom anderen; da wird zerstört, gefressen, zertreten, die Pflanzenfresser, die Fleischfresser und mitten unter ihnen der Mensch.

Er ist ein Wesen der Gewalt, mehr als alle anderen Lebewesen. Mit allem, was er sich unterwerfen kann, geht er gewalttätig um, in alles andere Leben greift er gewalttätig ein, wie es seinem Nutzen entspricht. Seinesgleichen nimmt er davon nicht aus, darin hält er es wie viele andere Tiere. Die machen es ihm vor. Die »intraspezifische Aggression«, die Gewaltanwendung gegen konkurrierende Individuen der gleichen Art ist, wie alle Welt heute bei Konrad Lorenz liest, ein unentbehrlicher Mechanismus in der Tierwelt zur Regelung der Auslese und der Nahrungsverteilung. Es ist also nur natürlich, wenn das zweibeinige, hirnentwickelte Säugetier, der Mensch, das mitmacht, von jeher und so auch heute. Die Werkzeuge, mit denen er so gewalttätig eingreift, sind zugleich tauglich als Waffen gegen seinesgleichen; schon das erste Steinbeil konnte ebenso wohl zum Fällen eines Baumes wie zum Totschlagen eines Menschen verwendet werden. Die Kriege der Menschen sind die Fortsetzung der natürlichen intraspezifischen Aggression.

Das ist »nur natürlich«. Aber ist der Mensch nur ein Säugetier? Sind die

Werkzeuge »natürlich«? Sie sind ihm nicht von der Natur gereicht wie die Organe eines Tieres, sie sind Produkte seiner Arbeit. Mit ihnen manifestiert er, daß hier inmitten der Natur etwas Neues auftritt; wir nennen es mit einem schwer genau zu definierenden Wort den menschlichen »Geist« und meinen damit die dem Menschen eigentümliche Fähigkeit, der Natur gegenüberzutreten, sich von ihr zu lösen und sich über sie zu erheben, sie »sich untertan zu machen«, wie es im ersten Schöpfungsbericht der Bibel heißt. Darum ist nichts am Menschen einfach »natürlich«, alles ist spezifisch menschlich, und darum kann er sich nicht einfach auf die Natur berufen, um sein Handeln zu rechtfertigen. Wo er das tut, sinkt er unter das Menschliche, ja sogar unter das Tier. Sein Handeln wird dann »bestialisch«, – aber auch darin ist es spezifisch menschlich, in einem sehr negativen Sinne; das Tier lebt tierisch, aber niemals »bestialisch«. Dafür ist der schauerlichste Mensch der deutschen Geschichte, Adolf Hitler, ein Beweis. Er hat sich zur Rechtfertigung seiner Grausamkeit immer auf die »Grausamkeit der Natur« berufen, und in seinem schauderhaften Buche »Mein Kampf« schreibt er: »Der Mensch darf niemals dem Irrsinn verfallen zu glauben, daß er wirklich zum Herrn und Meister der Natur aufgerückt sei, ... sondern er muß die fundamentale Notwendigkeit des Waltens der Natur verstehen und begreifen, wie sehr auch sein Dasein diesen Gesetzen des ewigen Kampfes und Ringens nach oben unterworfen ist.« Was er hier mit »nach oben« meint, zeigte er noch in seiner letzten öffentlichen Rede vom 24. Februar 1945: »Die Vorsehung kennt keine Barmherzigkeit dem Schwachen gegenüber, sondern nur die Anerkennung des Lebens für den Gesunden und Starken.« Hier ist alles deutlich genug: das Herrenrecht der »Starken« soll alles legitimieren; die Schwachen sind nur zur Ausbeutung da. Einen besseren Sinn für die Stärke der Starken weiß dieser Mann nicht als die Kultivierung und Anbetung der eigenen Stärke. Es sind meistens nicht die wirklichen Starken, die Stärke so zum Götzen machen. Wer in irgendeiner Hinsicht wirklich mit Gesundheit und Stärke gesegnet ist, fragt vielmehr nach einem höheren Zweck, für den er seine Gaben verwenden könnte, und genau dieser höhere Zweck wird von Hitler aus dem menschlichen Leben verbannt, weil er ihn in der Natur nicht findet: die Barmherzigkeit, die Liebe, der Dienst des Starken für den Schwachen, das Gesunden für den Kranken, – übrigens auch in der Natur nicht gänzlich unbekannt, aber natürlich nicht zu entdecken für den, der die Grausamkeit der Natur braucht, um damit seine eigenen menschenfeindlichen Gelüste zu legitimieren.

Das extreme Beispiel zeigt: die Kriege der Menschen widersprechen der Menschwerdung der Menschen. Der Krieg zieht den Menschen ständig unter sein Menschsein herab; der Krieg muß überwunden werden, damit die Menschheitsgeschichte eine menschliche wird. Daß in Kriegen hohe menschliche Bewährung stattgefunden hat, – daß Heldenmut, Opferbereitschaft, Ritterlichkeit hier Gelegenheit gefunden haben, kann nicht zu ihrer Rechtfertigung dienen. Die Verteidiger des Krieges fürchteten die Verweichlichung der Menschen in Perioden langen Friedens. Solche Argumente erscheinen uns eher grotesk angesichts der Wirklichkeit der Kriege des 20. Jahrhunderts. Wenn der Menschheit wirklich die Abschaffung des Krieges gelingen sollte, dann wird sie statt der kriegerischen Tugenden andere und bessere entwickeln können, und Bereitschaft zu Opfer, Hingabe und auch zum Abenteuer wird andere, aber sinnvollere Gelegenheiten finden.

Die Menschheitsgeschichte ist eine Geschichte von Kriegen, anders kennen wir sie nicht. Sie war ja eine Geschichte des Kampfes mit dem Mangel, darum lockten die Reichtümer anderer zum Raube. Der Mangel – heute in der Dritten Welt schrecklicher denn je – kann heute überwunden werden. Die gleichen Fortschritte von Wissenschaft und Technik, die die Abschaffung des Krieges heute notwendig machen, wenn die Menschheit weiterleben soll, machen diese Abschaffung auch möglich: der Krieg ist nicht mehr nötig, um den eigenen Mangel durch Beraubung von anderen zu stillen, er hindert vielmehr die Überwindung des Mangels. Militärische Rüstung, kalter Krieg und heißer Krieg sind die großen Produktionsverschwendungen unserer Zeit; ohne sie brauchte heute kein Mensch zu hungern, durch sie hungert heute Zweidrittel der Menschheit. Wer über diesen Irrsinn jammert, soll den Ursachen nachgehen: dem Bündnis von blinden Haß-, Rache- und Rechtsgefühlen auf der einen und kalten materiellen Interessen auf der anderen Seite. Dieses Bündnis hindert heute die Rettung vor Hunger und Krieg. Wer erkennt, daß die Abschaffung des Krieges heute auf der Tagesordnung der Menschheitsgeschichte steht, muß diesem Bündnis zu Leibe rücken, und d. h. er muß nach den Interessen fragen, die dafür sorgen, daß die Gefühle immer wieder hochgepeitscht werden und daß die Ursachen der Konflikte nicht beseitigt werden. Kampf gegen den Krieg ist also mit nüchterner, unbestechlicher, radikaler und mutiger Gesellschaftskritik identisch.

In der Vergangenheit konnte man sich so weitgehende Ziele wie die Abschaffung des Krieges noch nicht setzen. Neben den Gründen zum Kriege, die im Inneren des Menschen vorhanden sind – Machtgier und verdrängte Agressionstriebe –, gab es genug äußere Gründe, die den Krieg zu einer unvermeidlichen, ja unentbehrlichen Einrichtung im Völkerleben machten: solange die Menschheit in Völker und Staaten eingeteilt ist und diese des Mangels wegen und des Neides wegen um Siedlungsraum, Reichtümer, Sklaven kämpften und sich gegenseitig bedrohten, und solange man diese Begehrlichkeiten mit Waffen durchsetzen oder vereiteln konnte, solange konnte kein Volk auf die Bereitschaft zum Kriege verzichten. Dagegen kam aller Jammer über das Elend des Krieges nicht auf. Daß Einzelne sich weigerten, das Töten mitzumachen, war wichtig als Erinnerung an den Widerspruch zwischen Menschlichkeit und Krieg, als Erinnerung an die Berufung des Menschen, sich über die Natur zu erheben, – aber das konnte die Völker und Staaten von dem Griff nach den Waffen – entweder zum Angriff oder mindestens zur Verteidigung – nicht abhalten.

Das mußte auch die christliche Kirche erfahren. Zunächst gehörten die kleinen christlichen Gemeinden zu jenen wenigen, die aus dem allgemeinen Kriegsbetrieb austraten und sich der Liebe und dem Frieden verpflichteten. Als sie an Zahl immer mehr zunahmen, als auch Beamte und Offiziere sich der Gemeinde anschlossen, als schließlich eintrat, was man noch einige Jahrzehnte vorher für unmöglich gehalten hatte: daß nämlich der Kaiser und die Fürsten der Völker Christen wurden, da kam man an den Kreuzweg einer Entscheidung: Sollten die Christen weiterhin ihre Aufgabe darin sehen, eine strenge Alternative zum kriegerischen Verhalten vorzuleben, dann aber unter Verzicht auf Teilnahme an den Regierungsgeschäften, mit denen unvermeidlich die Teilnahme an Rüstung und Krieg, selbst beim friedwilligsten Fürsten, verbunden war, – *oder* sollten Christen auch Regierungsämter übernehmen können, also auch die Verwaltung der Gewaltmittel, die eine Hauptaufgabe jeder Regierung ist?

Die Entscheidung fiel für die zweite Möglichkeit. Sie fiel verdächtig rasch, unter unerfreulichen Begleiterscheinungen. Historisch muß man sagen: die Kirche hat sich von der Versuchung zur Macht verführen lassen. Aber sachlich muß man sagen: auch wenn sie der Versuchung strikt widerstanden hätte, hätte sie sich *für* die Teilnahme der Christen an der Verwaltung der Macht entscheiden müssen. Der Dienst der Liebe, zu dem das Evangelium die Jünger Jesu ruft, kann sich nicht auf die private Sphäre beschränken; die Macht den Machtgierigen zu überlassen, um sich die Hände nicht mit Politik schmutzig zu machen, und damit die Menschen den Machtgierigen ausliefern – das kann nicht der Weg der Liebe sein, Liebe muß politisch werden. Sie muß sich dafür interessieren, in wessen Hände die Gewaltmittel sind und wie sie verwendet werden.

In ihrer ganzen Geschichte haben die Menschen versucht, den Mißbrauch der Gewaltmittel zu verhindern, indem sie das Recht, sie anzuwenden, monopolisiert haben. Das ist der wichtigste Vorgang in der Entstehung der Staaten: die Staatsführung bekommt das Monopol der Gewaltanwendung. Nun kann zwischen legaler Gewalt – das ist die von den Staatsorganen ausgehende – und illegaler Gewalt unterschieden werden. Diese Legalisierung der Gewalt hat fundamentale Bedeutung für das menschliche Zusammenleben. Ohne Recht, d. h. ohne Legalisierung der Gewalt, gibt es keinen Frieden, weder innerhalb eines Staates noch zwischen den Staaten. Nun gibt es aber bis zum heutigen Tage zwischen den Staaten noch keine Legalisierung der Gewalt, höchstens erste, schwache Ansätze dazu (Völkerbund, UNO); zwischen den Staaten herrscht im wesentlichen immer noch das Faustrecht.

Wofür sollten sich nun die Christen entscheiden? Beteiligten sie sich an der Verwaltung der Gewaltmittel innerhalb des Staates, dann taten sie sicher etwas Gutes; denn damit war Aussicht, daß gewissenhafte, innerlich von Machtgier freie Menschen in die Staatsverwaltung, an die Gerichte und in die Regierungen kamen. Das war unleugbar eine Konsequenz der Liebe, dafür durften sie sich nicht zu gut sein.
Aber unvermeidlich mußten sie dann auch teilnehmen an der Verteidigung des Staates nach außen, also am Kriegswesen. Konnte man den Krieg nicht abschaffen, so konnte man ihn doch vielleicht mäßigen und zähmen. So sehen wir denn die ernsten Christen – und nur von denen soll hier die Rede sein – in den vergangenen Jahrhunderten eine ganz verschiedene Haltung einnehmen: Die einen meinten, der Dienst der Christen inmitten dieser kriegerischen Menschheit könne nur in striktem Nicht-Mitmachen bestehen (das waren besonders die sog. »historischen Friedenskirchen«, die Mennoniten, Quäker und andere kleinere Gruppen); sie haben sich ganz dem Verbinden der Wunden, die der Krieg schlug, gewidmet und damit die Erinnerung aufrechterhalten, daß der christliche Glaube dem Krieg radikal feind ist. Die anderen meinten, bei der Verwaltung der Gewaltmittel mitmachen zu sollen mit dem Ziel, ihren Mißbrauch zu verhüten und die Bestie des Krieges, da man sie nicht beseitigen kann, wenigstens zu bändigen. Später erwuchsen ihnen in Humanisten und Sozialisten aller Art dafür wichtige Bundesgenossen. Beide Entscheidungen müssen, wenn sie aus der Verantwortung der Liebe getroffen wurden, respektiert werden; sie waren gegensätzliche Versuche, den Menschen gegen den Krieg zu helfen.
Die Bändigung des Krieges versuchte man auf zweierlei Weise:
1. durch die Unterscheidung von gerechten und ungerechten Kriegen, und

2. durch Regeln für die Kriegsführung. Beides hat eine Tradition, die in die vorchristliche Zeit zurückreicht.

Zu 1. Die Unterscheidung zwischen gerechten und ungerechten Kriegen macht einen heuchlerischen Eindruck, wenn man sie so versteht, daß damit ein Krieg objektiv, d. h. vor einem imaginären Weltgericht oder vor dem Richterthrone Gottes gerechtfertigt werden soll; da wird jede Seite behaupten, im Rechte zu sein, und dafür gute oder angeblich gute Gründe vorbringen. Die Unterscheidung hat aber einen ernsten Kern, wenn man sie versteht als eine Anleitung für die Beratung jedes Menschen mit seinem eigenen Gewissen, sowohl der Regierenden wie der Regierten. Jeder soll sich fragen: darf ich und muß ich diesen Krieg mitmachen? Keiner soll von dieser persönlichen Gewissensentscheidung entbunden werden. Dafür arbeitete man Kriterien aus: Frage dich, ob dich die legitime Obrigkeit zu diesem Kriege ruft oder ein Bandenführer und Aufrührer (legitima potestas), – ob es um die Erhaltung oder um die Zerstörung von Recht geht (causa iusta), – ob Ziel des Krieges das friedliche Zusammenleben mit dem Gegner ist oder dessen Ausrottung (pax), – ob der durch den Krieg angerichtete Schaden größer ist als das zu verteidigende Rechtsgut (proportio), – ob der Krieg mit Beachtung der völkerrechtlichen Regeln oder mit entfesselter Brutalität geführt wird (debitus modus)!

Zu 2. Solche völkerrechtlichen Regeln waren z. B. Schonung der Zivilbevölkerung und der Kriegsgefangenen, ordentliche Kriegserklärung, Verbot der Geiselmißhandlung und -tötung, Respektierung der Neutralität, Verbot von Plünderung und Folterungen, Schutz des Roten Kreuzes usw.

Es ist zu verstehen, daß dieses Ziel, den Krieg der menschlichen Zivilisation zu unterwerfen, des Schweißes der Edlen wert war. Einiges ist auf diesem Wege erreicht worden, vieles blieb nur auf dem Papier stehen. Wenn man nach den Bedingungen für den »gerechten Krieg« mißt, so sagt ein katholischer Theologe, dann bleiben in der europäischen Geschichte nicht mehr Kriege, die diesen Namen verdienen übrig, als man mit den zehn Fingern aufzählen kann. Die Schuld der großen christlichen Kirchen besteht nicht darin, daß sie solche Kriterien ausgearbeitet haben, sondern darin, daß sie ihre Verwendung zur Heuchelei geduldet haben. Hätten die Kirchen diese Kriterien selbst ernst genommen, dann hätten sie in den meisten Fällen die Christen mit aller Dringlichkeit auffordern müssen, sich *nicht* zu beteiligen.

Die Erzählung von diesen Versuchen mußte in der Zeitform der Vergangenheit geschehen. Im 20. Jahrhundert sind diese Versuche am weitesten gediehen und haben sich in internationalen Abmachungen niedergeschlagen, – und im gleichen 20. Jahrhundert ist mehr denn jemals früher gegen diese Regeln gesündigt worden, ja, es besteht keinerlei Aussicht mehr, daß sie in einem kommenden Krieg noch beachtet werden. Die Entwicklung der Waffentechnik hat alle diese Versuche überrollt. Die ABC-Waffen machen jede Bändigung der Kriegsführung unmöglich, und der Vietnam-Krieg hat gezeigt, daß auch in einem mit konventionellen Waffen geführten Krieg keine Seite mehr daran denkt, sich den völkerrechtlichen Regeln zu unterwerfen.

Jene beiden Versuche – die Unterscheidung des gerechten Krieges vom ungerechten und die Regelung der Kriegsführung – entsprechen einem sittlichen Bedürfnis, das in uns allen lebendig ist. Wir merken es an unserer Reaktion auf politische Nachrichten von militärischen Aktionen, bei denen wir gar nicht anders können, als die beiden Fragen nach dem Recht und nach der Menschlichkeit zu stellen, – und an unserer Empörung und unserem Entsetzen, wo beides in deutlicher Wise verletzt wird. Aber wir müssen uns klar sein: heute ist die Hoffnung auf eine Zivilisierung des Krieges irreal geworden. Der Krieg ist nur noch der Feind der Völker, nicht mehr ein in Frage kommendes Mittel, ihr Leben zu erhalten. Er kann nicht mehr und durch nichts mehr gerechtfertigt werden. Wir können ihn nur noch verneinen und uns nur noch entscheiden, uns nicht an ihm zu beteiligen.

Zugleich aber starrt die Menschheit in Waffen. Zugleich werden jährlich Hunderte von Milliarden Mark für Rüstung verschwendet, statt für die Bekämpfung der schon beginnenden Welthungerkatastrophe verwendet zu werden, die mehr Menschenleben kosten wird als alle bisherigen Kriege der Geschichte zusammen. Zugleich stehen Millionen Menschen unter Waffen. Alle Vernunftgründe haben das bisher nicht verhindert. Was sollen wir Einzelnen, wir Ohnmächtigen, dagegen tun?

Es gibt kein Rezept, das uns aus dieser tiefen Verlegenheit mit einem Schlage heraushelfen könnte. Es gibt auch kein Rezept, das uns aus den Konfliktsituationen befreien könnte, in denen wir ständig stehen, da wir ja Angehörige dieser hochbewaffneten Staaten sind, von ihnen in Anspruch genommen werden und uns mit den Menschen des Landes, in dem wir leben, solidarisch fühlen. Es lassen sich nur ein paar Hinweise geben, die aber die Richtung deutlich machen können, in der wir uns heute bewegen sollten:

1. Der Abscheu vor jeder Gewalt, insbesondere vor der tötenden Gewalt muß in uns noch viel mehr lebendig und von uns noch viel mehr verbreitet werden. Er gehört zum Wesen des echten Christentums und zum Wesen

eines echten Humanismus. Das Leben ist etwas Herrliches; wir haben kein Recht, Menschenleben zu zerstören. Wir sollen die Freiheit und Selbstentfaltung eines jeden Menschen wünschen. So darf Gewalt uns nur eine ultima ratio, eine äußerste Möglichkeit sein, nur da gerechtfertigt, wo sie im Dienste des Schutzes des Lebens steht, und immer nur mit Selbstüberwindung anzuwenden.

2. Wir sollen darum, soweit es nur möglich ist, der Gewaltlosigkeit den Vorzug vor der Gewalt geben. Das gilt nicht nur fürs Privatleben, für die Erziehung usw., sondern auch für die Entwicklung freier Demokratie in unserer Gesellschaft und für die Bekämpfung des Aberglaubens der Gewalt im Staatsleben. Wir müssen gegen diesen Aberglauben die Phantasie der Gewaltlosigkeit entwickeln. Die Lehren von Mahatma Gandhi und Martin Luther King sind nicht etwa ein wirklichkeitsferner Idealismus, sie sind realistischer als der Militarismus, dem die Völker immer noch verfallen sind; sie müssen unser tägliches politisches Brot werden. Methoden der gewaltlosen Demonstration, des gewaltlosen Widerstandes und des gewaltlosen Druckes müssen ausgearbeitet und eingeübt werden, und die dazu nötige Bereitschaft zu Opfer und Martyrium ist dasjenige Heldentum, das unter uns verehrt werden soll und zu dem Jung und Alt sich rüsten soll, anstelle der antiquierten Verehrung kriegerischer Tugenden.

3. Wir können darum unter uns gar nicht genug Menschen haben, die sich am Kriegswesen nicht mehr beteiligen, die den Wehrdienst verweigern und sich durch keine noch so klugen Scheingründe zu ihm bereitfinden, die vielmehr die Jahre, die andere beim Militär verbringen, für Friedensdienste opfern wollen. Sie sind Menschen der Zukunft, abgewandt dem Militär – Unwesen der Vergangenheit, das leider noch zähe Gegenwart ist. Sie treten in sinnvolles Tun mit ihrem Friedensdienst, wogegen jeder, der mit Militär zu tun hat, weiß, wie tief ihn die Frage nach dem Sinn seines Tuns anficht. Beim III. Weltkongreß für Laienapostolat in Rom im Jahre 1967 sagte der holländische Delegierte Thom Kerstien unter großem Beifall:

»Können wir nicht langsam, aber sicher einen Zustand erreichen, wo der obligatorische Militärdienst durch einen zwangsweisen Sozialdienst für Männer wie für Frauen ersetzt wird? Wo Männer bereit sind, die Armut im eigenen Lande oder in Übersee zu bekämpfen, und wo Mädchen bereit sind, einen sozialen Dienst an alten Leuten, an Geisteskranken, und allen Arten von gestrandeten Menschen am Rand des Lebens zu leisten? Ist es eine törichte Utopie zu glauben, daß, würden wir nur den Anfang machen, eine Situation entstehen könnte, in der unsere Kinder auf die Frage: ›Wo hast du gedient?‹ nicht mehr antworten: In der 15. Division oder in der königlichen Marine, sondern antworten könnten: Ich diente in einem Krankenhaus im Kongo, in einer Schule in Cochabamba oder beim Straßenbau in Kambodscha.«

4. Wer den Frieden will, muß heute politisch werden, in ungleich größerem Maße als früher. Das gilt gerade für diejenigen, die mit Ernst Christen sein wollen. Rückzug ins private Leben ist Versündigung gegen das christliche Liebesgebot. Politisch werden bedeutet heute:

a) innerhalb des eigenen Staates für Durchsetzung der Demokratie auf allen Gebieten eintreten. Je willenloser, obrigkeitstreuer und unpolitischer ein Volk in der Hand der Mächtigen ist, desto leichter kann es in Kriege verstrickt werden. Entwicklung demokratischer Mitbestimmung auf allen Ebenen des gesellschaftlichen Lebens, Erziehung zur Zivilcourage, Sicherung der freien und unverfälschten Information über alle Weltereignisse, Freiheit der Massenmedien von staatlicher und kapitalistischer Macht, Freiheit der Rede, der Versammlungen und der Demonstrationen, das sind unerläßliche Mittel der Kriegsbekämpfung in unserer Zeit.

b) Politisch werden heißt heute kritisch werden. Je mehr Menschen sich frei machen von den Klischees, mit denen man andere Völker und andere politische Systeme anzusehen pflegt, je mehr Menschen kritisch fragen nach den Interessen, die hinter der Rüstung, hinter der Völkerverhetzung, hinter der Nicht-Beseitigung von Konfliktursachen stehen, und je mehr Menschen diesen mächtigen Interessen offen entgegentreten und ihre Entmachtung anstreben, desto schwerer wird es werden, Völker zu manipulieren und kriegswillig zu machen, und destomehr wird es gelingen, den Rüstungswahnsinn zu bekämpfen.

5. Die Millionen Menschen, die heute in Kasernen leben als die Werkzeuge der militärischen Macht, werden äußerlich zusammengehalten durch die militärische Disziplin und innerlich durch den Eid, den man sie hat schwören lassen. Zur Schuld der christlichen Kirchen gehört, daß sie sich solange dazu hergegeben haben, diesen inneren Kitt des Militärs durch ihre Eidesermahnungen noch zu befestigen und dem Eid eine religiöse Bindungskraft zu geben. Mit dem Eid geben Menschen die eigene Entscheidung ab; willenlos sind sie nun bereit, auf Befehl Bomben zu werfen, in Volksmassen zu schießen, Staatsstreiche zu ermöglichen. Der Soldateneid ist etwas qualitativ anderes als der Zeugeneid und der Beamteneid. Beim Zeugeneid verspreche ich etwas für die Gegenwart: jetzt die Wahrheit zu sagen; mit diesem Versprechen bleibt mein künftiges Handeln frei. Der Eid, den ein Beamter – oder etwa ein Regierender auf die Verfassung schwört, bindet ihn für die Zukunft, aber diese Bindung betrifft das, was jetzt schon dem Schwörenden bekannt ist und worüber er urteilen kann: den Wortlaut der Verfassung und der Gesetze und die Beschreibung

seiner Amtspflichten. Beim Soldateneid aber macht der Schwörende andere Menschen zu Herren seiner Zukunft und zwar gerade für Situationen und Handlungen, die jetzt noch nicht bekannt sind und die er jetzt noch nicht beurteilen kann. Auch wenn dem Befehlsempfänger, wie es in manchen Staaten der Fall ist, das Recht gegeben wird, einem erkennbar unrechtmäßigen und unsittlichen Befehl den Gehorsam zu verweigern, so ist das doch eine Grenze, die nur ganz extreme Einzelbefehle ausschließt. Die von der Regierung befohlenen militärischen Aktionen mitzumachen, innerhalb dieser Aktionen die Waffen in die Richtung einzusetzen, in der es befohlen wird, und solange, als es befohlen wird, und zwar ohne eigenes Urteil, ob das richtig ist oder nicht, – das ist es, wozu sich der Schwörende ins Unbekannte hinein verpflichtet, und gerade dieses Versprechen eines blinden, nicht ans eigene Urteil gebundenen Gehorsams macht den Soldateneid für die Regierenden interessant. Eben dies macht ihn auch tiefproblematisch. Diesem Eid getreu wird blind marschiert, getötet und gestorben. Die Einführung der allgemeinen Wehrpflicht hat in allen Staaten eine durch die Gesetze zum Schutze der Kriegsdienstverweigerer nur wenig gemilderte Terrorsituation geschaffen: der durchschnittliche junge Mann wird zum Eid gezwungen und durch den Eid in ein Instrument verwandelt. Diese Macht des Militärs über die Gewissen muß aufgelöst werden. Die Kirchen sollen nicht für den Soldateneid, sondern gegen ihn sprechen. Nicht die Entmündigung des Menschen durch den Eid, sondern das Mündigwerden zu eigenem Urteil und zu eigener Entscheidung ist das Ziel, das jeder bei sich selbst und bei anderen anstreben soll.

6. Es kann keiner das Gewissen des anderen regieren. Solange es Staaten gibt, wird es Bedrohung eines Staates durch den anderen geben. Solange es gesellschaftliche Machtpositionen, in Kapitalbesitz oder Kommandogewalt gegründet, ohne ausreichende Kontrolle gibt, wird es Unterdrückung geben. Alle Argumente, die gegen den Gebrauch militärischer Gewalt sprechen – religiöse, moralische und rationale –, werden immer wieder zu schwach sein, alle Menschen von der Beteiligung am Militärwesen abzuhalten; viele werden sich dennoch für verpflichtet halten, dem Ruf zu den Waffen zu folgen, um ihr Land, ihre Gesellschaftsordnung usw. vor vermeintlichen oder wirklichen Bedrohungen zu schützen. In dieser Situation haben Darstellungen der nackten, alle Zwecke durchstreichenden Grauenhaftigkeit jedes Krieges und erst recht des modernen Krieges, und scharfes Argumentieren gegen Rüstung und Krieg nicht den Sinn, die Soldaten schlecht zu machen, wohl aber, jedes gedankenlose Mitmachen zu bekämpfen. Es muß jeder durch das ganze Feuer der

Überlegungen hindurch; jede Entscheidung muß immer wieder geprüft werden, immer bereit zur Revision gegenüber neuen Einsichten und Situationen. Der blinde Befehlsempfänger, das ist einer der gefährlichsten Menschen in einer Zeit, in der die Gewaltmittel so fürchterlich gewachsen sind.

Es gibt Situationen, in denen der Griff zu den Waffen sich auch dem aufdrängt, der Gewalt tief verabscheut. Nicht in unserem hochindustrialisiertem Europa, wo die Sinnwidrigkeit des Krieges allmählich auch dem Gedankenlosesten klar wird. Wohl aber dort, wo das Elend der Massen, die Gewissenlosigkeit der Besitzenden und die Ausbeutung durch koloniale Abhängigkeit zum Himmel schreien. In den alten ethischen Anleitungen wurden derjenige, der dem Befehl der Obrigkeit als Soldat treu gehorcht, hoch bewertet, der Aufrührer aber streng verurteilt. Setzen wir das unbesehen fort, dann müssen wir dem, der als Glied einer regulären Armee eine Freiheitsbewegung niederschlagen hilft, eher zustimmen, als dem, der in einer Freiheitsbewegung mitkämpft. Erkennen wir aber, daß viele reguläre Armeen heute ungeheure Unterdrückungsmaschinerien sind, dann wird sich das umkehren. Auch der Entschluß zu revolutionärer Gewalt ist tief problematisch. Auch und gerade für denjenigen, der unterdrückten Menschen helfen will, kann Gewalt nur die ultima ratio, das äußerste Mittel sein, und wo er bedenkenlos der Gewalt hudligt, ist der Zweifel berechtigt, ob es ihm wirklich um bessere Gerechtigkeit geht oder doch nur um Befriedigung seiner Haß- und Machtgelüste. Aber wenn er nach ernster Prüfung meint, keinen anderen Weg mehr vor sich zu haben als den Weg der Gewalt, dann kann es sein, daß er mehr im Sinne jener alten Kriterien handelt als derjenige, der in der regulären Armee dient. Wir stehen heute vor der Frage, ob, wenn es überhaupt noch einen vertretbaren Gebrauch militärischer Gewalt gibt, dieser am ehesten bei Befreiungsbewegungen zu finden ist. Ob also ein bellum iustum (ein gerechter Krieg) heute am ehesten noch als eine revolutio iusta (eine gerechte Revolution) möglich ist. Hier wird niemandem die Entscheidung durch einen anderen abgenommen. Romantische Verherrlichung der Revolution ist nicht am Platze. Auch revolutionäre Gewalt ist grausam, abscheulich, schuldbeladen. Aber es kann Situationen geben, wo man dieser Frage nicht ausweichen kann. Auch in ihnen wird es wichtig sein, daß Menschen vorhanden sind, die sich für die Nicht-Beteiligung an der tötenden Gewalt entscheiden, die allein den Dienst helfender, die Wunden verbindender Liebe tun wollen. Sie erinnern alle daran, daß Unrechtleiden besser ist als Unrechttun, daß auch der Feind ein von Gott geliebter Mensch und unser Bruder ist, daß die Gewalt ein gefährlicher Weg ist, der schon oft ganz anderswohin geführt hat, als beabsichtigt war, daß sie darum begrenzt, kontrolliert, solange wie möglich vermieden und sobald wie möglich beendet werden muß. Krieg ist das Menschen-Unwürdige, Frieden ist des Menschen-Würdige. In einem Vortrag in Paris sagte im Mai 1968 Helder Camara, der Erzbischof von Recife in Brasilien:

»Erlauben Sie mir, daß ich es wage, schlicht und einfach zu sagen: ich achte diejenigen, die von ihrem Gewissen getrieben, sich gezwungen sehen, sich für die Anwendung von Gewalt zu entscheiden, – nicht die allzuleichte Gewalt der ›Salon-Guerilleros‹, sondern die Gewaltanwendung durch diejenigen, die ihre Ernsthaftigkeit durch das Opfer ihres Lebens bewiesen haben. Es scheint mir, daß das Gedächtnis des Camilo Torres und des Che Guevara ebensoviel Respekt verdienen, wie das des Pastors Martin Luther King. Wen ich anklage, das sind die eigentlichen Träger der Gewalt, alle, die auf der Rechten oder auf der Linken, die Gerechtigkeit verletzen und den Frieden verhindern; ich selber glaube, den Weg eines Pilgers für den Frieden gehen zu müssen: ich persönlich will tausend Mal lieber umgebracht werden, als selber töten.«

Zur Anthropologie des Friedens

Die menschliche Geschichte stellt sich uns als eine unfriedliche Geschichte dar. Kann sie eine Geschichte des Friedens werden? Ist sie dann noch Geschichte, noch menschliche Geschichte? Hängt Arbeit für den Frieden ab von dem Ja zu diesen Fragen? Kann sie nicht auch Sinn haben als andauernde Gegenarbeit gegen die menschliche Unfriedlichkeit, auch ohne Aussicht auf endgültige Erfüllung, auf schließliche Ablösung der Zeit des Unfriedens durch die Zeit des Friedens?

Jedenfalls: Wir kennen die bisherige Geschichte der Menschen und auch die künftige auf eine vorerst noch unabsehbare Zeit nur als eine unfriedliche Geschichte.

> Denn wovon lebt der Mensch? Indem er stündlich
> Den Menschen peinigt, auszieht, anfällt, abwürgt und frißt.
> Nur dadurch lebt der Mensch, daß er so gründlich
> Vergessen kann, daß er ein Mensch doch ist[1].

In den letzten Worten diese Brecht-Zitates ist freilich das Menschsein in Gegensatz gestellt zu diesem Charakter der Menschheitsgeschichte: Humanität als Norm des Friedens gegen die Humangeschichte, wie wir sie kennen. Aber ist diese positive Verwendung des Wortes »human« begründet in dem, was die menschliche Geschichte als menschlich ausweist? Spezifisch menschlich sind Foltern, Kriegsgreuel, Lügenpropaganda, Ideologie als falsches Bewußtsein, ebenso wie alles, was wir mit den Worten Humanität und Humanismus zu preisen pflegen. Daß er ein Mensch ist, vergißt der Mensch keineswegs, wenn er den anderen Menschen »peinigt, auszieht, anfällt, abwürgt und frißt«, sondern nützt dafür alle seine menschlichen Möglichkeiten – Technik, Sprache, Gedankenbildung – aus. Daß er sein Menschsein dabei vergesse, kann man nur sagen, wenn Menschsein im Sinne einer positiven Norm verwendet wird.

Wie kann das Humanum zu einer positiven Norm werden? Offenbar dadurch, daß aus dem »Wesen« des Menschen, d. h. aus dem Ensemble von Möglichkeiten derjenigen Lebewesen, die wir Menschen nennen – einem Ensemble, das mit der Geschichte der Menschen identisch ist – diejenige ausgefiltert wird, was wir als negativ empfinden; der positive

Rest ist dann der positive Normbegriff, »daß er ein Mensch doch ist«. Die Prozedur ist logisch unbestreitbar bedenklich. Würden wir z. B. die Feindschaft gegen fremde Stämme bei Ratten und Ameisen, das Fressen der eigenen Jungen bei Löwen, die von Konrad Lorenz erzählte Grausamkeit von Tauben und Rehen ähnlich als das diesen Lebewesen angeblich nicht Gemäße ausfiltern und den Rest als das wahrhaft Ameisenhafte, Löwenhafte, Taubenhafte usw. bezeichnen, so haben wir einen moralischen Wunsch, der noch dazu absurd ist, der Natur übergestülpt, die sich freilich um ihn nicht kümmert; was dort zum »Wesen«, d. h. zum unentbehrlichen und darum charakteristischen Lebensbestand eines Lebewesens gehört, richtet sich nicht nach unseren Wünschen; die Löwen, die Gras fressen wie die Ochsen (Jes 11, 7), sehen eben nur noch so aus wie Löwen, sind aber Ochsen im Löwenfell. Ist die menschliche Geschichte die Definition des menschlichen Wesens, dann haben Oswald Spenglers Satz »Der Mensch ist ein Raubtier«[2], Nietzsches Lobpreis des mitleidlosen Herrenmenschen und der faschistische Sozialdarwinismus genauso recht wie das Humanitätsideal. »Der Mensch darf niemals in den Irrsinn verfallen, zu glauben, daß er wirklich zum Herrn und Meister aufgerückt sei ... sondern er muß die fundamentale Notwendigkeit des Waltens der Natur verstehen und begreifen, wie sehr auch sein Dasein diesen Gesetzen des ewigen Kampfes und Ringens nach oben unterworfen ist.«[3]

Es gibt Hinweise dafür, daß dies nicht das letzte Wort zur Sache ist. Im Leben der Tiere hat die Aggression eine unentbehrliche, aber begrenzte Funktion; die Wildnis ist »friedlicher«, als das Schlagwort vom »Kampf ums Dasein« vermuten läßt[4]. Der Vergleich könnte eher Anlaß geben zu einer pessimistischen Anthropologie: das Mangelwesen Mensch, das den Nachteil seiner Ausrüstung für die Arterhaltung ausgleichen mußte durch Wucherung des Gehirns, ist eine Perversion der Natur, die dem Leben auf dem Planeten Erde schließlich zum Verhängnis werden muß[5] – eine Anthropologie, die wiederum dem Faschismus zur Nahrung dienen würde, wie denn Kurt Hiller (in »Köpfe und Tröpfe«) von Theodor Lessing schrieb, »daß dieser Professor und Literat die Kugel gießen half, die ihn niederstreckte«. Der Mensch ist eine Fülle von Möglichkeiten; diese dienen nicht nur zum Ausgleich seines Ausrüstungsmangels, sondern eröffnen eine Geschichte, in der sie selbst wachsen und neue Möglichkeiten erzeugen, durch die frühere Notwendigkeiten überwunden werden. Der vom Menschen dank seiner neuen, spezifisch menschlichen Möglichkeit zubehauene Stein steht in der Ambivalenz von Werkzeug und Waffe, auch Folterinstrument. Wozu er verwendet wird, erzwingt zunächst die Notwendigkeit: was bisher notwendig war, bleibt nicht in gleicher Weise notwendig; frühere Feinde bleiben zurück, neue Lebensmittel werden durch neue Werkzeuge erschlossen, neue Lebensmöglichkeiten lassen neue Prioritäten entstehen. Das ist die Geschichte der menschlichen Kultur mit der Perspektive einer Zunahme des Lebens im Reich der Freiheit durch Meisterung des Reiches der Notwendigkeit, wie Karl Marx sie gesehen hat. Das spezifisch Menschliche, der menschliche Geist mit seiner besonderen Möglichkeit des distanzierten Beobachtens, des umfassenden Erkennens, des Schließens, des Sich-Erinnerns und des Vorausdenkens, also des Transzendierens des sinnlich Gegebenen und gegenwärtig Vorhandenen, also die spezifisch menschliche Produktivkraft macht ständig bisher Notwendiges zu Nicht-mehr-Notwendigem und entzieht damit entsprechendem menschlichen Verhalten die rationale Legitimation, die es früher besaß, – ein Entzug, der sich im Wandel der Moralen ausdrückt.

Damit ist der Kerngedanke der neuzeitlichen Fortschrittsidee beschrieben, wie er auch dem Marxismus zugrunde liegt. Weil der menschliche Geist als das spezifisch Menschliche den Bannkreis des Natur-Notwendigen sprengt und damit eine Geschichte eröffnet, die ein Weg ist, weil das »Wesen« des Menschen infolgedessen nicht zeitlos, abgesehen von diesem Weg definiert werden kann, sondern nur in diesem nach vorne immer noch offenen, ja ständig weiter sich öffnenden Weg sich darstellt, darum *kann* nicht von einem gleichbleibenden Wesen des Menschen gesprochen und dieses dann inhaltlich nach dem Maße seiner bisherigen (und nur seiner bisherigen) Geschichte beschrieben werden (»der Mensch *ist* ein Raubtier«), und darum *darf* aus dieser Perspektive der Überwindung des bisher Notwendigen ein Normbegriff des Humanen entwickelt werden, bei dem Verhaltensweisen, die frühere Notwendigkeit erzwang oder wenigstens nahelegte und insofern legitimierte (oder wenigstens entschuldigte), als nicht bleibend notwendig ausgefiltert werden und als das wahrhaft Humane diejenigen Verhaltensweisen übrigbleiben, die die Menschen sich bisher nur in sehr eingeschränktem Maße leisten konnten, in denen sie sich aber gegenseitig positiv als Bereicherung und nicht mehr negativ als Bedrohung erleben: nicht mehr homo homini lupus (was schon für den Wolf nicht stimmt[6]), sondern: homo homini homo[7].

Dieser Normbegriff des Humanen ist also ein Zielbegriff, im Vorblick auf die weitere Geschichte des Menschen gewonnen aus der Perspektive, die schon seine bisherige Geschichte ermöglicht: ein eschatologischer Begriff[8], Hoffnung als Norm für Gegenwart.

Daß im Streit der Anthropologen und Psychologen die These von der zur Natur des Menschen gehörigen Aggressivität verhandelt wird, hebt diesen

Vorblick nicht auf. Freud muß nicht notwendig gegen Marx stehen, die abgründige Macht der Triebe nicht übermächtig gegen die Möglichkeiten der Vernunft, Ontogenese kann Phylogenese rekapitulieren, vorwegnehmen und weitertreiben. Ist eingewurzelte Aggressivität unser Teil, so kann das die Hoffnung auf menschlichere Zukunft vielleicht dämpfen, muß sie aber nicht vernichten. Sind freilich umgekehrt frühkindliche Frustrationen Ursache späterer Aggressivität[9], so ist damit die Hoffnung noch keineswegs sichergestellt, weil es sich dabei in jedem Fall nur um eine der möglichen Ursachen handelt und weil gänzliche Ausschaltung von Frustrationsmöglichkeiten nicht mehr in den Bereich der konkreten Utopie, sondern nur noch in den der freischweifenden Phantasie gehört.

Humanität als Maßstab für menschliches Handeln und Frieden als wahrhaft menschlicher Zustand einer Menschengesellschaft – dagegen kann also nicht, wie zunächst schien, die spezifisch menschliche Bosheit und Grausamkeit, die Unfriedlichkeit, daß die These vom eingeborenen Aggressionstrieb wahr sei, geltend gemacht werden. Es kommt darauf an, das Menschliche nicht nur aus den vorhandenen Verwirklichungen zu bestimmen, sondern immer zugleich aus den sich andeutenden Möglichkeiten. Das bisher Verwirklichte ist zwar ebenfalls spezifisch menschlich, aber noch nicht das spezifisch Menschenmögliche; es ist dasjenige Menschliche, worüber hinausgegangen werden muß (dies wohl meint Nietzsches Wort, der Mensch sei das, was überwunden werden muß). L'homme passe infiniment l'homme (»Der Mensch reicht unendlich über den Menschen hinaus«: Pascal). Denn: »Alle Dinge hat Gott fertig geschaffen, aber den Menschen schuf er auf Hoffnung hin« (so sagt ein rabbinischer Kommentar zu Gen 1). Weil der Mensch »das noch nicht festgestellte Tier ist«, ist »der große Experimentator mit sich selbst, der Unbefriedigte, Ungesättigte, der um die letzte Herrschaft mit Tier, Natur und Göttern ringt, – er, der immer noch Unbezwungene der Ewig-Zukünftige. Der von seiner eigenen Kraft keine Ruhe findet, so daß ihm seine Zukunft unerbittlich wie ein Sporn im Fleische jeder Gegenwart wühlt«[10], – darum ist das Menschliche, um dessen Verwirklichung es dabei geht, nicht in der Gesamtheit dessen, wozu Menschen im Kampf ums Dasein, im Getriebenwerden durch Begierden und Bedürfnisse fähig sind, aufzufinden, sondern nur durch kritische Frage nach dem, was über das Gewirr dieses Kampfes und Getriebenseins hinausweist und hinausführt. Erst dies ist das spezifisch Menschliche, die Zielrichtung der Menschwerdung des Menschen: »Der Mensch ist nicht ein Faktum, sondern ein Werden, nicht ein Akt, sondern ein Drama, nicht eine Natur, sondern etwas, was zu tun ist, nicht ein Partizip, sondern ein Gerundiv« (G. van der Leeuw). Humanität meint also nicht die Vorfindlichkeit, sondern die Bestimmung des Menschen, aber eben dies ist das Eigenartigste, was wir vom Menschen zu sagen vermögen: daß seine Bestimmung ist, Mensch zu werden. »Der Mensch hat kein edleres Wort für seine Bestimmung als er selbst« (Herder). »Mensch – das klingt groß«, sagt ein verwahrloster Alter in Maxim Gorkis »Nachtasyl«.

II

Diese Darstellung des neuzeitlichen Humanitätsgedankens, der heute planetarisch sich ausbreitet und von größter politischer Bedeutung ist, geschah ohne theologische Sätze. Sie ist nicht spezifisch christlich. Bedeutet das, daß christliche Theologie durch sie überflüssig wird und nichts zu ihr zu sagen hat? Christliche Theologie ist gesammeltes Hören und gegenwärtiges Auslegen der biblischen Botschaft. Was sagt biblische Botschaft zum Sozialismus, d. h. zu einer Bewegung, die für eine Veränderung der menschlichen Gesellschaft nach Maßgabe dieses Zielbegriffs von Humanität kämpft, also eine humanistische Bewegung ist?

Diese Frage ist oft in Gestalt einer doppelten Antithese beantwortet worden: 1. Der Sozialismus behaupte, der Mensch sei gut; christlicher Glaube aber sage, der Mensch sei von Natur schlecht. 2. Die Bestimmung des Menschen sei nicht das Humane sondern das Göttliche, nicht bloß das Menschliche sondern das Heilige, die Gemeinschaft mit Gott.

ad 1: Die Behauptung ist ungenau. Jedenfalls der marxistische Sozialismus lehrt keineswegs, der Mensch sei von Natur gut, da er diesen Naturbegriff als statisch ablehnt; wohl aber sagt er, daß die in der Klassensituation wahrlich nicht guten Menschen gut, das heißt gemeinschaftsfähig und zueinander friedlich werden könnten in einer Gesellschaft, die sie nicht zueinander in Konkurrenz treibt. Außerdem wird diese Hoffnung von den meisten marxistischen Denkern als Zielutopie bezeichnet, die nur approximativ erreicht werden kann. Dies läuft also auf ein Verhältnis des Besseren zum Schlechteren hinaus, das auch christlich nicht verneint werden kann, da auch christliche Bemühung auf bessere Verhältnisse zielt, und da bessernder oder verschlechternder Einfluß der Verhältnisse auf die Mitglieder einer Gesellschaft nicht bestritten werden kann.

Was aber diese Utopie selbst anlangt, so drückt sie aus, daß das »Schlechtsein« der Menschen diesen nicht wesenhaft und also nicht unüberwindlich ist. Eben dies ist aber auch ein wesentlicher Satz biblischer Anthropologie: Eben die Lehre vom Sündenfall und von der Erbsünde, auf die man sich (sowohl bei Christen wie bei Christentumskritikern) für den angeblichen Pessimismus christlicher Anthropologie beruft, soll ja – auch in ihrer reformatorischen Verschärfung – aussagen, daß die Sünde *nicht* zur geschöpflichen Natur des Menschen gehört. Der Mensch kommt gut aus Gottes Hand. Die Sünde gehört nicht zu seiner Natur. Dies mußten auch die lutherischen Väter – eine von Flacius dogmatisierte Redeweise Luthers, die die Tiefe der Verderbenswirkung der Sünde ausdrücken sollte, korrigierend – feststellen mit ihrer Unterscheidung »zwischen der Natur, die auch nach dem Fall noch eine Kreatur Gottes ist und bleibt, und der Erbsünde, und daß dieser Unterschied so groß als der Unterschied zwischen Gottes und des Teufels Werk sei«[11]. Für diese geschöpfliche Natur aber gilt (und hier begegnet sich christliche Anthropologie zum Beispiel mit Arno Plack!), daß es »dem Menschen wesentlich, natürlich ist, wie mit Gott, so . . . auch mit seinem Mitmenschen zusammen zu sein: nicht einsam, nicht im Gegensatz, nicht in Neutralität diesem Anderen gegenüber, aber auch nicht erst nachträglich ihm verbunden, sondern zum vornherein und von Grund aus mitmenschlich, d. h. ausgerichtet auf die Begegnung von Ich und Du, ohne das Du auch nicht Ich, ohne den Mitmenschen so wenig Mensch, wie er ohne Gott Mensch sein kann. Er ist Mensch, indem er den anderen Menschen sieht und ihm sichtbar ist, indem er ihn hört und mit ihm redet, indem er ihm beisteht und seinen Beistand empfängt. Er ist Mensch, indem er dazu frei ist, indem er nicht nur notgedrungen, sondern gerne des Anderen Kamerad, Gefährte, Genosse ist«[12].

Christliche Theologie hat also grundsätzlich nicht schlecht, sondern gut vom Menschen zu reden, gut von dessen Ursprung, Natur und Aussicht, und vom Schlechtsein des Menschen nur als von etwas »Zwischeneingekommenem«, Widernatürlichem, Nicht-Notwendigem, Vorübergehendem und Überwindbarem; sie hat im hoffnungsvollen Denken über den Menschen sich von nichtchristlicher Anthropologie nicht übertreffen zu lassen. Die Differenz zu einem Sozialismus, der mit Atheismus verbunden ist, ist nicht die zwischen einer pessimistischen und einer optimistischen Sicht der »Natur« des Menschen, sondern liegt in der Frage, wie tief die von keiner der beiden Seiten geleugnete Verderbnis des gegenwärtigen Menschen reicht, worin sie ihren Grund hat, wie sie zu überwinden ist, ob sie von den Menschen allein durch deren eigene Anstrengung, Organisation und Kampf überwunden werden kann, – und in der Sicht der Erfüllung des Menschseins: ob sie allein in der Gewinnung eines erfüllenden Soziallebens oder zugleich in der Gewinnung der Gottesgemeinschaft besteht. Die atheistische, das heißt säkulare Anthropologie des Marxismus steht nicht antithetisch zur christlichen, sondern wird von dieser erfaßt, umfaßt, eines Besseren – und nicht eines Schlechteren! – belehrt, auch dann, wenn christliche Sicht des Menschen streckenweise als skeptischer erscheint, weil sie das »Schlechtsein« der Menschen nicht nur in den Verhältnissen begründet und darum für nicht allein durch Änderung der Verhältnisse überwindbar ansieht; auch dann, wenn christliche Sicht des Menschen darauf besteht, daß ein Mensch Erfüllung seines Menschseins nur in Gemeinschaft mit Gott und den Mitmenschen, nicht aber mit den Mitmenschen allein finden kann.

ad 2: Von der Gemeinschaft mit Gott und von der Gemeinschaft mit den Mitmenschen haben wir sicherlich falsch gedacht, wenn uns beides in einen Gegensatz gerät und das eine ohne das andere vorgestellt wird. Soll christliches Zeugnis dem Nichtchristen verdeutlichen, was mit »Gemeinschaft mit Gott« gemeint ist und inwiefern sie mitmenschliche Gemeinschaft umfaßt, trägt und zur Erfüllung bringt, so können Christen doch sehr wohl auch von nichtchristlichen Sozialisten lernen, was konkret zu den Bedingungen mitmenschlicher Gemeinschaft gehört. In der Gemeinschaft mit Gott aber geht es nicht um etwas, was über den Menschen hinaus liegt, sondern um eben diesen Menschen als Menschen, um seine wahre Humanisierung. Die heute manchmal von christlicher Seite geäußerte Sorge, es könne, wenn christliche Verkündigung auf gesellschaftliche Humanisierung drängt und also eine sozialistische Spitze bekommt, das Evangelium zu einem »bloßen Humanismus« verkürzt werden, ist abwegig. Es geht dem Evangelium um nichts anderes als um Humanismus, d. h. darum, daß wir rechte Menschen werden, wenngleich freilich die Antwort auf die Frage, wie rechtes Menschsein geschieht, und wie wir dazu kommen, bei Christen und Nichtchristen in der oben erwähnten Weise verschieden ist.

25 Thesen zur Anthropologie des Friedens

Die Bedrohung des Friedens

1. Frieden wird im folgenden sowohl (A) im vollen Sinne des hebräischen Schalom (Heil, Glück, Wohlsein, das ganze Menschenleben, Materielles wie Geistiges umfassend) verstanden als auch (B) im beschränkteren Sinne der Waffenruhe zwischen Einzelnen wie zwischen Kollektiven. Beide Bedeutungen hängen zusammen, sind aber zu unterscheiden.

2. Wir kennen den Menschen nur als kämpfendes Lebewesen. Ziel seines Kämpfens ist sein Schalom, wie er ihn jeweils versteht. Er muß darum kämpfen, a. solange ihm sein Schalom bedroht (von Konkurrenten) oder vorenthalten (von Mächtigeren und Glücklicheren) ist, und b. soweit er selbst seines Glückes Schmied ist, sein Schalom also von seinem Kämpfen abhängt. Darum scheinbares Paradox: Um seines Friedens (A) willen kann der Mensch sich den Frieden (B) nicht leisten.

3. Die Regelungen des Soziallebens dienen der Erhaltung des Friedens in beiden Bedeutungen: Im Interesse des Friedens (B) aller werden Regeln für die Austragung der verschiedenartigen sozialen Konflikte festgesetzt, die Verwaltung der Gewaltmittel monopolisiert und kompetente Instanzen für die Rechtsentscheidungen geschaffen; im Interesse derjenigen, die ein größeres Maß von Wohlsein (Frieden A) besitzen, wird die Bedrohung seitens der Unterprivilegierten niedergehalten vermittels der Regelungen des Friedens (B), d. h. die Maßnahmen zur Erhaltung des Rechtsfriedens dienen in der Klassengesellschaft (Mangelgesellschaft) gleichzeitig dem Frieden (B) aller *und* dem Frieden (A) nur eines Teils der Gesellschaft.

4. In der bisherigen Menschheitsgeschichte entsteht Friedensbedrohung durch verschiedene Faktoren: durch den Mangel (Konkurrenzkampf um das nicht für den Schalom aller gleichmäßig ausreichende Sozialprodukt), durch die Lust zu herrschen, durch Distanzaffekte zwischen ethnischen Gruppen. Die Verhinderung besserer Regelungen für Anteil am Sozialprodukt, Mitbestimmung aller Gesellschaftsglieder und humanes Zusammenleben verschiedener ethnischer Gruppen, wie sie auch in der Periode der Mangelgesellschaft möglich wären, wird begünstigt durch tiefsitzende psychische Einstellungen, deren Ursache noch umstritten ist, die sich aber individuell und kollektiv als Beeinträchtigung des Vermögens zu rationaler Klärung und Regelung der Lebensansprüche aller auswirken.

5. Die Forderung einer solchen rationalen Regelung, durch die allen Gesellschaftsmitgliedern ein größtmögliches Maß von Schalom zuteil wird und infolgedessen der Konkurrenzkampf überflüssig wird, enthält eine Wertentscheidung über das wahrhaft Humane, die durch eine erfahrungswissenschaftliche Anthropologie nicht mehr hinreichend zu begründen ist. Eine solche Anthropologie kann hinsichtlich jener Forderung nur eine »negative Anthropologie« (Ulrich Sonnemann) sein, d. h. sie kann nur sagen, was für die Lebenserhaltung unter bestimmten Produktionsbedingungen nicht mehr notwendig ist, sie kann aber nicht sagen, was sein soll. Ein positiver Begriff von Humanität ist eine Entscheidung nicht des

Verstandes, sondern der Vernunft, sie ist rational nicht im Sinne der Erfahrungswissenschaft, sondern der Vernunftentscheidung, wie sehr dann auch ihre Verwirklichung rational im Sinne des Verstandes und seiner Mittel erfolgen muß.

6. Der Utopie einer friedlichen Gesellschaft, d. h. einer Gesellschaft, die ihren Mitgliedern Schalom (A) gewährt und darum Frieden (B) ohne Benachteiligung ermöglicht, liegt der positive Begriff von Humanität zugrunde. Die Utopie ist nötig als Zielvorstellung, durch die die Nahziele gesetzt werden. Das Fernziel fordert die Verwirklichung der Nahziele; die Verwirklichung der Nahziele darf das Fernziel nicht aus den Augen lassen, sonst stabilisiert sie den Zustand, der doch überwunden werden soll (Streit innerhalb des Sozialismus zwischen Verweigerung im Namen der Revolution und Reformarbeit im Namen der Revolution einerseits und zwischen Sozialismus und Sozialdemokratismus andererseits).

7. Grundfragen:

a) Wie kommt menschliche Vernunft zu dem positiven Begriff von Humanität, wenn er ihr nicht durch die Erfahrungswissenschaften dargereicht wird?

b) Wie bekommt menschliche Vernunft die Kraft, ihre Entscheidung für Humanität gegen die entgegenstehenden Interessen und Triebe durchzusetzen?

c) Wie kann sichergestellt werden, daß im Kampf um die Verwirklichung des Fernziels die Vision der Humanität dominierend bleibt, so daß dieser Kampf von den bisherigen Kämpfen der Konkurrenz um den eigenen Besitz an größtmöglichem Schalom sich grundlegend und nicht nur angeblich unterscheidet?

Frohbotschaft des Schalom

8. Inmitten dieser Kampfgeschichte der Menschheit wird die biblische Botschaft als eine »Frohbotschaft« laut. Ist sie eine Frohbotschaft, dann muß sie 1. mit den Problemen des menschlichen Daseinskampfes zu tun haben und 2. einen Zugang zu dem Schalom, den die Menschen in ihren Kämpfen anstreben, gewähren.

9. a) Als Frohbotschaft sagt das Wort Gottes Ja zu dem Verlangen nach menschlichem Glück.

b) Als Frohbotschaft sagt das Wort Gottes diesem Verlangen Erfüllung zu.

c) Als Frohbotschaft sagt das Wort Gottes den Beistand des ewigen Gottes zu.

d) Frohbotschaft will das Wort Gottes für das diesseitige Leben sein.

e) Frohbotschaft ist das Wort Gottes nicht nur durch seine Bejahung, sondern auch durch seine Korrektur des menschlichen Glücksverlangens.

10. Diese Sätze über den immerwährenden Charakter des Evangeliums sind im Blick auf die heutige Situation zu entfalten. Diese Situation ist gekennzeichnet

a) durch extensive Zunahme des menschlichen Mangels und des daraus folgenden Kampfes (Welthungerkatastrophe, Rassenkämpfe);

b) durch extensive Zunahme des menschlichen Reichtums: was früher Utopie war, ist heute realisierbar; was früher unvermeidlich war, ist heute nicht mehr notwendig;

c) durch die Anmeldung des diesseitigen Lebensrechtes für jedes Individuum als kritisches Prinzip für die überkommenen gesellschaftlichen, kulturellen und religiösen Traditionen.

11. Diese Aufrichtung des diesseitigen individuellen Lebensrechtes mit ihrer revolutionären Wirkung für den status quo in allen Kontinenten ist (mindestens auch) eine Folge christlicher Predigt; denn diese erklärt jeden einzelnen Menschen zu Gottes geliebter Kreatur, macht das hiesige Leben zum Ort des Empfangs der Liebe Gottes und des Vollzugs der Nachfolge Christi, und trägt dem Glaubenden die Sorge für das leibliche und seelische Wohl jedes Nebenmenschen auf. Jeder religiösen Sanktionierung von Unterdrückungsverhältnissen (z. B. Seelenwanderungslehre in Indien) und jeder religiösen Vergleichgültigung des hiesigen Lebens und des Individuums (z. B. im Buddhismus) wird damit der Boden entzogen.

12. Der Aufbruch Gottes zu den Menschen und die Hingabe Gottes für die Menschen als Zentralinhalt der Frohbotschaft gibt jedem einzelnen Menschen in diesem seinen konkreten Dasein einen unendlichen Wert und faßt die ganze Menschheit zu einer untrennbaren Einheit zusammen.

a) Der Mensch – als Einzelner wie als Menschheit – ist »für Gott das gesuchteste Lebewesen«[13].

b) Gottes Zusage des Schalom gilt *jedem* Menschen: nullus erat, fuit vel erit homo pro quo passus non fuerit (kein Mensch war, ist oder wird sein, für den Christus nicht gelitten hat), sagt das Concilium Carisiacum, 953[14].

c) Gottes Zusage des Schalom gilt der Menschheit als Ganzer; sie relativiert damit alle rassischen, nationalen, kulturellen, religiösen und sozialen Trennungen innerhalb der Menschheit und verwehrt jede Exkommunikation aus der Menschheit aufgrund solcher Trennungen.

13. Der positive Begriff der Humanität in seiner Universalität (alles, was Menschenantlitz trägt, umfassend) und in seiner Individualität (jeder Mensch, kantisch gesprochen, ein »Selbstzweck«, mit kritischer Spitze gegen alle Verwendung von Menschen als Mittel zum Zweck) bekommt durch die Frohbotschaft eine unerschütterliche Begründung, durch die jede andere Begründung (nicht abgelehnt, sondern) aufgenommen und noch besser befestigt wird.

14. Diese Zusage an den konkreten irdischen Menschen schließt nicht aus

a) die Differenz zwischen dem Menschen (individuell und kollektiv) und seiner Bestimmung festzustellen, also den Abstand zwischen der gegenwärtigen Verkrüppelung und Unvollkommenheit und dem Sollbegriff von Humanität als einem Zielbegriff;

b) die Arbeit für Hebung der biologischen, kulturellen und sozialen Startbedingungen und also die Zumutung von Opfern an eine gegenwärtige Generation für eine künftige.

Sie schließt aber wohl aus

a) die Betrachtung des gegenwärtigen Menschen als eine bloße Vorläufigkeit mit dem Plane der Züchtung eines vollkommenen Menschen oder Übermenschen, z. B. mit Hilfe von künftigen Möglichkeiten der genetischen Wissenschaft; die Norm für deren Anwendung muß die Anerkennung des gegenwärtigen Menschen als wirklichen Menschen, trotz seiner Unvollkommenheit, sein;

b) die Opferung einer gegenwärtigen Generation für eine künftige, die vermeintlich in vollkommener Weise Mensch sein werde. Durch Gottes Zusage wird der gegenwärtige Mensch *in* seiner Unvollkommenheit *als* vollkommener Mensch anerkannt. Jeder Dienst am künftigen Menschen ist nur als Dienst am gegenwärtigen Menschen legitim. »Die wahre Großzügigkeit der Zukunft gegenüber besteht darin, alles in der Gegenwart zu geben.«[15]

15. Trifft es zu, daß die christliche Verkündigung aufs Diesseits zielt? Nach verbreitetem Verständnis zielt sie aufs Jenseits; so zum Beispiel Albert Camus: »Das geschichtliche Christentum verschiebt die Heilung vom Bösen und vom Mord, die doch in der Geschichte erlitten werden, auf ein Jenseits der Geschichte.«[16] Allerdings verheißt das Evangelium eine Heilung und Sinngebung und Erfüllung, die über alle innergeschichtlichen Möglichkeiten hinausreicht. Aber dies bedeutet nicht eine Bagatellisierung des Diesseits, wie oft behauptet wird. Auch wo das Evangelium als nova lex mißverstanden wird, fällt der Akzent auf das diesseitige Leben

als der Zeit, in der über das ewige Heil entschieden wird. Erst recht, wo das Evangelium wirklich evangelisch verstanden wird, ist es »die Befreiung von der Beunruhigung um das ewige Wohl des eigenen Ichs« zur Nachfolge Christi: »Im Glauben steht der Mensch in einer Gemeinschaft mit Gott, bei der er alles von ihm empfängt, um, was er erhalten hat, an andere weiterzugeben, – um sozusagen durch ihn Gottes Liebe weiter in die Welt ausgehen zu lassen.«[17] Indem ihm durch das Gnadenwort die Sorge um das eigene Leben und seine jenseitige Erfüllung abgenommen ist, ist der Glaubende befreit für das Diesseits und für die hiesige Menschenwelt.

16. Das gleiche ergibt sich aus dem Anredecharakter des Evangeliums. Wozu die Mitteilung, daß Gott selbst unser von uns verspieltes ewiges Heil in seine Hand genommen und uns erwirkt hat durch seine eigene Hingabe? Damit wir darauf vertrauen und nicht mehr meinen, uns das Heil verdienen zu sollen, – so lautet die reformatorische Antwort. Sie ist richtig; aber dabei darf »Glauben« nicht als eine von uns im Diesseits zu leistende Bedingung fürs jenseitige Heil verstanden werden, – das wäre wieder gesetzlich, – sondern: jene Mitteilung geschieht, damit, indem wir ihr vertrauen, unser hiesiges Leben geheilt wird vom Kapitalismus zum Sozialismus, nämlich: von der Sorge ums (diesseitige oder jenseitige) Kapital, um den eigenen Schalom, zur Sorge um den Schalom der anderen. Das Evangelium wird hier auf Erden laut, weil das Diesseits gerettet werden soll, damit hier auf Erden unser Leben geändert, geheilt, ein wahres menschliches Leben werde. Dazu kommt Gott ins Fleisch, dazu geschieht Euangelion hier auf Erden.

17. Ebenso steht es mit unseren Nebenmenschen: Ihr hiesiges Leben soll menschlich werden. Dazu ihnen zu helfen, werden wir von der Sorge um uns selbst befreit. Sie bedürfen der gleichen Befreiung. Darum geben wir das Evangelium an sie weiter. Sie bedürfen Gottes, sie bedürfen der Liebe, sie bedürfen der Nahrung, sie bedürfen der politischen Freiheit, sie bedürfen sinnvoller Arbeit, sie bedürfen sozialer Verantwortlichkeiten, sie bedürfen des Trostes im Sterben und der Freude im Leben.

18. Glaube ist nicht Bedingung jenseitigen Heils, sondern durch Empfang der Zuteilung ewigen Heiles Geheiltwerden für diesseitiges menschliches Leben. Menschliches Leben ist soziales Leben. Hilfe zum Leben ist Hilfe zum sozialen Leben anstelle des egoistisch-kapitalistischen Kampfes um den eigenen Schalom. Darum kann Hilfe zum Leben nicht punktuell geschehen, weder nur als Hilfe für das innere Leben noch nur in

Darreichung äußerer Lebensmittel, sondern darüber hinaus durch Änderung aller Verhältnisse, die den Menschen asozial machen, in die egoistische Verkümmerung des Konkurrenszkampfes treiben. Nächstenliebe impliziert Politik auf Sozialismus hin.

19. Der positive Begriff der Humanität ist – trotz häufiger Durchkreuzung durch böse kirchliche Praxis, trotz Übermächtigung und Mißbrauchung des Evangeliums durch die christianisierten Völker – die neue Wertung des Menschen, die die menschliche Vernunft durch das Evangelium vernommen hat. Ein Humanismus, dem es um das Lebensrecht aller und jedes konkreten Menschen geht, ist »sogar noch in seinen antireligiösesten und antichristlichen Formen christlich in seiner Substanz«[18]. Die Christen haben sich der Ausstrahlung des christlichen Glaubens zu freuen, durch die weit über den Kreis der Glaubenden hinaus Humanität zum politischen Kriterium wird. »Ubi ergo cognoscitur Deus, etiam colitur humanitas«, sagt Calvin[19]. Darum auch: Wo das Menschsein zum Wert wird, geschieht Erkenntnis des Willens Gottes.

Die Friedensgemeinde

20. Jesus kündigt die Nähe der Gottesherrschaft nicht als Nähe des Gerichtes, sondern als Nähe des Schalom an und ruft daraufhin zur Metanoia. Die Urgemeinde sieht in Jesu Kommen, Sterben und Auferstehung die Aufrichtung des göttlichen Schalom auf Erden und sieht sich selbst durch das Pneuma in die Herrschaft des Schalom hineingezogen. Das neue Leben unterscheidet sich vom alten durch Verabschiedung der Konkurrenzkampf-Mentalität, durch bruderschaftliches Zusammenleben, durch Agape-Haltung gegenüber den Nebenmenschen, durch Bereitschaft zum Unrechtleiden.

21. Der eigentliche Unterschied zwischen der Jesusgemeinde und dem bisherigen Israel (zwischen Altem und Neuem Bund) besteht nach dem Neuen Testament in der strengeren Disziplin – oder, besser gesagt, in dem größeren pneumatischen Können der Jesusgemeinde gegenüber Israel. Was für die Gottesgemeinde Israel noch eine Möglichkeit war (Gewaltgebrauch, Herrschaftsinstitutionen, Krieg), ist unter der Ankunft des Gottes-Schalom für die Ekklesia keine Möglichkeit mehr. Zur Sendung der neuen Gemeinde gehört nach dem NT wesentlich die Gewaltlosigkeit.

22. Daß die Kirche bald danach die Gewaltlosigkeit als wesentliches Merkmal christlicher Existenz preisgegeben hat, war eine der verhängnisvollsten Entwicklungen der Kirchengeschichte. Sie war

a) (zusammen mit der der Einführung der Kindertaufe) die Voraussetzung für die Christianisierung ganzer Völker;

b) die Ermöglichung christlicher Teilnahme an der Verwaltung der Gewaltmittel;

c) die Beseitigung einer entscheidenden Grenze zwischen dem christlichen Kollektiv (Gemeinde) und den Kollektiven der Umwelt. Die Umwelt war nun der Präsenz einer gewaltlos-bruderschaftlich, also ganz anders zusammenlebenden Gemeinde beraubt.

23. Die Funktion gewaltloser gemeindlicher Existenz (Modell: die historischen Friedenskirchen):

a) Bewußthalten der Unvereinbarkeit des neuen Soziallebens vom Schalom Christi her mit dem alten, auf Gewalt gegründeten Sozialleben; scharfe Manifestierung des Gegensatzes von »alt« und »neu«;

b) Erinnerung an die Inhumanität der Gewalt gegen Menschen, Stachel der Unruhe bei jeder Gewaltanwendung;

c) Anregung der Phantasie, damit Gewaltanwendung hinausgeschoben oder durch andere Methoden ersetzt wird;

d) Eintreten in den Riß zwischen den feindlichen Fronten, Gegenwirkung gegen Haß und Freund-Feind-Denken, Mitdenken mit und für den Gegner, Relativierung der Vorwürfe und Gegensätze, Samariterdienst an allen Verwundeten;

e) Antizipation des Friedens.

24. Gewaltlosigkeit und Teilnahme an der politischen Macht schließen sich aus. Beides sind Möglichkeiten christlichen Dienstes in der Welt, jede für sich begrenzt, ungenügend, gefährdet, der anderen Weise neben ihr zur Korrektur bedürftig. In den Großkirchen muß das Zeugnis der Gewaltlosigkeit heute neu entdeckt und ausgebreitet werden als das opus proprium christlicher Existenz, durch das die Teilnahme an der Verwaltung der Macht als ein opus alienum vor dessen Gefahren einigermaßen geschützt wird.

25. Weil das Zeugnis vom Schalom Gottes inmitten der weiterdauernden alten Welt des Kampfes geschieht, verwickelt sowohl die vielfältige gesellschaftliche Abhängigkeit wie auch die Nächstenliebe die Jüngergemeinden in die Kämpfe dieser Welt. Darin liegt der Grund der Zwei-Reiche-Lehre in ihren verschiedenen Formen. Ihr Problem ist die Erfahrung des Gegensatzes der Gebote der Feindesliebe und der Nächstenliebe:
Feindesliebe ist das revolutionäre Tun des neuen Lebens, ein proprium

der Verkündigung Jesu, Überwindung des Bösen durch das Gute. Nächstenliebe wird tätig u. a. auch im Schutz der Nebenmenschen vor Gewalt durch Gewalt.

Nächstenliebe kann heute zur Teilnahme des Christen an gewaltsamer Revolution führen, zur konkreten Unmöglichkeit, Feindesliebe uneingeschränkt zu praktizieren. Das Gebot der Feindesliebe ist auch in diesen Fällen der Stachel der Unruhe, das Verbot der Exkommunikation des Gegners aus der Menschheit (»Unmensch«!), die Erinnerung an die Schuld auf jeder Seite daran, daß auch der Gegner Produkt einer kranken Welt ist, und die Aufforderung, soweit irgend möglich, auch in der Behandlung des Gegners hoffnungsvoll den zugesagten Schalom zu praktizieren und zu antizipieren.

Unsere Aporien

1. Millionen derer, die heute unter Waffen stehen, grauenhafte Vernichtungsmittel erfinden und produzieren, zum Töten kommandieren und sich kommandieren lassen, sind getaufte Christen und Hörer, ja auch Bekenner des Evangeliums.

2. Unsere lähmende Ohnmacht im Zeitalter von Scheindemokratie, Supermächten, Massenmanipulation.

3. Der eiserne Griff der Konterrevolution von West und Ost über den ganzen heutigen Erdball.

4. Unser Hineingezogenwerden in den politischen Kampf mit allen Implikationen von Haß und Gewalt, sobald wir unter dem Gebot der Nächstenliebe die Solidarität mit den Unterdrückten nicht nur punktuell und karitativ, sondern politisch mit dem Ziel der Veränderung betätigen.

5. Unsere Zugehörigkeit zum reichen und ausbeuterischen Teil der Menschheit und unser tägliches Profitieren davon.

6. Die Winzigkeit christlicher Gruppen und die Ohnmacht christlicher Rede.

7. Das Diskreditiertsein des Evangeliums durch die Kirchengeschichte und durch seinen Mißbrauch zur Verschleierung der sozialen Wirklichkeit.

8. Unsere Ratlosigkeit, sobald wir uns aufmachen, etwas zu tun.

9. Der Gegensatz der Verheißung des Evangeliums und des Augenscheins der Weltwirklichkeit.

Die Situation Jesu und seiner ersten Gemeinde war ebenso verzweifelt wie die unsrige. Die unsrige wird ebenso wie die ihrige werden, wenn wir die Nachfolge ernstnehmen. Dann werden wir politisch werden – wie David gegen Goliath. Der politische Kampf hat nicht das Reich Gottes zum Ziel; er kommt ja vom Schalom Gottes her. Daß Nachfolge des Friedensfürsten in den politischen Kampf führt, ist unsere schwerste Aporie. Genau ihr dürfen wir nicht ausweichen. Denn *im* politischen Kampf, und nicht neben ihm, muß das Zeugnis des Schalom präsent sein, damit der Kampf vermenschlicht wird im doppelten Sinne des Wortes: humanisiert und entmythologisiert: »Das Göttliche darf nicht politisiert und das Menschliche nicht theologisiert werden, auch nicht zugunsten der Demokratie und Sozialdemokratie.«[20] »Streik und Generalstreik und Straßenkampf, wenns sein muß, aber *keine* religiöse Rechtfertigung und Verherrlichung dazu!« (390). »Nie und nimmer werden die Entscheidungskämpfe zwischen alter und neuer Welt in der politischen Arena ausgefochten, höchstens daß es *bei Anlaß* politischer Kämpfe auch zu Entscheidungskämpfen zwischen Geist und Fleisch kommen kann« (379). »Das Maß und die Art eurer Anteilnahme an der Gestaltung des politischen Lebens ... kann nach Maßgabe der Umstände sehr weitgehend sein, und ihr werdet euch schwerlich anderswohin stellen können als auf die äußerste Linke ... Daß ihr als Christen mit Monarchie, Kapitalismus, Militarismus, Patriotismus und Freisinn nichts zu tun habt, ist so selbstverständlich, daß ich (sc. Paulus) es gar nicht zu sagen brauche« (381). Aber: »Wundere dich nicht über die Lücke, die du nicht ausfüllen kannst! Schilt nicht über die Torheit, die du nicht erleuchten kannst! Strafe nicht die Bosheit, die dir zu stark ist! Verdamme nicht die Sünde, die du nicht vergeben kannst! Jammere nicht über die Gottlosigkeit, der du Gott nicht zeigen kannst! Nimm um so mehr auf deine Schultern die *gemeinsame* Not der Menschheit und warte um so ernstlicher auf das Hervorbrechen der Erlösung« (375). Denn: »Aller Gegensatz gegen Menschen und Richtungen, alles christliche Parteiwesen, alles Tun, zu dem euch selbst keine andern Analogien einfallen als kriegerische, gehört grundsätzlich zum alten diesseitigen Wesen, die Liebe ist das Neue, das Jenseitige. Sorgt ihr nur dafür, daß dieses entscheidende neue Wort laut und deutlich unter euch gesprochen werden kann. Die Liebe wird für euch reden, wo ihr es jetzt für fast unumgänglich haltet, selber zu reden. Die Liebe wird den Frieden stiften, der euch jetzt fast unmöglich scheint, die Liebe die Menschen überzeugen, die ihr jetzt nur als Gegner betrachten könnt, die Liebe den Staat überwinden, an dessen Ungöttlichkeit ihr jetzt hart anstoßt« (391).

Anmerkungen:

1. B. Brecht, Die Dreigroschenoper, Schluß des 2. Aktes.

2. Der Mensch und die Technik, 1931, 1.

3. A. Hitler, Mein Kampf, 1925[1], 1. Band, 267.

4. Vgl. K. Lorenz, Das sogenannte Böse, 1963, und besonders W. J. Long, Friedliche Wildnis, 1959.

5. So zum Beispiel Th. Lessing, Europa und Asien. Der Untergang der Erde am Geiste, 1923[2].

6. Vgl. William J. Long, aaO. Kap. IV, »Vom Leben des Timberwolfes«.

7. Francisco de Vitorio in seinen Vorlesungen De Indis et de iure belli, 1538–1539.

8. Ernst Blochs Arbeiten, bes. »Naturrecht und menschliche Würde«, Gesamtausgabe Bd. 6, 1967[2].

9. A. Plack, Die Gesellschaft und das Böse, 1968.

10. Fr. Nietzsche, Sämtliche Werke, hg. von K. Schlechta, Bd. 2, 623, 867.

11. Concordienformel 1578, Epitome, I, 2; Bekenntnisschriften der Evangelisch-Lutherischen Kirche 1930, 770.

12. K. Barth, KD IV/2, 845; vgl. III/2, 328–344.

13. Johannes Chrysostomus; ebenso Hugo Grotius am Schlusse von De jure belli et pacis: Deo carissimum animal.

14. Denzinger: Ench. Symb., 319.

15. A. Camus, Der Mensch in der Revolte, letzter Abschnitt.

16. Ders., aaO.

17. R. Bring, Das Verhältnis von Glauben und Werken in der lutherischen Theologie, 1955, 27, 46 f.

18. P. Tillich, Der Protestantismus, 1950, 41.

19. Kommentar zu Jer 22,16: »wo Gott erkannt wird, wird auch das Menschsein zum Wert«.

20. K. Barth, Der Römerbrief, 1919[1], 381, entsprechend die folgenden Zitierungen.

Zum Problem der Gewalt
in der christlichen Ethik[1]

Wir setzen Gewalt als ein Phänomen in der menschlichen Gesellschaft voraus, wenn wir sie als Problem christlicher Ethik ins Auge fassen. Christliche Ethik ist eine Aufgabe christlicher Theologie. Christliche Theologie ist Nachdenken über das Evangelium und seine Lebensfolgen, und zwar Nachdenken im Dienste dieser Lebensfolgen. Theologie kann gut getrieben werden immer nur hart an den bedrängenden Problemen des Tages und der Realität, in deren Bereich sich jene Lebensfolgen ereignen. Ja, Theologie entsteht sogar erst durch den Zusammenstoß des Evangeliums mit konkreten Situationen; freilich beschränkt sie sich dann nicht auf die jeweilige Situation, sondern trachtet nach Klärungen, die für möglichst viele Situationen hilfreich sein können. Die Realität aber, mit der das Evangelium zusammenstößt, und in der es Lebensfolgen anrichtet, ist die tiefgreifend von Gewalt bestimmte Realität.

Das deutsche Wort »Gewalt« ist unscharf, wodurch manche unnötigen Irrgänge in der Diskussion veranlaßt werden. Wir sprechen von Sprachgewalt ebenso wie von Staatsgewalt, und was gewaltig ist, hat damit noch längst nicht mit dem Gewaltproblem zu tun. Im Englischen und Französischen ist unmißverständliche Unterscheidung möglich: force (Stärke), power (Macht) und violence (Gewalt). Das sind sehr verschiedene Dinge; uns geht es hier nur um violence. Rasch hat sich heute dafür auch der Begriff »Aggression« eingebürgert, aber er ist mit violence nicht deckungsgleich. Aggression meint im heutigen Sprachgebrauch nicht nur den mit violence geschehenden Angriff auf einen anderen, sondern im zwischenmenschlichen Leben auch psychische Regungen, die einem violenten Verhalten nach außen zugrunde liegen können, aber freilich nicht müssen; denn Gewaltakte können geschehen ohne jede psychische Aggressivität gegen das Objekt des Aktes, und psychische Aggressivität kann sich auch noch anders als in Gewaltakten äußern. Mit Gewalt meinen wir hier einen materiellen Eingriff in das Leben eines anderen Menschen[2], durch den a) die physische und psychische Integrität des anderen verletzt und b) seine Verfügung über seinen Leib eingeschränkt oder aufgehoben wird[3].

Wir untersuchen hier nicht psychologisch und soziologisch die Ursachen der Gewalt und der Entstehung der Disposition zu Gewalttätigkeit. Es geht nicht um die Entscheidung der anthropologischen Frage, ob die Disposition zur intraspezifischen Aggression in der Natur des Menschen liegt oder historisch bedingt ist. Sie gehört natürlich zum Umkreis unseres Problems ebenso wie die massenhafte Neuerzeugung solcher Disposition, die ständig z. B. in den menschenfeindlichen Betonsilos unserer neuen Wohnsiedlungen geschieht, die mit Sicherheit immer neue Bombenlegerbanden produzieren, über deren Tätigkeit die dafür verantwortliche Gesellschaft sich ebenso heuchlerisch entrüsten wird wie über die Bomben der Baader-Meinhof-Gruppe in der jüngsten Vergangenheit.

Es wird gut sein, bevor wir in unser Thema eintreten, ein jüngstes Zeugnis gegen das Unheil der Gewalt aufmerksam zu hören, das aus vielfältiger Gewalterfahrung eines Kriegsteilnehmers, Konzentrationslagerhäftlings und Sowjetbürgers stammt. Alexander Solschenizyn sagt am Ende seiner Nobelpreisrede (nach Frankfurter Allgemeine Zeitung vom 15. 9. 1972):

»Laßt uns nicht vergessen, daß die Gewalt nicht allein lebt und nicht allein zu leben vermag: sie ist ständig verflochten mit der Lüge. Zwischen ihnen gibt es die intimsten und natürlichsten tiefen Verbindungen: die Gewalt kann sich mit nichts anderem bemänteln als mit der Lüge und die Lüge sich auf nichts anderes stützen als auf die Gewalt. Jeder, der einmal die Gewalt als seine Methode proklamiert hat, muß unvermeidlich die Lüge zu seinem Prinzip wählen. – Wenn die Gewalt geboren wird, agiert sie offen und prahlt reinweg mit sich selbst. Aber kaum ist sie stabilisiert und konsolidiert worden, da erlebt sie die Luftverdünnung rundum und ist außerstande, anders weiterzuleben als mit Lüge verschleiert, maskiert mit ihren schönen Phrasen. Nicht immer und nicht notwendigerweise schließt sie den Würgegriff, häufiger fordert sie von ihren Untertanen nur einen Treue-Eid zur Lüge, nur die Teilhabe an der Lüge. Und die einfache Maßnahme des einfachen, mutigen Menschen ist: sich nicht an der Lüge zu beteiligen, falsche Handlungen nicht zu stützen. Mag das in die Welt hinausgreifen und in der Welt ganz herrschen – aber nicht durch mich.«

Die uns bekannte menschliche Geschichte ist Gewaltgeschichte. Die uns bekannte menschliche Gesellschaft ist Gewaltgesellschaft, Kainsgesellschaft, und dies schon deshalb, weil sie bisher immer Mangelgesellschaft gewesen ist[4]. Wir alle schreien, wenn uns Gewalt angetan wird; wir alle sehnen uns nach einem menschlichen Zusammenleben ohne Gewalt, nach einer gewaltfreien Gesellschaft, also nach Anarchie, d. h. – nach Max Webers Definition – nach einem gesellschaftlichen Zustand, in dem Gewaltsamkeit als Mittel unbekannt ist. Wir alle sind beteiligt an Gewalt, profitieren von Gewalt, sind Komplizen von Gewaltanwendung; denn wir alle gehören zu jenen Gewaltsystemen, die man Staaten nennt. »Der Staat ist ein auf das Mittel der legitimen, d. h. als legitim angesehenen Gewaltsamkeit gestütztes Herrschaftsverhältnis von Menschen über Menschen.«[5] Mit dem »Schwert« (Röm 13, 4), d. h. dem »Monopol legitimen physischen Zwanges«[6] ausgerüstet, hat er »die Aufgabe, in der noch nicht erlösten Welt, in der auch die Kirche steht, nach dem Maß menschlicher Einsicht und menschlichen Vermögens unter Androhung und Ausübung von Gewalt für Recht und Frieden zu sorgen« (Barmer Erklärung von 1934, 5. Artikel). Letzteres ist nun freilich schon eine christliche Behauptung, sehr unselbstverständlich, wenn man auf die Geschichte sieht, in der staatliche Gewalt-Androhung und -Ausübung oft genug für ganz andere Ziele als für Recht und Frieden eingesetzt worden sind. Unselbstverständlich aber auch, sofern die Verwendbarkeit der Gewalt für Erzielung und Erhaltung von Recht und Frieden sich ja keineswegs von selbst versteht. Die Barmer Formel ist selber schon Ergebnis einer langen Auseinandersetzung der christlichen Kirche mit der Tatsache ihrer Existenz in dieser »noch nicht erlösten Welt«, und sie verrät, daß Gewalt christlich empfunden wird als Charakteristikum der Unerlöstheit; Heil und Gewalt schließen sich aus. Gewalt ist hier also nicht Neutrum, sondern Negativum; christliches Lebensgefühl steht von Hause aus in einem tiefen Gegensatz zur Wirklichkeit der Gewalt; Beteiligung an Gewaltanwendung ist deshalb für Jünger Jesu zunächst das schlechthin Ausgeschlossene, weil Verabscheuungswürdige. Dieser Gegensatz ist größer als in den meisten anderen Religionen[7], und das Verflochtensein in die irdische Gewaltgesellschaft mit den daraus sich ergebenden Fragen für das eigene Verhalten ist darum die ganze Kirchengeschichte hindurch eines der schwierigsten Probleme christlicher Ethik gewesen (im Unterschied z. B. zu Judentum und Islam). Woher kommt das?

Es kommt aus dem Zentrum des christlichen Glaubens, dessen grundlegende Gotteserfahrung die Erfahrung von Gottes Gewaltverzicht ist. Der Gott, von dem hier die Rede ist, ist nicht ein donnernder Jupiter; seine Kommunikationsweise ist nicht das Getöse des Sturms, das Krachen des Erdbebens und das Sausen des Feuersturms, sondern das »leise Flüstern« (1 Kön 19, 12). Er kommt als das Lamm, das zur Schlachtbank sich führen läßt: der sich der Gewalt der Menschen gewaltlos ausliefernde Gott, der gerade mit dieser Selbstauslieferung den Geist der Gewalt überwindet, aushöhlt, entmächtigt. So, nicht durch Gewalt gegen Gewalt, stößt er die Gewaltigen vom Stuhl (Lk 1, 52) und gewinnt unseren Willen für sich: nicht magisch, nicht durch Zwang, sondern uns anlockend zum Consensus und uns in eigene Einsicht (syneidesis) führend durch das Wort seiner Liebe, non vi, sed verbo[8]. Unterwerfung durch Gewalt würde ihm nur Sklaven einbringen; er aber will »Freunde« (Joh 15, 15), mitwirkende Subjekte der Selbstverfügung, nicht willenlose Werkzeuge. So begründet er mit Selbstopfer, Liebeshingabe und Vergebung ein neues Menschsein, eine neue Welt, wo Gewalt von Menschen gegen Menschen keine Stelle mehr hat. Jetzt kann die tötende Gewalt in der Gesellschaft nicht mehr, wie es bisher eine wichtige Funktion der Religion gewesen war, gerechtfertigt werden durch Berufung auf den göttlichen Gesetzgeber und Gewalthaber (auch wenn das in der theologischen Rechtfertigung der Todesstrafe noch jahrhundertelang geschehen wird!). Mit der unter eben dieser Berufung an Gott selbst im Menschen Jesus ausgeübten tötenden Gewalt hat der Tod ausgespielt; dieser sich dem Töten preisgebende Gott will nur noch dem Leben dienen, und nicht anders als mit Absage an das Töten und mit Dienst am Leben kann er von denen, die er in die Welt sendet, bezeugt werden.

Das ist der innerste Grund der Gewaltlosigkeit des Urchristentums (wie sie ausgesprochen ist in der Bergpredigt und in den apostolischen Ermahnungen) als sozusagen der negativen Seite des Liebesgebotes, des »Lebensgesetzes des Königreiches Christi«[9]. Als gewaltlose Gruppe lebt diese Gemeinde mitten in der Gewaltgesellschaft, leidet Gewalt, aber übt sie nicht, und bezeugt damit vorwegnehmend das Leben einer neuen Gesellschaft, der anarchischen, gewaltlosen Gesellschaft des Reiches Gottes, das sie mit Worten und Leben ankündigt. Diese frühchristlichen Gemeinden sind kleine Gruppen ohne gesellschaftliche Verantwortung, meist aus Leuten der untersten Schichten bestehend. Darum können sie es sich leisten – so scheint es –, sich von der Gewaltausübung fernzuhalten. Aber der Schein, sie seien nur so pietistische, unpolitisch-fromme Konventikel gewesen, trügt. Schon der politische Aspekt der römischen Christenverfolgungen weist darauf hin: Diese Gruppen sind in der antiken Gewaltgesellschaft politische Gegengruppen, Avantgarden einer neuen Gesellschaft. Ihre Gewaltlosigkeit ist nicht Kennzeichen ihres unpolitischen, sondern ihres politischen Wesens. Es ist nicht die »Gewaltlosigkeit der Schwachen«, zu der diese Gruppen ihrer sozialen Ohnmacht wegen verurteilt sind, sondern eine »Gewaltlosigkeit der Starken«, also eine aus bewußter Entscheidung für eine neue Qualität des Lebens, für neue, positive Möglichkeiten der Konfliktlösung (vgl. Röm 12, 20 f) hervorgegangene »Gewaltfreiheit«[10], nicht Ertragen, sondern Anwenden von Gewaltlosigkeit zum Zwecke der Austreibung des Gewaltgeistes, der eine Weise der objektiven Herrschaft der Sünde ist, unter der die Menschheit seufzt. Diese Gruppen stehen, um eine Ausdrucksweise Herbert Marcuses zu benützen, transzendent zu ihrer Umgebung, d. h. sie stellen ihr gegenüber eine qualitativ neue Gesellschaft dar. Sie sind eine revolutionäre Alternative, darum sind sie nicht reformistisch. Sie denken auch an keinen langen Marsch durch die Institutionen; denn sie können in der sie umgebenden Gesellschaft keine Funktionen zur Aufrechterhaltung der bisherigen Ordnung übernehmen, auch nicht zeitweise. Noch Tertullian sagt mit aller Klarheit:

»Geben wir zu, daß es jemandem (sc. einem Christen) gelingen könne, als Inhaber irgendeiner Ehrenstelle mit dem bloßen Titel derselben aufzutreten, *ohne* . . . auch nur zu schwören, ferner . . . er spreche kein Urteil über Leben und Tod oder die bürgerliche Ehre eines Menschen . . . er verurteile nicht, er gebe keine Strafgesetze, er lasse niemand fesseln, niemand einkerkern oder foltern – wenn *das* glaublich ist, *dann* mag es sein.«[11]

Beteiligung an der Verwaltung und Ausübung der gesellschaftlichen Gewalt, die in ihrer Spitze tötende Gewalt ist, gehört also für die frühe Christenheit zu den ausgeschlossenen Berufen wie Schauspieler, Bordellbesitzer usw. Tertullian sagt es mit dürren Worten: Man kann nicht gleichzeitig Kaiser und Christ sein. Und Origenes sagt: Wir Christen können zu dem dem Kaiser obliegenden Schutz des Reiches nur beitragen durch unser Gebet, nicht aber durch aktive Beteiligung an seinen Kriegen.

Was für Tertullian undenkbar ist, das geschieht: Der Kaiser wird Christ *und* bleibt Kaiser. Damit ändert sich das ganze Verhältnis zwischen der Christengemeinde und ihrer Umwelt. Kennzeichen dieser Veränderung sind etwa der Übergang von der Erwachsenentaufe zur Kindertaufe und der Abgang von der Gewaltlosigkeit, beides ungefähr zu gleicher Zeit sich vollziehend, beides die Voraussetzung dafür, daß nun ganze Völker christianisiert werden konnten. Entgegen dem Christuswort von Mt 28, 19: »Geht hin in alle Welt und macht alle Völker zu meinen Jüngern und tauft sie« – wurden die Völker nicht zuerst zu Jüngern gemacht, was auch Gewaltlosigkeit impliziert hätte, sondern sie wurden getauft, ohne Jünger zu sein, und sind es denn auch bis zum heutigen Tag nicht geworden. Kurz vor Konstantin waren schon Soldaten, Offiziere und Hofbeamte Glieder der christlichen Gemeinden geworden, dadurch aber immer noch in scharfen Gegensatz zu ihrem Milieu geraten; mit Konstantin wird das mit einem Schlage anders: Die Kirche wird aus einer Angelegenheit vor allem der unteren Schichten – auch des Lumpenproletariats, der Slums von Korinth und Saloniki – zu einer Agentur der herrschenden Schichten, die sich sofort der kirchlichen Ämter bemächtigen. Dabei bleibt es für Jahrhunderte mit Nachwirkungen bis zum heutigen Tag. Diese tiefgreifende Umfunktionierung der Kirche aus einer systemtranszendenten Gruppe in eine systemstabilisierende Institution mußte die Stellung zur Gewalt ebenfalls tiefgreifend verändern. Denn die herrschenden Schichten sind es ja überall, die über die gesellschaftlichen

Gewaltmittel, das Heer und die Justiz, verfügen. Wurden der Kaiser, seine Generale, seine Gouverneure Christen und blieben sie dabei Kaiser, Generale, Gouverneure, dann gab es jetzt nur zwei Möglichkeiten der christlichen Reaktion auf dieses überraschende Phänomen: Entweder man verneinte die Personalunion von Kaiser und Christ als Perversion des Christentums: so die radikalen christlichen Gruppen – die Minderheitsgruppen – in der Nachfolge Tertullians, etwa die Täufergemeinden der Reformationszeit, die Mennoniten und Quäker, Tolstoi, die christlichen Pazifisten. Ich werde diese Tradition der christlichen Gewaltlosigkeit, so wichtig sie mir ist, hier nicht näher behandeln, sondern die Tradition der christlichen Gewaltbeteiligung, weil sie das christlich Schwierigere ist, dabei aber auch das christlich Übliche in den Großkirchen, und eine Tradition, die heute der Überprüfung, nicht einfach der Ablehnung, aber der Neuformulierung bedarf[12]. Das also ist die andere Möglichkeit: Man bejahte diese Personalunion von Kaiser und Christ als eine neue Möglichkeit des christlichen Dienstes an den Menschen, in der noch bestehenden alten Weltzeit vor dem Anbruch des Reiches Gottes, in der Kains-Gesellschaft, in der – da wir Brüder Kains und nicht Abels sind – mit Gewalt der Gewalt gewehrt und das Recht mit Gewalt beschützt werden muß. Augustin hat dafür die grundlegende Theorie geliefert, die die Einstellung aller christlichen Großkirchen, der katholischen wie der protestantischen Kirchen, bis zum heutigen Tag in verschiedenen Variationen bestimmt. Die Beteiligung an der staatlichen Gewalt wird jetzt zur christlichen Pflicht. Der Christ darf die Gewalt nicht den Gewaltmenschen, den Nichtchristen und Gottlosen überlassen. Seinen durch den Einfluß des Geistes Christi erzeugten Abscheu gegen die Gewalt muß er, der Christ, gleichzeitig empfinden und überwinden. Er muß sich aus Liebe zu den Mitmenschen die Hände mit Gewalt schmutzig und blutig machen, und gerade so ist er der rechte Mann zur Verwaltung der gesellschaftlichen Gewaltmittel, weil sein weiterbestehender Abscheu vor der Gewalt ihn schützt vor dem Verfallen an den Geist der Gewalt, der stets versucherisch den bedroht, der über die Gewaltmittel verfügt. Für den massivsten Einsatz von Gewalt, für den Krieg, hat Augustin seine Kriegsethik ausgearbeitet, die die Bedingungen und Grenzen angab, unter denen christlich legitime Beteiligung möglich ist. Denn nie wurde Beteiligung an staatlicher Gewalt pauschal, unbegrenzt, ohne Bedingungen von christlicher Ethik ausgesprochen; immer ging es um die Bestimmung der Bedingungen und der Grenzen. Man hat dabei immer noch die Spannung empfunden, in die man jetzt zum ursprünglichen gewaltlosen Christentum geraten war. Das zeigte sich am Versuch des Mönchstums, christliche

Radikalität inmitten der Großkirche oder an ihrem Rande noch zu leben, und etwa daran, daß die Kleriker vom Waffendienst ausgeschlossen wurden (obwohl freilich Kleriker als geistliche Fürsten dann doch munter sich am Kriegführen beteiligten)[13].

Welche verhängnisvollen, ja korrumpierenden Folgen diese Verflechtung mit der staatlichen Gewalt für die Kirche hatte – trotz der schönen und wahren Theorien von Augustin, Luther usw., die aber eben nicht wirksam genug wurden –, das zeigt die ganze Kirchengeschichte. Zur beliebigen Illustration sei eine Stelle aus den Lebenserinnerungen des großen Renaissancebildhauers Benvenuto Cellini zitiert: Er berichtet von der Belagerung Roms und der Engelsburg durch die Spanier und die Deutschen im Jahr 1527 und erzählt, wie er vor den Augen des Papstes Clemens VII. von der Mauer der Engelsburg herunter auf einen spanischen Offizier schießt; dieser wird durch die Kugel in zwei Stücke gerissen. Cellini, nun doch etwas erschüttert durch den Effekt seines Schusses, kniet vor dem Papst nieder, »und ich bat ihn, er möchte mir diesen Totschlag und die übrigen, die ich hier im Dienste der Kirche begangen hatte, vergeben. Darauf hob er die Hand und machte ein gewaltiges Kreuz über meine ganze Figur, segnete mich und verzieh mir alle Mordtaten, die ich jemals im Dienste der apostolischen Kirche verübt hatte und noch verüben würde.«

Die Theologie hat versucht, wenn auch mit unzulänglichen Mitteln, diese verhängnisvollen Folgen zu korrigieren. Zweierlei hat Luther für das staatliche Amt der Gewalt betont: 1. Eine strenge Trennung von Amt und Person: die Bergpredigt als Predigt zur Anwendung der Gewaltlosigkeit gilt da, wo es um meine persönlichen Interessen geht; wo ich aber Verantwortung für anderes menschliches Leben habe, also »im Amte« stehe, habe ich zum Schutz der Schwachen und zur Aufrechterhaltung des Rechtes keineswegs gewaltlos zu sein, sondern bin zur Anwendung von Gewalt verpflichtet. 2. Strenge Bejahung des staatlichen Gewaltmonopols: die Pflicht zur Gewalt kann sich nur auf die legalisierte Gewalt, die potestas legitima, die Obrigkeit beziehen. Gewalt für mich selbst ist mir als einzelnem Bürger entzogen; nur im Konflikt mit dem Liebesgebot könnte ich zur eigenen Gewalt greifen; denn Liebe heißt mich, das staatliche Gewaltmonopol als Rechtsgarantie für alle zu bejahen.

Wer aber ist dieser »Staat«, und wem dient er? Wer sich eingehend mit den Aussagen der theologischen Ethik in Vergangenheit und Gegenwart beschäftigt hat, den muß mehr und mehr ein kräftiges Ungenügen überkommen. Wie Marx der christlichen Theologie vorgeworfen hat, sie spreche nur vom »abstrakten Menschen«[14], so bleiben auch diese Aussagen über den Staat fast durchgehend im Abstrakten. Sie sind formal, weil sie ja dazu dienen sollen, die Frage der Teilnahme des Christen an der staatlichen Gewalt (als Regierende wie als Regierte) in jedwedem Staate mit jedweder Staatsform zu klären. Der Staat – so erfährt man hier – existiert in seinen Organen, besonders in dem, das die oberste Entscheidungskompetenz über die Gewaltmittel und deren Anwendung hat, in der Obrigkeit. Und der Staat dient dem geordneten und friedlichen Zusammenleben seiner Bürger. Die legitima potestas erscheint hier nur, sehr verklärt, als die Dienerin aller, der Fürst als der oberste Diener des Staates, wie Friedrich II. von Preußen schöner gesagt hat, als er es selber wahr gemacht hat. Daraus ergab sich dann in der theologischen Ethik die obrigkeitliche Pflichtenlehre, der Fürstenspiegel. Wurden vom Fürsten diese Pflichten nicht realisiert, so lag das an seiner menschlichen Unzulänglichkeit und hob sein Amt, wie Luther eingeschärft hat, nicht auf. Eben deshalb aber forderte gerade Luther die Christen auf, sich als Menschen, die im Kampf mit ihrer Sündhaftigkeit besondere Ausrüstung durch ihr Christsein bekommen haben, für das schwere Amt der Obrigkeit zur Verfügung zu stellen. Die Probleme der Gewalt als staatlicher Gewalt wurden hier also im wesentlichen individuell bearbeitet, im Blick auf die obrigkeitlichen Individuen und auf die Untertanen. Gegenüber dieser noch weithin herrschenden Tradition in der theologischen Ethik hilft eine vom Marxismus angeregte Gesellschaftsanalyse, die beiden Fragen – wer ist der Staat, und wozu dient er? – inhaltlich und konkret zu beantworten: Der Staat ist die Organisation je einer gegebenen Gesellschaft und dient zur Monopolisierung der Gewalt durch die herrschenden Schichten und in deren Interesse[15]. Die staatliche Gewalt bekommt durch diese Analyse ein Doppelgesicht. Sie dient einerseits der Aufrechterhaltung des Rechtsfriedens für alle; insofern sind alle an ihr interessiert, und der Jünger Jesu, der sich an ihr beteiligt, dient in Erfüllung seiner Liebespflicht dem Interesse aller, besonders auch dem Schutz des Schwachen. Die staatliche Gewalt dient aber zugleich auch der Erhaltung des bestehenden Privilegiensystems; das herrschende Recht ist das Recht der Herrschenden, die mit ihm ihre Privilegien sichern und das Recht gegen eine radikale Änderung zugunsten der Unterprivilegierten einsetzen. Dieses Doppelgesicht der staatlichen Gewalt und des staatlichen Rechts gibt dann auch der theologischen Theorie von Augustin und allen darauf aufbauenden Theorien über Luther und Melanchthon bis zu Barmen und bis heute ein Doppelgesicht. Einerseits haben diese Theorien ihr Recht als Anweisung für die Christen, auch das staatliche Leben als Bereich unter dem Herrschaftsanspruch Gottes, als Dienstbereich des Christen zu verstehen, und leiten an zu einer verantwortlichen Beteiligung an staatlicher Gewalt als Regierende und Regierte. Andererseits aber funktionierten und funktionieren diese Theorien als ideologische Konstruktion zur Rechtfertigung der Integration des einmal gesellschaftstranszendent gewesenen Christentums in die bestehende Klassengesellschaft, zusätzlich auch zur Erhaltung der Interessenpositionen der Kirche. Die so am Staat teilnehmende Kirche war, was von den Theologen weitgehend übersehen wurde, die an die Klassengesellschaft angepaßte Kirche. Aus einem revolutionären, gesellschaftstranszendenten Christentum wurde bestenfalls ein reformistisches Christentum. Die Lehre von der christlichen Pflicht zur Teilnahme am staatlichen Gewaltmonopol und zu dessen Respektierung wurde damit zur einseitigen theologischen Legitimierung der Klassengesellschaft; denn die legitima potestas, die hier theologisch bejaht wurde, war und ist bis heute Klassenpotestas[16]. Einerseits wurden nun die Weisungen Jesu für das Leben der Jünger, z. B. in der Bergpredigt, entschärft, relativiert, nur noch für die Situationen des persönlichen Lebens geltend gemacht; andererseits machte man die vom Apostel Paulus in bestimmter historischer Situation gegebene Weisung zum Gehorsam gegen die Obrigkeit (Röm 13) zu einem absoluten antirevolutionären Prinzip für alle Zeiten und Situationen. Was von Augustin als Bremse gedacht war – die Christen sollten dazu beitragen, die staatliche, besonders die kriegerische, Gewalt zu bremsen, zu domestizieren und zu humanisieren –, das wurde nun mehr und mehr zur religiösen Gewissensbindung der Christen, die Kriege und Polizeimaßnahmen ihrer Regierungen bedenkenlos mitzumachen. Ein katholischer Moraltheologe stellte vor einigen Jahren fest, wenn man die kirchlichen Bestimmungen und Kriterien über den »gerechten Krieg« ernst nähme, dann könne man die wirklich und ganz gerechten Kriege in der europäischen Geschichte an den Fingern herzählen. Was ist dann mit den übrigen vielen Dutzenden von Kriegen in der europäischen Geschichte? Bei allen andern, also »ungerechten Kriegen« haben die Großkirchen ihren Gliedern das Gewissen nicht zum Nichtmitmachen, sondern zum Mitmachen gebunden, und heute stehen überall Millionen getaufter Christen unter den Waffen, werden mit Militärseelsorge und Eiden unter Anrufung Gottes – des Gottes, der seinen Gewaltverzicht zum Inhalt seines Evangeliums gemacht hat – gebunden, Vietnam in die Steinzeit zurückzubombardieren, atomare, chemische, bakteriologische Massenvernichtungsmittel herzustellen und bereitzuhalten und im Falle des Falles anzuwenden, jetzt auch noch meteorologische Kriegführung mit ihren unabsehbaren Folgen. Die Kirchen gestehen längst ein, daß darauf die alten Bestimmungen des gerechten Krieges nicht mehr anwendbar sind, daß dies alles also bellum injustum, ungerechter, vor Gott in keiner Weise zu verantwortender Krieg ist; aber sie sind unfähig, daraus die Konsequenzen zu ziehen, weil sie selbst eingebunden sind in die bestehende Gesellschaft (man vergleiche dazu etwa die Verhandlungen auf dem zweiten vatikanischen Konzil über die Frage einer kirchlichen Ächtung der Atomwaffen), weil sie diese Gesellschaft nicht mehr in Frage stellen, sondern nur noch bestätigen.

Nun konnte doch – wenn es sich tatsächlich bis zum heutigen Tag um eine Privilegiengesellschaft handelt und staatliche Gewalt und staatliches Recht dieses Doppelgesicht hat, einerseits für alle dazusein zum Nutzen aller, andererseits aber zur Erhaltung der Klassengesellschaft zu dienen – der Eintritt der christlichen Gemeinde in die Verwaltung der staatlichen Gewaltmittel, wenn er in Treue zum ursprünglichen Christentum, in Identität mit ihm, in Gehorsam gegen die Predigt Jesu, freilich in einer sehr neuen, merkwürdigen, nämlich an Gewalt sich beteiligenden Gestalt geschah, nur von einem bestimmten Ziel her gerechfertigt und verantwortet werden: dem Ziele, es mit der Klassengesellschaft und dem Klasseninteresse an der Verwaltung der Gewalt nicht so zu lassen, wie es ist, vielmehr diese zu ändern, also um es deutlich zu sagen, von einem sozial-revolutionären Ziele her. Dies ist verhindert worden durch eine rein innerliche oder jenseitige Ansicht von der Reich-Gottes-Verkündigung Jesu, wodurch man dann die irdischen Verhältnisse als grundsätzlich unveränderbare einfach hinnahm, so daß der Eintritt der Christen in die staatliche Mitverantwortung zu einem ziellosen Eintritt geworden ist[17] und die radikale Infragestellung, die Transzendierung des alten Weltzeitalters der Gewaltgesellschaft durch das neue Leben des Christseins nicht mehr praktiziert worden ist.

Wie aber sieht es aus, wenn dieses Ziel dabei im Bewußtsein bleibt? Damit komme ich zur Frage der revolutionären Gewalt[18]. Es schwindet dann nämlich der Vorrang der Erhaltung der bestehenden legitima potestas, der bestehenden Staatsstruktur, als Aufgabe der politischen Beteiligung des Christen. Je nach Situation gibt es sowohl die Möglichkeit, daß Gewaltverwaltung den bisherigen Machthabern entrissen werden muß, als auch die Möglichkeit, an der Gewaltverwaltung sich zu beteiligen in Kooperation mit den herrschenden Schichten und unter den Bedingungen, die diese herrschenden Schichten geschaffen haben. Aber christlich legitim ist das Letztere nur dann, wenn es geschieht mit dem Ziel, diese von den herrschenden Schichten geschaffenen Bedingungen zu überwinden, also die herrschenden Schichten zu entmachten, die gesellschaftliche Gewalt im Interesse aller zu verwalten, d. h. aber in der Mangelgesellschaft, in der wir immer noch leben, gewahr für die gleichmäßige Nießung des Sozialproduktes und für die Einschaltung aller in die Gesellschaftsgestaltung zu verwenden, und nicht mehr wie bisher für die Erhaltung der ungleichmäßigen Nießung des Sozialprodukts und für die Ausschaltung der Benachteiligten von der gleichberechtigten Mitgestaltung der Gesellschaft, also mit dem Ziel, aus dem Staat das real zu machen, was er nach den herrschenden Staatsideologien mit seinem Gewaltmonopol zu sein beansprucht, nämlich Verwaltung der Gewalt durch alle für alle in der klassenlosen Gesellschaft. Ist dem Christen aufgetragen, seinen Abscheu gegen die Gewalt gleichzeitig zu bewahren und zu überwinden und sich mit Gewalt die Hände schmutzig zu machen, dann ist es eine offene Frage, wie er dem dabei gesetzten Ziel am besten dient: ob mit den Mitteln der Gewalt von oben – oder mit Gewalt von unten. Bei uns in Deutschland, dem Lande, das, wie der junge Marx einmal sagte, an den Revolutionen immer nur am Tage ihrer Beerdigung teilnimmt, ist »Revolution« ein Schreckwort ebenso wie das Wort »radikal«, ganz anders als in den romanischen und angelsächsischen Ländern. Darum ist es bei uns zulande sehr nötig, klar zu machen:

1. Gewalt gehört nicht zum Wesen von Revolution. Sie ist, um es mit scholastischem Begriff zu sagen, ein akzidentielles, nicht ein substantielles Moment. Das Wesen von Revolution besteht in dem radikalen Unterschied der gesellschaftlichen Verhältnisse zwischen dem prärevolutionären und dem postrevolutionären Zustand. Revolutionen können friedlich, unblutig, parlamentarisch, können auf die verschiedenste Weise vor sich gehen, entscheidend ist der qualitative Unterschied zwischen dem Vor- und dem Nachher.

2. Die legitima potestas, die bestehende Staatsmacht, bedarf – das haben wir ja nun endlich nach schweren Mühen und nach zähen Widerständen in den Großkirchen überall eingesehen – der Kontrolle von unten. Diese Grundforderung der Demokratie, heute nötiger denn je, ist noch in keinem Lande der Erde in Ost und West wirklich und ausreichend realisiert worden. Da die Kirchen selbst, im Unterschied zur Urgemeinde, mehr oder weniger hierarchisch aufgebaut sind, waren sie immer mehr daran interessiert, daß der »Pöbel«, wie Luther leider zu sagen pflegte, unter Kontrolle gehalten wird, als daß die Machteliten unter Kontrolle gehalten werden, die Obrigkeiten, die doch – wie die Geschichte lehrt – mindestens ebenso aus Pöbel bestehen, wenn auch aus feiner erzogenem. Der konservative Denker des 19. Jahrhunderts Jakob Burckhardt sagte bekanntlich: »Alle Macht korrumpiert, absolute Macht korrumpiert absolut«, und Lord Acton, der große englische Historiker, der dieses Wort einmal zitiert, fügt hinzu: »Darum snd die Mächtigsten die Korrumpierte-

sten«; Königin Elisabeth I. z. B. habe mehr Übel und Leid verursacht als sämtliche Diebe und Mörder ihres Königreiches.

Heute aber befinden sich ungeheure Gewaltmittel in der Hand der Staatsspitzen, deren Entscheidungen möglicherweise viel verheerendere Auswirkungen haben als die Lumpigkeit früherer Fürsten. Die Befehlsapparatur und deren religiös-ideologische Verklärung und Indoktrinierung, im Westen christlich und im Osten kommunistisch, erzeugt eine blinde Gefügigkeit der Untergebenen einschließlich der eifrig darauf los erfindenden Wissenschaftler und Techniker. Diese Befehlsapparatur ist fähig, ganze Völker auszulöschen. Hier ist höchstens Mißtrauen der Bevölkerungsmassen gegen ihre Staatsführung dringendes Gebot[19]. Es darf nicht mehr einseitig Gehorsam gegen die Obrigkeit eingeschärft werden, wenn nicht großes Unheil entstehen soll. Die formale parlamentarische Demokratie, bei der das wählende Volk alle vier Jahre mit der Stimme zugleich seine Kontrolle abgibt, genügt dafür nicht mehr. Methoden demokratischer Machtkontrolle sind heute in der Zeit mächtiger Konterrevolutionen in Ost und West überall im Rückgang – und gerade sie müssen weiterentwickelt werden. Seit Hitler und Stalin ist realistisch damit zu rechnen, daß nicht nur in Lateinamerika, sondern auch in unseren hochentwickelten Industriestaaten politisch getarnte Gangsterbanden sich in den Besitz des unermeßlichen gesellschaftlichen Gewaltpotentials setzen, in wörtlicher Erfüllung von Augustins hellsichtigem Wort, bei vielen Regierungen handle es sich nur um Räuberbanden. Auch Menschen, die privat keines Verbrechens fähig wären, werden an der Macht zu white-collar-Verbrechern, wie es die Pentagonpapiere der Welt, die das trotz der Aufklärungsbemühungen der amerikanischen Protestbewegung nicht hat wahrhaben wollen, zu ihrem Entsetzen gezeigt haben: Eine kleine Gruppe von, wie man in den USA sagt, WASPP (White Anglo-Saxon Protestant People), führenden Leuten der Demokratischen Partei, meist protestantisch, hoch gebildet, begütert, also wirtschaftlich unabhängig, zivilistisch, liberal, progressiv, Befürworter eines aufgeklärten, vermenschlichten und reformierten Kapitalismus, also genau der Typ, auf den protestantische Sozialethik seit Jahrzehnten hingearbeitet hat, diese kleine Gruppe inszenierte eines der fürchterlichsten Verbrechen des 20. Jahrhunderts, den Vietnamkrieg, den Kolonialkrieg gegen ein freiheitswilliges Volk von den Franzosen übernehmend, zynisch, heuchlerisch und zugleich verblendet, unfähig, sowohl die Realitäten zu erkennen als auch nur die Motive des eigenen Handelns zu durchschauen, in brutaler Nichtachtung der Rechte anderer Menschen und Völker, rassistisch eine Reihe von dem Volke verhaßten Diktaturen aufrechterhaltend, die mühsam errungenen internationalen Regeln zur Domestizierung des Krieges bewußt und gänzlich außer Kraft setzend zugunsten ungehemmter Kriegführung. Wenn heute die Gewaltdiskussion bei uns gerade in den letzten Jahren und Monaten immer wieder hervorgerufen wird durch Erschrecken über die Zunahme von Gewaltverbrechern und Bombenlegern, die sich selber zu Guerillas ernennen, dann ist daran, scheint mir, zweierlei bemerkenswert:

1. Das groteske Mißverhältnis der Proportionen: diese einzelnen Gewalttaten erwecken den Ruf nach mehr Sicherheit – ein Zeichen, daß die Menschen meinen, sicher zu sein, wenn diese paar Bombenleger eingesperrt sind. Die Fixierung auf die paar einzelnen Gewalttäter lenkt ab von der millionenfachen Bedrohung und Unsicherheit, unter der wir leben; sie verstellt den Blick für die ungeheuerliche Gewalt, über die die großen Befehlsapparaturen verfügen. Es wird uns von diesen Apparaturen eingeredet, sie seien zu unserer Sicherheit nötig; in Wirklichkeit droht uns von ihnen größere Gefahr als von allen sogenannten Stadtguerillas, wieviel Schaden diese auch anrichten mögen. Der größte Schaden, den sie mit sich bringen, besteht darin, daß sie zur Ablenkung dienen, damit die verschreckte Bevölkerung nicht erkennt, daß die erste Forderung, die sie heute an eine Außenpolitik stellen muß, die der Entspannung, der Abrüstung, der Abschaffung der ABC-Waffen, der internationalen Kontrolle der militärtechnologischen Entwicklung sein muß, und die erste innenpolitische Forderung die der demokratischen Kontrolle der Machtpositionen, die sich auch in der Bundesrepublik immer mehr der Kontrolle entziehen, also des sich verselbständigenden militärisch-industriellen Komplexes, und zwar eine bessere Kontrolle, als sie unser Grundgesetz noch ermöglicht.

2. Das erbärmliche Niveau, auf das die Gewaltdiskussion in der Bundesrepublik dank der gezielt hochgesteigerten Entrüstung über die Bombenleger herabgesunken ist, zeigt sich daran, daß schon die Frage nach den wahren Ursachen dieses Phänomens als Ausdruck von Sympathie denunziert wird. Rerum cognoscere causas – die Gründe der Dinge erkennen –, das ist immer noch eine unentbehrliche Tugend für Wissenschaft und Demokratie. Ein einst liberaler Bundesinnenminister hat unter dem Beifall einer mit dem Namen »christlich« sich schmückenden Opposition seine Entrüstung kundgetan über »jene, die für alles eine Erklärung suchen«. Wenn wir keine Erklärung mehr suchen für die Tatsache, daß junge, vielversprechende Menschen unter uns auf Wahnsinn verfallen[20], wenn wir nicht mehr nach den Ursachen fragen, warum inmitten äußerer politischer Ruhe bei gutem finanziellen Auskommen in der Psyche unge-

zählter Menschen die Bereitschaft zur Gewalt sich anhäuft, dann gute Nacht Demokratie! Dann gibt es nur noch einsperren und »Rübe ab«. Andere Mittel sind Hitler auch nicht eingefallen. Wo nicht mehr nach Erklärung gesucht und an den Ursachen gearbeitet wird, da ist der Totalitarismus der Gewalt unter legaler Maske aufs neue eingekehrt. Christliche Beteiligung an staatlicher Gewalt ist darum heute nur noch zu rechtfertigen, wenn sie ihr Ziel klar im Auge hat und staatliche Gewalt nicht einfach so, wie sie ist, hinnimmt und sich in sie einfügt, also nur bei nüchternster Erkenntnis der Gefahren, die uns gerade von der – für unser Leben doch unentbehrlichen! – staatlichen Gewalt drohen, mit dem Ziel, die Verselbständigung dieser Gewalt zu verhindern, sie unter demokratische Kontrolle zu bringen, den Ursachen der Gewalt im gesellschaftlichen Leben zu Leibe zu gehen, in der Hoffnung, von daher in den Individuen wie in der Gesellschaft Dämme gegen den Griff zur Gewalt aufzubauen.

Es sei das in ein paar Schlußthesen zusammengefaßt:

1. Für christliche Beteiligung an politischer Gewalt einschließlich der tötenden Gewalt sind die Aussagen der traditionellen christlichen Ethik über Staatsgewalt und Krieg in ihrem sachlichen Gehalt – nicht in ihrer schlechten Praktizierung – ein beispielhafter Versuch zur Anleitung für die Jünger und die Gemeinde Jesu, mit ihrem Abscheu gegen Gewalt in veränderter Zeit politische Weltverantwortung wahrzunehmen, also in Erfüllung des Liebesgebotes sich an der Verwaltung der staatlichen Gewaltmittel zu beteiligen. Diese Aussagen müssen heute übersetzt werden für eine von revolutionären Veränderungen geschüttelte, vom Anwachsen der Gewalt-Technik und außerordentlichen anderen Gefahren bedrohte Weltgesellschaft.

2. Das staatliche Gewaltmonopol ist ein kostbarer zivilisatorischer Fortschritt, den wir sorgsam hüten müssen. Das ist das Wahrheitsmoment jenes Akzents auf der legitima potestas – auf der Obrigkeit – in der traditionellen christlichen Gewaltethik. Wer für gesellschaftliche Veränderungen zur Gewalt greift, solange andere Möglichkeiten offenstehen, wer überhaupt zuerst zur Gewalt greift, ohne von der den Rechtsboden verlassenden Regierungsgewalt dazu gezwungen zu sein, der treibt die Entwicklung zurück statt voran, der verrät zugleich mit seiner Hemmungslosigkeit gegenüber der Gewalt, daß er nicht mit Abscheu gegen Gewalt zur Gewalt greift, daß er also dem Gewaltgeist, der die Menschheit verdirbt, selber verfallen ist.

3. Wegen der Furchtbarkeit heutiger Gewaltmittel, wegen der internatio-

nalen Verflechtung, wegen des Fanatismus von Bürgerkriegen sind die Kriterien für Bedingung und Begrenzung des legitimen Gewaltgebrauchs und damit für Beteiligung getaufter Christen am Gewaltgebrauch schärfer zu fassen als in der traditionellen Moraltheologie, und zwar gerade auch im Blick auf die offizielle staatliche Gewalt. Wer in Zeiten der Unruhe sofort nach dem »starken Staat« ruft oder gar nach dem »starken Mann«, der lockert die Bremse, die die staatliche Gewalt an das Recht bindet, statt sie zu festigen, der entsichert die Pistolen der Polizisten, statt sie so zu sichern, wie es heute gerade nötig wäre. Für unsere heutige Situation in der Bundesrepublik muß darum vor allem nach rechts – aber auch natürlich nach links – der Satz des polnischen Aphoristikers Stanislaus Lec eingeschärft werden: »Man kann das Lied der Freiheit nicht auf dem Instrument der Gewalt spielen.«

4. Weil die korrumpierenden Versuchungen der Macht heute durch die Steigerung der Gewaltmittel enorm verstärkt sind, muß christliche Beteiligung an staatlicher Gewalt zugleich Engagement für die Ausbildung wirksamer – und nicht nur scheinbarer – demokratischer Kontrollen über die Staatsführung sein. Das bedeutet Ausdehnung der Demokratisierung auf alle Gebiete des gesellschaftlichen Lebens, einschließlich z. B. der Hochschulen.

5. Die bisherige Fixierung der theologischen Ethik auf die legitima potestas – also auf die Gewalt von oben – und die generelle Verurteilung der Gewalt von unten – also der revolutionären Gewalt – muß aufgegeben werden, wie es ja nun schon von Paul VI., von katholischen Bischöfen in Lateinamerika, auch von der Vereinigten Evangelisch-Lutherischen Kirche in Deutschland geschehen ist durch das Zugeständnis, daß in konkreter Situation es denkbar sei, daß ein Christ an der revolutionären Gewalt teilnimmt. Wenn es um den Sturz unerträglicher Staatsgewalt geht, dann wird dem alle Gewalt vom Zentrum seines Glaubens her verabscheuenden Christen die Beteiligung an revolutionärer Gewalt, die der pervertierten Staatsgewalt entgegentritt, näher liegen als der soldatische oder polizeiliche oder Untertanen-Gehorsam gegen eine nur ihrem Klasseninteresse dienende Obrigkeit.

6. Der christliche Abscheu gegen Gewalt, die korrumpierenden Rückwirkungen, die Gewaltanwendung auf jede Bewegung hat – mag sie noch so humane Ziele haben –, und die heute so gesteigerten Risiken gewaltsamer Auseinandersetzungen machen christliche Beteiligung an phantasievoller Ausarbeitung gewaltfreier Strategien und an dem dafür nötigen Verhalten

oder der Erziehung zu dem dafür nötigen Verhalten zu einer vordringlichen politischen und christlichen Pflicht. Ich nenne dafür mit großer Anerkennung die Namen meiner beiden Berliner politologischen Kollegen, der Professoren Ossip Flechtheim und Theodor Ebert, die damit beschäftigt sind.

7. Die Existenz gewaltfreier Gruppen, die die direkte Beteiligung an der staatlichen Gewalt ablehnen und sich weder an offizieller noch an revolutionärer Gewalt beteiligen, ist dringend nötig zur Korrektur, zur Warnung vor den Versuchungen und Brutalitäten des Gewaltgeistes, zur Antizipation der gewaltlosen Gesellschaft, die das Ziel politischen Handelns sein muß. Diese Gruppen dienen der Erhaltung des urchristlichen Stachels gegen die Beteiligung an der Gewalt. Nur werden wir uns klar sein müssen: man kann nicht beides zugleich tun. Man kann nicht gleichzeitig christlicher Pazifist sein und den politischen Dienst in der Verwaltung der Gewaltmittel tun. Beide Entscheidungen sind unvollständig, beide sind christlich unbefriedigend, beide sind nötig.

8. Schuld am gewaltsamen Zusammenstoß zwischen Unterdrückungssystemen und revolutionären Gruppen trägt vor allem die breite Masse derjenigen, die die Unterdrückung durch Mitmachen oder Dulden und schweigende Apathie erst möglich gemacht haben, die breite Masse der Bürger und häufig auch der frommen Christen. Wer, statt die friedliche Revolution zu betreiben, nichts tut, der ist der Hauptschuldige daran, daß die Herrschenden dem unblutigen Druck nicht weichen, daß vielmehr ihre Gewalt die Gegengewalt der Unterdrückten hervorruft.

9. In unserer bundesrepublikanischen Situation ist die bürgerliche, parlamentarische Demokratie, d. h. die Möglichkeit gewaltfreier Opposition und gewaltfreier Massenbewegungen mit dem Ziele des Abbaus von Klassenherrschaft, bei all ihren Unzulänglichkeiten als eine wichtige Errungenschaft nach der Hitlerzeit zu schätzen, auszuschöpfen, zu hüten und zu verteidigen von denen, die von ihrem Ursprung her dem Ziele einer möglichst herrschafts- und gewaltfreien Gesellschaft verpflichtet sind, also von den Christen und den Sozialisten.

Anmerkungen:

1. Erweiterte Fassung eines am 8. 7. 1972 im Bayerischen Rundfunk gehaltenen Vortrags.
2. Ich beschränke mich also auf Gewalt gegen Menschen als ein spezifisches Problem der Ethik. Die in den letzten Jahren herumgeisternde Formel »Gewalt

gegen Sachen – Gewalt gegen Menschen«, deren Erfindung törichterweise mir in die Schuhe geschoben wurde, ist in ihrem Wortlaut unbrauchbar. Gewalt gegen Sachen begehen wir jeden Tag unzählige Male. Gemeint ist mit der Formel die (ungesetzliche) Antastung von Sachen, die in fremdem Besitz sind; da Besitzverhältnisse aber zwischenmenschliche Verhältnisse sind, vermittelt durch Beziehung zu Sachen, ist so verstandene Gewalt gegen Sachen indirekte Gewalt gegen Menschen. Die Formel wird oft verbunden mit der Behauptung, Gewalt gegen Sachen sei die schiefe Ebene, auf der man unvermeidlich zur Gewalt gegen Menschen abgleite – eine demagogisch wirksame, aber kaum zu beweisende Behauptung. Diebe werden gewöhnlich nicht zu Mördern, und für Mörder ist Antastung fremden Eigentums nur in Einzelfällen die Vorstufe zu ihrem Verbrechen, erst recht nicht für die Massenmörder unseres Jahrhunderts und die hinter ihnen stehenden Schreibtischtäter und Groß-Bombardierer von Hitler und Stalin bis zu L. B. Johnson und R. Nixon.

3. Man weist heute gerne darauf hin, daß es auch nicht-physische Violence gibt, z. B. die mentale Gewalt, die mit Indoktrination und Propaganda auf die solchen Einflüssen wehrlos ausgelieferten Menschen ausgeübt wird. So wichtig dieser Hinweis auch ist – ich begrenze hier den Gewaltbegriff um der Profilierung des Problems willen auf physische und psychische (z. B. hypnotische) Antastung der Integrität und Selbstverfügung eines Menschen.

4. Chr. Graf von Krockow, Soziale Kontrolle und autoritäre Gewalt, List Taschenbücher der Wissenschaft, Nr. 1606, 1971, 16: »Ein Absterben autoritärer Herrschaft ist aber nicht in einer Situation des Mangels denkbar, sondern – falls überhaupt – einzig in einer Situation des Überflusses. Denn Mangel und Herrschaft sind komplementär aufeinander angelegt; wo Mangel ist, ist Herrschaft – und umgekehrt. Mangel will verwaltet werden; in Situationen des Mangels braucht man Instanzen, die über die Verteilung knapper Güter entscheiden, und mit solcher Entscheidung wird eben Herrschaft angeeignet und ausgeübt. Insofern spricht Marx nur die einfache, die handgreifliche Wahrheit aus, wenn er alle Herrschaft ökonomisch fundiert sieht.« Wenn dagegen in der christlichen Tradition Herrschaft von Menschen über Menschen durch das Mittel der Gewalt aus der Sünde hergeleitet wird, so muß das kein Gegensatz sein. Sünde als Unglaube gegen Gottes Fürsorge realisiert sich in der Reaktion auf den Mangel, der zur Gewalt greift und damit zugleich gewaltsame Repression nötig macht.

5. M. Weber, Politik als Beruf, Gesammelte politische Schriften, 1958, 494.

6. M. Weber, Wirtschaft und Gesellschaft I, 1956, 29 f. – Zur Diskussion seit M. Weber vgl. den informativen Aufsatz von Th. Strohm, Die Kirche vor der Frage revolutionärer Gewalt, in: EvTh 1971, 514–541. H. Arendts Essay, Macht und Gewalt (1970; englisch: On Violence, 1970) ist auf den ideengeschichtlichen Gesichtswinkel begrenzt und allzusehr auf vermutete Trends bei der Neuen Linken fixiert. Die nötige soziologische und sozialgeschichtliche Ergänzung dazu bietet das in Anmerkung 4 genannte Buch von Chr. von Krockow.

7. Nur der Buddhismus ist in diesem Punkte vergleichbar, wie Nietzsche richtig gesehen, aber nicht richtig gedeutet hat. Darin aber, daß die christianisierten Völker kriegsfreudig blieben oder es zum Teil erst recht wurden, fand Pierre Bayle den Beweis für die Unwirksamkeit der christlichen Moral (vgl. L. Feuerbach, Pierre Bayle. Ein Beitrag zur Geschichte der Philosophie und Menschheit, in: Sämtliche Werke VI, 1848, 58. Auch Kröner-Taschenausgabe, Band 31, 1924, 44: »Der Geist unserer heiligen Religion, ... die uns, wie alle wissen, die auch nur die ersten

Elemente des Evangeliums kennen, nichts so sehr anbefiehlt, als Unrecht zu ertragen und demütig zu sein, flößt uns sicherlich keine kriegerischen Gesinnungen ein; der evangelische Mut ist ein ganz anderer Mut als der kriegerische; und doch gibt es auf der Erde keine so kriegerischen Nationen als die Christen. Die Türken selbst stehen hierin den Christen nach. Wahrlich eine große Ehre für die Christen, daß sie sich besser als die Mohamedaner auf die Kunst verstehen, zu töten, zu bombardieren und das menschliche Geschlecht auszurotten! Von uns lernen selbst die Ungläubigen den Gebrauch besserer Waffen. Ich weiß wohl, daß sie das nicht von uns als Christen lernen, sondern deswegen, weil wir mehr Verstand und Geschicklichkeit besitzen ... aber nichtsdestoweniger finde ich hierin einen sehr überzeugenden Beweis, daß man in der Welt nicht die Lehren der Religion befolgt, da am Tage liegt, daß die Christen allen ihren Geist und alle ihre Leidenschaften auf die Vervollkommnung der Kriegskunst verwenden, ohne auch nur im geringsten durch die Erkenntnis des Evangeliums von dieser grausamen Tendenz abgebracht zu werden.«)

8. Das Wort *dieses* Gottes und Gewalt schließen sich aus, wogegen Plutarch Alexander den Großen feiert als den »allgemeinen Friedensstifter und Versöhner der Welt«, der »durch Wort und Gewalt alle Menschen zu einer Einheit zusammenbringt« (M. Hengel, Gewalt und Gewaltlosigkeit, in: Calwer Hefte, 118, 1971, 47 f).

9. J. Jeremias, Neutestamentliche Theologie, 1971, 1. Teil, § 19, 2: »Das Liebesgebot als Lebensgesetz der Königsherrschaft«, 204 ff.

10. Diese Unterscheidung zwischen passiver und aktiver Gewaltlosigkeit oder zwischen Gewaltlosigkeit und Gewaltfreiheit ist herausgearbeitet worden im Kreise derer, die sich in Nachfolge von Gandhi, Martin Luther King, Luthuli usw. um eine »gewaltfreie Strategie« als Alternative zu der in unserer Zeit immer verheerender werdenden gewaltsamen Lösung politischer und sozialer Konflikte bemühen. Vgl. dazu Anmerkung 12. – Es ist bezeichnend für die Energie der Wendung des frühen Karl Barth zum Neuen Testament, daß er in seiner ersten Römerbrief-Auslegung (1919, zu Röm 12, 19–21) die strikte Gewaltlosigkeit des Urchristentums erneuerte. Seine spätere Differenzierung, die die bedingte und begrenzte Bejahung der staatlichen Gewalt in der großkirchlichen Tradition wiederaufnahm, war immer von dieser Erinnerung begleitet.

11. In: Bibliothek der Kirchenväter, Tertullians ausgewählte Schriften, ins Deutsche übersetzt, I. Band, 1912, 164 f. – In der heutigen Auseinandersetzung über die Änderung des § 218 wurde von kirchlicher Seite öfters ein anderes Tertullian-Wort zitiert: »Wir dürfen, nachdem uns ein für allemal das Töten eines Menschen verboten ist, selbst das Embryo im Mutterleib nicht zerstören. Ein vorweggenommener Mord ist es, wenn man eine Geburt verhindert. Homo est et qui est futurus.« Man hat dabei übersehen, daß bei Tertullian ein Schluß a maiore ad minorem vorliegt, vom allgemeinen Tötungsverbot zum Abtreibungsverbot. Das Zitat wird mißbraucht, wenn es gebraucht wird von kirchlichen Sprechern, die nicht im Traume an ein allgemeines Tötungsverbot denken, sondern zu Krieg, Atomwaffen, Vietnam usw. nur allgemeine Unverbindlichkeiten stammeln; die Toleranz gegenüber dem Töten des schon geborenen Lebens und die Intoleranz gegenüber der Unterbrechung des werdenden Lebens läßt sich nur aus taktischer Anpassung und sexualpsychologisch erklären.

12. Dies ist die bewußt gezogene *Grenze* der hier vorgetragenen Überlegungen. Punkt 6 und 7 in den Schlußthesen dieses Vortrages deuten an, daß damit nicht im

geringsten eine Mißachtung der von den »historischen Friedenskirchen« und heute von manchen Gruppen innerhalb und außerhalb der Großkirchen vertretenen Gewaltlosigkeitstradition verbunden ist. Sie halten die Unruhe wach, von der christliche Beteiligung am Staate, also auch am staatlichen Gewaltmonopol immer begleitet sein muß. Aber wie wichtig auch der Entwurf gewaltfreier Strategie und die Einübung in sie ist – wir alle sind in die staatlichen Gewaltsysteme eingefügt, und mit gewaltfreier Strategie, die für Einzelkonflikte ihre Bedeutung hat, ist das Problem der Mitverantwortung für die Verwaltung der gesellschaftlichen Gewaltmittel und damit auch die Beteiligung an ihr (Polizei, Justiz, Regierung, Außenpolitik!) noch nicht befriedigend gelöst (vgl. dazu meinen Artikel »Krieg und Christentum, 2. Grundsätzlich« in dritter Auflage der RGG IV, Sp. 69–72). Auch Gandhi hat bekanntlich gesagt: »Ich glaube , daß ich da, wo nur die Wahl bliebe zwischen Feigheit und Gewalt, zur Gewalt raten würde . . . Dagegen glaube ich, daß Gewaltfreiheit der Gewalt unendlich überlegen ist« (Vom Geist des Mahatma. Ein Gandhi-Brevier, hg. von F. Kraus, 1957, 259). Nun handelt es sich aber nicht nur um Feigheit im Einzelkonflikt, sondern um die permanente Aufrechterhaltung der öffentlichen Ordnung und die Durchsetzung der Gesetze in einer Mangelgesellschaft »in der noch nicht erlösten Welt«: ob diese ohne »Androhung und Ausübung von Gewalt« möglich sei, und ob die Christen auf die Dauer sich von der Beteiligung daran wirklich dispensieren können. – Für gewaltfreie Strategie sei besonders auf die Arbeiten von Theodor Ebert und auf die von ihm und anderen in Verbindung mit dem Internationalen Versöhnungsbund, Deutscher Zweig, und der Evangelischen Arbeitsgemeinschaft zur Betreuung der Kriegsdienstverweigerer herausgegebene Zeitschrift »gewaltfreie Aktion« verwiesen; eine gute Zusammenfassung bieten die Zwölf Thesen über »Gewaltfreiheit als revolutionäres Prinzip« von Wolfgang Sternstein (Sonderdruck Junge Kirche 1971) und die Aufsätze von Heinrich Treblin in: Junge Kirche 1969 bis 1971.

13. Dazu vergleiche jetzt F. Prinz, Klerus und Krieg im früheren Mittelalter, 1971. Dort ist die Leidensgeschichte der aus dem vorkonstantinischen Christentum zunächst noch ganz entschieden gefolgerten Regel der Unvereinbarkeit von Waffenhandwerk und Jagd mit dem geistlichen Stande (vom Konzil von Toledo, 400, bis zu Bonifatius, 742) in der germanischen Kriegergesellschaft anschaulich (und exemplarisch!) nachzulesen. Sehr einsichtig schließt Prinz mit der Feststellung: »Die realen Herrschaftsstrukturen in der Kirche waren stärker als der religiöse Impetus.« Es zeigt sich, »wie zählebig und widerstandsfähig archaische gesellschaftliche Strukturen – in unserem Falle die Herrschaft des Adels über die Kirche – auch dem innersten Kern der christlichen Botschaft, der Friedensverkündigung gegenüber zu sein vermochten . . . Die Frage nach der Wirksamkeit religiöser und sittlicher Normen kann daher nur dann aufgeworfen und befriedigend beantwortet werden, wenn zugleich die Gesellschaft mitgefragt und ausgeleuchtet wird, der sie eingeprägt werden sollen« (199 f).

14. K. Marx, Das Kapital, 1. Buch, 1. Kap., 4: »Das Christentum mit seinem Kultus des abstrakten Menschen« (93 in: Marx/Engels, Werke, Band 23, 1972).

15. Kommunistisches Manifest, 2. Kap.: »Die politische Gewalt im eigentlichen Sinn ist die organisierte Gewalt einer Klasse zur Unterdrückung einer andern« (Reclam 8323, 47). 1. Kap. »Die moderne Staatsgewalt ist nur ein Ausschuß, der die gemeinschaftlichen Geschäfte der ganzen Bourgeoisklasse verwaltet« (ebd. 25). K. Marx, Das Kapital, 1972, I, 249: »Es findet also (scil. zwischen dem Rechte des Kapitalisten als Käufer und dem Rechte des Arbeiters als Verkäufer von Arbeits-

kraft) eine Antinomie statt, Recht wider Recht, beide gleichmäßig durch das Gesetz des Warenaustauschs besiegelt. Zwischen gleichen Rechten entscheidet die Gewalt.«

16. H. J. Iwand kam in seinen Gedanken zur politischen Ethik aus den Erfahrungen des Hitlersystems auf die Spur dieses Doppelgesichtes, wenn er die christliche Staatsethik am »Ende einer Epoche« sah und es für nötig hielt, aus der christlichen Lehrtradition diejenigen Momente hervorzuheben, die die Möglichkeit geben, »zwischen Staat und Staat« zu unterscheiden; sie liegen in der Definition des Staates als der »Macht, die dem Rechte dient« (Zur theologischen Begründung des Widerstandes gegen die Staatsgewalt, in: Nachgelassene Werke II, 230–242).

17. Überwindung des Klassen-Gewalt-Systems als Ziel christlicher Beteiligung am politischen Leben wird dann kurzerhand als »utopisch« abgeschoben. Als ein Beispiel unter zahllosen sei Ernst Fuchs angeführt: »Manche proklamieren . . . als Zukunft ein Leben ohne Gewalt, ein Leben des Gewaltverzichts, das des Menschen Würde und Daseinsrecht zur Geltung bringt. Was sich dabei zu ändern hatte, ist die Gesellschaft selbst, weil sie eine Gesellschaft ohne Gewaltausübung werden müßte.« So weit, so gut; dies nennt Fuchs aber »utopisch«, »weil es übersieht, daß wir alle . . . von einer Arbeitsteilung leben, die . . . ohne Gewalt nicht durchführbar ist« (Marburger Hermeneutik, 1968, 210). Hier fängt das Problem aber erst an: Mit Gewalt muß nicht jede gesellschaftliche Arbeitsteilung durchgesetzt werden, sondern allein diejenige, die einen großen Teil der Bevölkerung zu einer Arbeitsweise verurteilt, die »des Menschen Würde und Daseinsrecht« nicht »zur Geltung bringt«.

18. Vgl. dazu den in Anmerkung 6 genannten Aufsatz von Th. Strohm. – Ich fasse hier Überlegungen zusammen, die ich in den letzten Jahren an verschiedenen Stellen entwickelt habe: Die Revolution des Reiches Gottes und die Gesellschaft s. S. 21; Die Weltverantwortung der Kirche in einem revolutionären Zeitalter s. S. 44; Die reichen Christen und der arme Lazarus, 1968; Zur Anthropologie des Friedens s. S. 109; Sozialismus und Revolution (in: Junge Kirche 31, 1970, 431–437).

19. Mißtrauen gegen die mit der Regierung Beauftragten hat schon Thomas Jefferson als demokratische Pflicht eingeschärft: »Es wäre eine gefährliche Täuschung, wenn das Vertrauen in die Männer unserer Wahl unsere Befürchtungen um die Sicherheit unserer Rechte zum Schweigen bringen würde. Vertrauen ist allenthalben der Erzeuger des Despotismus. Eine freie Regierung ist auf Argwohn, nicht auf Vertrauen gegründet. Argwohn und nicht Vertrauen schreibt begrenzte Regierungen vor, um jene zu binden, denen wir Macht anvertrauen müssen. Unsere Verfassung hat deshalb die Grenzen festgelegt, bis zu denen – und nicht weiter! – unser Vertrauen gehen darf. In den Fragen der Macht soll also nicht mehr von dem Vertrauen auf einen Menschen die Rede sein, sondern es soll vom Unheil abgehalten werden durch die Ketten der Verfassung.« Ebenso sagt der konservative Edmund Burke, daß »Vertrauen von allen öffentlichen Tugenden die gefährlichste, . . . Mißtrauen von allen öffentlichen Lastern das bei weitem erträglichste sei« (zitiert nach Chr. Graf von Krockow, Nationalismus als deutsches Problem, 1970, 89).

20. Der zwanzigjährige Georg Büchner schreibt am 5. 4. 1833 an seine Familie: »Man wirft den jungen Leuten den Gebrauch von Gewalt vor. Sind wir denn aber nicht in einem ewigen Gewaltzustand? Weil wir im Kerker geboren und großgezogen sind, merken wir nicht mehr, daß wir im Loch stecken mit angeschmiedeten

Händen und Füßen und einem Knebel im Munde. Was nennt Ihr denn gesetzlichen Zustand? Ein Gesetz, das die große Masse der Staatsbürger zum fronenden Vieh macht, um die unnatürlichen Bedürfnisse einer unbedeutenden und verdorbenen Minderzahl zu befriedigen? Und dies Gesetz, unterstützt durch eine rohe Militärgewalt und durch die dumme Pfiffigkeit seiner Agenten, dies Gesetz ist eine ewige, rohe Gewalt, angetan dem Recht und der gesunden Vernunft, und ich werde mit Mund und Hand dagegen kämpfen, wo ich kann.« Kann man im Blick auf die heutige Weltlage behaupten, solche Worte seien inzwischen gänzlich unaktuell geworden?

III. THEOLOGIE IN DER KLASSENGESELLSCHAFT

Theologie-Studium und sozialistisches Studium

1. Theologie ist rationales Nachdenken über den christlichen Glauben in Auseinandersetzung mit allen Zeitströmungen und Zeitproblemen und geschieht im Dienste der Aufgabe der christlichen Kirche, das Evangelium aller Welt weiterzusagen und in Wort und Tat zu bezeugen.

2. Kern des Evangeliums ist die Nachricht, daß diese Welt samt allen Menschen nicht allein ist, nicht aus sich selbst lebt, sondern getragen ist durch die in Jesus Christus sich mit den Menschen verbündende Liebe Gottes, die sich der menschlichen Misere entgegenstellt und uns deren Überwindung verspricht.

3. Die christliche Gemeinde ist die Gruppe derjenigen, die diese Nachricht und dieses Versprechen hören und sich darauf verlassen, deren Leben dadurch verändert ist, und die dadurch ihrerseits zum Kampf gegen die menschliche Misere mobilisiert sind.

4. Die menschliche Misere ist sowohl individuell wie gesellschaftlich, sowohl innerlich wie äußerlich, sowohl die Beziehung zwischen Mensch und Gott wie die Beziehung von Mensch zu Mensch betreffend. Infolgedessen geschieht auch der Kampf gegen sie (sowohl der Kampf Gottes wie der Kampf des Menschen) in allen diesen Dimensionen.

5. In ihrem Kampf gegen ihre Misere können die Menschen den Kampf Gottes gegen ihre Misere, von dem das Evangelium spricht, weder entbehren noch ersetzen; sie haben ihn zum Verbündeten und dürfen seine Bundesgenossen sein. Das Vertrauen auf seinen Bund gibt ihrem Kampf unablässigen Mut, Erneuerung der Kraft und Orientierung zur Erkenntnis der zu bekämpfenden Mächte und der geeigneten Kampfesweisen.

6. Nur wenn ich den Gegner zuerst in mir selbst sehe und bekämpfe, kann ich ihn auch außer mir recht sehen und bekämpfen.

7. Das Evangelium zielt auf eine brüderliche Gemeinschaft der Menschen; die christliche Gemeinde soll exemplarisch eine solche brüderliche Gruppe sein und in der Gesellschaft für den Abbau solcher Strukturen kämpfen, die die Menschen in unbrüderliches Verhalten zwingen. Darum hat das Evangelium eine Tendenz auf reale gesellschaftliche Demokratie, also auf Sozialismus hin.

8. Ob in einer gegebenen Zeit eine zu unbrüderlichem Verhalten zwin-

gende Struktur abschaffbar ist, wie viele jetzt abschaffbar sind, wie ihre Abschaffung erreicht werden kann, und durch welche andere, bessere Strukturen sie ersetzt werden können, ist je vernünftig zu prüfen, also in der Kontroverse vernünftiger Argumentation auszuhandeln. Das Evangelium beantwortet uns nicht diese Fragen, fragt uns aber, ob unsere Antworten auf sie im Gehorsam gegen die Tendenz auf Sozialismus hin geschehen. Das Evangelium stellt uns in die Tendenz; die Erarbeitung des Programms ist die Antwort unserer Vernunft.

9. Sozialist ist heute derjenige, der die Überwindung der kapitalistischen Produktionsverhältnisse zugunsten von Strukturen, die weniger zu unbrüderlichem Verhalten zwingen, für möglich (angesichts der Entwicklung der Produktivkräfte) und für nötig (angesichts der immer krasser sichtbar werdenden Schäden des Kapitalismus) hält und für diese Überwindung politisch kämpft. Die Überzeugung von dieser Möglichkeit und dringenden Nötigkeit ist ein Vernunfturteil, das der Sozialist anderen Ansichten über die gegenwärtige Lage entgegenstellt.

10. Studium der Theologie umfaßt *auch* die Frage nach dem menschlichen Verhalten, das der Nachricht und dem Versprechen des Evangeliums entspricht. Es umfaßt also auch die Frage nach der gesellschaftlichen Tendenz des Evangeliums und nach den heutigen Realisierungsmöglichkeiten dieser Tendenz, also die Frage nach der heutigen Realisierungsmöglichkeit von Sozialismus.

11. Daraus folgt:

a) Theologiestudium ist heute mehr als sozialistisches Studium, aber auch sozialistisches Studium, nämlich auch Studium sozialistischer Programme und Frage nach dem Beitrag des Christen zur Realisierung des Sozialismus.

b) Christlicher Glaube ist nicht gebunden an sozialistische Programme, hilft aber zu ihrer kritischen Prüfung und zu ihrer zielgemäßen Verwirklichung. Studium des christlichen Glaubens (= Theologiestudium) heute umfaßt diese Prüfung und Beteiligung an sozialistischer Verwirklichung.

12. Das Evangelium ist kritische Instanz für unser Tun, also auch für unseren Sozialismus, nicht aber ist unser Sozialismus kritische Instanz für das Evangelium. Verbindung von Theologiestudium und sozialistischem Studium ergibt darum sozialistisch praktizierende Christen und kritisch praktizierende Sozialisten.

Die gesellschaftlichen Implikationen des Evangeliums

Thesen im Blick auf das Urchristentum, aus einer Vorlesung 1970

1. Der Gegensatz zwischen der neuen Welt Gottes (»Reich Gottes«) und der alten Welt wird in der Urchristenheit bezeugt durch den Gegensatz des sozialen Lebens der Gemeinde gegenüber der Umwelt. Umkehr (metanoia) impliziert Zugehörigkeit zur Gemeinde, d. h. zu einer Gruppe mit gemeinsamer Lebensweise. Mobilisiert durch den Glauben an Jesus als an den, mit dem eine neue, aus der alten, verderblichen Lebensweise rettende Bewegung Gottes zu allen Menschen hin eingesetzt hat, bezeugt diese Gruppe ihren »Herrn«, d. h. den, der ihr Leben bestimmt und ermöglicht, durch ein gemeinsames Leben im Sinne des Reiches Gottes, jetzt schon, also unter den Bedingungen des alten Aeon, d. h. der alten Weltverhältnisse.

2. Damit werden die sonst geltenden Institutionen in Frage gestellt von dem im Evangelium begründeten Humanismus der Gemeinde her:
a) Die Gemeinde ist eine Gesellschaft der Brüderlichkeit;
b) kein Mensch ist von der Brüderlichkeit ausgeschlossen, sondern für sie bestimmt; denn
c) jeder ist von Gott in Christus geliebt und für das Zusammenleben im Reiche Gottes bestimmt.
Für die Institutionen folgt daraus:
Entweder es kann an ihnen *nicht* mehr teilgenommen werden (»ausgeschlossene Berufe«, Kriegswesen, Prostitution, Theater),
oder es muß *in* ihrem Rahmen *anders* gelebt werden, nach den Kriterien jener drei Punkte.

3. Die Gestalt des neuen Lebens ist im Vergleich zu anderen Sektengemeinschaften der damaligen Zeit *teils* radikal verändert, was die persönliche Forderung betrifft: Liebesgebot, Freiheit des einzelnen, Gewaltlosigkeit; *teils* weniger radikal, was die Gesetze und Strukturen anlangt: nicht gesetzlich-kommunistisch, nicht Beseitigung der Sklaverei. Dies hängt mit der Parusieerwartung zusammen und mit der evangelischen Freiheitsbotschaft.

4. Die Bruderschaft der Christusgemeinde steht im Gegensatz zum Konkurrenz- und Klassenkampf der Mangelgesellschaft. Beide, die neue und die alte Gesellschaft stellen sich gegenseitig in Frage. Die neue bestreitet der alten ihre Unvermeidlichkeit und Endgültigkeit, ihre Wahrheit, die alte der neuen ihre Möglichkeit. Ist Vorwegnahme des Neuen unter den Bedingungen des Alten überhaupt möglich? Und wenn ja, in welchem Maße?

a) Sie *muß* möglich sein, wenn es wahr ist, was das Evangelium sagt: daß die Ausrufung des Gottesreiches nicht nur Hoffnung auf künftige Freude gibt, sondern gegenwärtige Metanoia bewirken soll, – daß Jesu Tod und Auferstehung das Reich Gottes und seinen Geist schon gegenwärtig gemacht haben, so daß wir nicht mehr verpflichtet sind, »dem Fleisch nach Fleisches Weise zu leben«, sondern »durch den Geist die Praxis des Fleisches töten« können (Röm 8, 12 f) und »unsere Glieder, wie wir sie bisher der Unreinigkeit und Gesetzlosigkeit zur Gesetzlosigkeit zur Verfügung gestellt haben, jetzt der Gerechtigkeit zur Heiligung zur Verfügung stellen« (Röm 6, 19). Die Frage nach der Möglichkeit ist also sofort eine Infragestellung des christlichen Glaubens selbst und kann nur durch einen Akt des Glaubens beantwortet werden. Glauben heißt aber: die verheißene Möglichkeit des neuen Lebens ergreifen und leben.

b) Die Vorwegnahme für unmöglich zu erklären, hieße, das Evangelium zu einer bloßen Hoffnung zu machen, die für die Gegenwart nur Opiumsfunktion hat, und hieße, die unüberwindliche Übermacht des Alten zu proklamieren: Innerlich ist der Mensch neu, äußerlich bleibt alles beim alten. Dies geschieht theologisch, wenn die Veränderung nur als eine innerliche, als Veränderung des Glaubens dargestellt wird. So wird es *Paulus* unterstellt[1]; ebenso geschieht das dann, wenn *Luthers* Formel: simul justus – simul peccator statisch, statt als Kampfformel verstanden wird und infolgedessen seine Zwei-Reiche-Lehre als Anweisung, sich in der alten Welt als einer angeblich unveränderbaren äußerlich einzurichten[2].

c) Es spricht alles (d. h. alle Erfahrungen) für die Übermacht des Alten; aber der Glaube spricht gegen sie. Im Glauben unternimmt die christliche Gemeinde den abenteuerlichen Versuch der Vorwegnahme des neuen Lebens: brüderliches Leben der familia Christi, anti-autoritär, ohne Herrschaft und Hierarchie, gesellschaftliche und sonstige Privilegien zum Nutzen aller, insbesondere der Unterprivilegierten, zur Verfügung stellend.

5. Die neue Gemeinschaft stellt das neue Leben nicht perfekt dar, son-

dern in immer neuen Versuchen, mit denen sie je neu auf die gesellschaftlichen Veränderungen der Umwelt antwortet. Darum sind ihre Grundsätze nicht ein neues Gesetz, sondern eine Anleitung zur kritischen Befragung der gesamten Lebensverhältnisse und zur Orientierung für ihre kollektive Antwort.

6. Die neue Gemeinschaft stellt das neue Leben nicht perfekt dar, auch deswegen, weil sie selbst nicht einfachhin aus neuen Menschen besteht, sondern aus alten Menschen, die durchs Evangelium in ein neues Leben gerufen sind und dafür ausgerüstet werden. Wie die einzelnen, so ist auch die Gemeinde das Kampffeld zwischen dem Neuen und dem Alten.

7. Die neue Gemeinschaft stellt das neue Leben noch nicht perfekt dar, auch deswegen, weil sie es lebt in der noch unveränderten alten Welt, also unter den Bedingungen des alten Aeon, an denen sie teilhat; d. h. sie lebt noch a) unter den Bedingungen der Mangelgesellschaft und b) in einer unerneuerten Menschheit, in der böser Wille Realität ist. Das hat zur Folge: Sie und ihre Glieder nehmen teil an der Selbsterhaltung vermittels des Kampfes ums Dasein, der Konkurrenz, der gegenseitigen Verdrängung, am objektiven Schuldigwerden am Leben anderer. Sie muß deshalb die Regulierungen bejahen, die in der Mangelgesellschaft das soziale Leben ermöglichen durch Rechtsetzungen, durch Sanktionen gegen böses Tun, durch Staat und durch Gewaltanwendung. Ihre Bejahung muß sich auch ausdrücken in der Bereitschaft, diese Regulierungen mitzuvollziehen und mitzugestalten, sich mit ihnen die Hände schmutzig zu machen: Sie ist hinein verflochten in den politischen und sozialen Kampf und seine Gegensätze.

8. In der von den Kämpfen zerrissenen Menschheit ist sie eine übergreifende Gemeinschaft, d. h. ihre Brüderlichkeit übergreift die Gegensätze: die Trennungen der Nationen, Rassen und Klassen. *Kann sie das?* Kann sie das, ohne die Menschen herauszulösen aus den getrennten Kollektiven (etwa in klösterlicher Weise)? Und, da sie das nicht kann, solange die Mangelgesellschaft andauert, – ist dann ihre Gemeinschaft eine andere als eine fiktive, lediglich spirituelle und nicht somatische? Ist Gal 3, 28 (Kol 3, 10–11) mehr als nur eine ideologische Verschleierung der doch weiter bestehenden Gegensätze? Daran wird die Außerordentlichkeit des Unternehmens der christlichen Gemeinde deutlich, seine Problematik und seine Gefahr:

a) Sie muß es unternehmen; denn nur so ist sie Antizipation der Überwindung der Trennungen, des kommenden Reiches, Anmeldung des verbindenden Menschseins: *Jetzt* schon sind wir Menschen, die miteinander und nicht gegeneinander leben sollen; dies muß jetzt schon in Angriff genommen werden, weil es jetzt schon gilt.

b) Dadurch steht sie gegen die Verabsolutierung der Trennungen zum Freund-Feind-Gegensatz, bezeugt das Übergreifende der Verantwortung eines jeden Menschen für jeden Menschen, auch für den im feindlichen Lager. Durch dieses Gegenstehen mildert sie die Gegensätze, macht in der bestehenden Konkurrenz Kompromisse möglich, die das Miteinanderleben jetzt schon ermöglichen.

c) Kriterium dafür, ob das mehr als ideologische Verschleierung ist, wird sein, ob dadurch der Status quo befestigt wird oder ob er, indem er tatsächlich erträglicher wird, zugleich auch unerträglicher wird, – ob die hier geschehende Lebenshilfe eine Hilfe ist, sich mit dem Status quo abzufinden, oder eine Anbahnung seiner Überwindung. Wo brüderlich gelebt wird und Privilegien in den Dienst der Nicht-Privilegierten gestellt werden, wird die unbrüderliche Privilegiengesellschaft unerträglich und auf ihre Überwindung hingearbeitet.

9. Durch das neue Leben in den alten Strukturen werden diese in Frage gestellt und verändert:

In Frage gestellt in ihrer Behauptung, im Wesen unveränderlich zu sein, also als Strukturen der Herrschaft und der Ausbeutung durch alle Veränderung ihrer Formen sich durchzuhalten. *Verändert,* sofern sie jetzt nur noch Rechtsformen sind, in denen ein neues, anderes Leben sich abspielt: In der Bruderschaft stellt der durch das gesellschaftliche (patriarchalische und feudale) Recht obenhin Gestellte seine Rechte und seine Macht den unten stehenden Brüdern zur Verfügung, dient der Obere den Unteren. Das gemeinsame Leben in der Gemeinde mit ihrer Gleichberechtigung wirkt stärkend und korrigierend ständig darauf hin, daß dies wirklich geschieht. Der Widerspruch der Rechtsform und des neuen Inhalts (der neuen Lebensweise) ist eine Gestalt des Kampfes zwischen dem Alten und dem Neuen. Eben darum ist wichtig, daß die Gemeinde als übergreifende Gemeinschaft die durch die Rechtsformen Getrennten miteinander zur Bruderschaft vereint. Dadurch wird aus einem Kampf der einen gegen die anderen

a) ein Kampf, der sich in der Brust eines jeden vollzieht: der Kampf der Bruderschaft gegen die Unbrüderlichkeit (die ja in jedem sitzt, auch in den Unteren, und deshalb einen Sieg der Unteren über die Oberen nicht zu einem Sieg der Bruderschaft, sondern nur zu einem Sieg neuer Unbrüderlichkeit werden ließe) – und

b) ein Kampf beider gemeinsam gegen den von den Rechtsformen ausgehenden Zwang zur Unbrüderlichkeit, zunächst so, daß das Recht dieser Rechtsformen nicht mehr von dem Obenstehenden unbrüderlich benützt, insofern also für das Zusammenleben beider in Haus und Gemeinde gegenstandslos wird, und dann so, daß sie die widersinnige, d. h. wider den Sinn der Bruderschaft gerichtete Rechtsform überhaupt abzuschaffen bestrebt sind.

10. Thielickes These lautet: Der Veränderung der Strukturen muß die Veränderung der Individuen vorangehen, wenn sie eine Veränderung zum Guten werden soll; die Veränderung der Individuen aber ist der Sprengstoff, der schließlich auch die Veränderung der Strukturen erzwingen muß: »Dies gewandelte Herz ist die Keimzelle der Weltveränderung.«[3] Abgesehen davon, daß hier an die Stelle der Dialektik von Änderung des Individuums und Änderung der Strukturen eine einlinige Kausalität gesetzt wird, was nur durch großzügige Mißachtung des Marxismus ermöglich ist, bleibt erstaunlich, daß Thielicke nicht fürchtet, von der Historie gerade an seinem Exempel der Sklaverei widerlegt zu werden: Das Institut der Sklaverei blieb in »christlichen« Ländern bis in die Mitte des 19. Jahrhunderts erhalten, und so unentbehrlich bei seiner Überwindung eine moralische Vorbereitung durch christliches Engagement gewesen ist (J. Wesley, Wilberforce, immerhin auch H. Beecher-Stoowe), so wenig genügte diese, um die Sklaverei sich friedlich auflösen zu lassen; ein blutiger Bürgerkrieg war in den USA nötig, um sie wenigstens als Rechtsform abzuschaffen, ohne daß damit der Inhalt, die Unterdrückung, Ausbeutung und Nicht-Gleichberechtigung überwunden gewesen wäre. – Dies aber ist schon die Frage beim Blick auf die alte Kirche: Warum hat damals die Ausbreitung des Christentums, obwohl mit starken geistigen Kräften und von großer Martyriumsbereitschaft begleitet, diese Struktur der manifesten Unbrüderlichkeit *nicht* so unterminiert, daß sie schließlich dahingefallen wäre? Die für die Urchristenheit angegebenen Hindernisse der Bald-Erwartung der Parusie und der Kleinheit der Gemeinden standen dem ja nun nicht mehr entgegen. Daß dies ein verhängnisvolles Versagen der Christenheit spätestens ab Konstantin gewesen ist, kann nicht geleugnet werden. Die ungebrochen vorgetragene Behauptung Thielickes und vieler anderer von der Reihenfolge: Revolution der Herzen – Revolution der Strukturen (und diese eben deshalb allein auf die friedliche Weise) erweist sich als von der Geschichte mindestens für viele Fälle widerlegt, also mindestens nicht allgemeingültig, darum – wenn als allgemein gültig vorgetragen – als bourgeoise Illusion und als konterrevolutionäre Vertröstung der Unterdrückten auf den St. Nimmerleinstag.

11. Eine historisch-materialistische Überlegung verhindert moralisches Verdikt über frühere Generationen: Nicht ist zu allen Zeiten alles möglich. Produktionsverhältnisse entsprechen den vorhandenen Produktivkräften und werden überwindbar nur nach Maßgabe der weiteren Entwicklung der Produktivkräfte. Die antike Gesellschaft war auf der Sklaverei aufgebaut; deren Aufhebung lag weder im wirtschaftlichen noch im moralischen Horizont. Eben deshalb sprang der Entwurf einer brüderlichen Gemeinde aller Menschen weit über diesen Horizont hinaus – und war zugleich, sofern die Glieder Herren und Sklaven blieben, in der Realisation durch diesen Horizont begrenzt. Allgemeine Abschaffung der Sklaverei wäre aber durch einen allmählichen Prozeß denkbar gewesen, für den von den sich ausbreitenden Christengemeinden der moralische Druck hätte ausgehen müssen. Das Gleiche gilt für die späteren Epochen: Es gab kein kräftiges kirchliches Gegengewicht gegen die weitgehende Ausdehnung der Fronherrschaft über die freien Bauern, gegen die Einführung der Sklaverei in den neuen Kolonien, gegen den Sklavenhandel zur »Neuen Welt«. Viel stärker als die Infragestellung war die ideologische Rechtfertigung durch Theologen und durch die offizielle Kirche. Der durch Jahrhunderte andauernde Grund dafür ist, daß seit Konstantin die vorher in der Kirche abwesenden gesellschaftlichen Oberschichten die Regie in der Großkirche übernahmen. Sie beschränkten lebensändernden Einfluß des Evangeliums auf punktuelle Momente der politischen Moral, auf den Widerstand gegen die Entwicklung des Zinswesens und auf die offizielle Ehemoral; sie beförderten die Spiritualisierung und Individualisierung der christlichen Heilsbotschaft und der christlichen Ethik und die Dogmatisierung, d. h. das Verständnis des Glaubens als eines Fürwahrhaltens kirchlicher Lehren und die Verhüllung der von der Urkirche noch deutlich gesehenen gesellschaftlichen Implikationen des Evangeliums[4]. – Die Reformation hat Mißstände, die aus der Funktion der Kirche als Agentur der Oberschichten im Mittelalter resultierten, z. T. überwunden, mit der Individualisierung und Dogmatisierung aber trotz einiger Ansätze (auch bei Luther) nicht wirklich zu brechen vermocht und machte die Kirche z. T. (bes. im calvinistischen Bereich) zu einer Agentur der Mittelschichten. Der Sozialismus ist seit Mitte des 19. Jahrhunderts die Anfrage an die Kirchen, ob sie sich aus der babylonischen Gefangenschaft ihrer Bindung an die besitzenden und herrschenden Schichten freizumachen vermögen und statt dessen die Partei der Unterschichten ergreifen, weil allein mit der Durchsetzung von deren Interessen die Gesellschaft auf Brüderlichkeit aller real hinbewegt werden kann.

12. Noch einmal zurück zum *Urchristentum:* Innerhalb des durch die Nicht-Abschaffbarkeit von Sklaverei und Besitzunterschieden bestimmten Rahmens haben sich die urchristlichen Gemeinden dafür entschieden, *nicht* esoterische Gemeinschaften zu bilden, in denen diese Unterschiede aufhebbar gewesen wären, die aber nach außen wirkungslose Kuriositäten geblieben wären (z. B. die Essener); weil sie sich zwar aus der Welt herausgerufen, zugleich aber in die Welt gesandt wußten, insofern also gerade nicht heilsegoistisch dachten, hielten sie sich offen für Besitzende wie Nicht-Besitzende, für Herren wie Sklaven. Das bedeutet:

a) Sie richteten ihre neue Lebensweise nicht als ein formales, darum äußerlich zu erfüllendes Gesetz für die in die Gemeinde Eintretenden auf; sie waren Gemeinden der Freiheit und trauten deshalb dem Wirken des befreienden Geistes Christi zu, daß die innere Bindung an gesellschaftliche Privilegien durch das ständige Hören des Evangeliums und das neue Miteinanderleben gebrochen werden wird.

b) Sie zogen die Privilegierten in die gemeinsame bruderschaftliche Verantwortung aller für alle, – eine Haltung, die sich auch nach außen auf die jeweiligen Klassengenossen der einzelnen Gemeindeglieder auswirken sollte und konnte. Dies war ein Vorgang von bis dahin unerhörter Humanisierung der Beziehungen inmitten inhumaner Klassenbeziehungen und Rechtsformen. Getretene, rechtlose Sklaven wurden als gleichberechtigte Menschen anerkannt, bekamen Selbstbewußtsein zugesprochen, und Sklavenbesitzer mußten umlernen, ihre Privilegien als Dienstmöglichkeiten für die Unterprivilegierten einzusetzen. Beiden wurde durch Verkündigung und gemeindliche Lebensgemeinschaft innere Befreiung von ihrer äußeren Klassensituation vermittelt, die sich in neuem Miteinanderleben äußern mußte: Die Privilegierten sollten ihre Privilegien gebrauchen, als besäßen sie sie nicht (1 Kor 7, 29–31), und die Unterprivilegierten sollten sich trotz Armut und Abhängigkeit als befreite Menschen erkennen, aus Befehlsempfängern zu selbstverantwortlichen Menschen werden, die selbst als Sklaven, unter »sonderbaren Herren« (1 Petr 2, 18) oder gar im Bergwerk und auf der Galeere gegenüber Herren wie Leidensgenossen sich als Menschen erweisen, die den anderen durch ihr Verhalten zum Menschwerden dienen. Der Weg geht von innerer Freiheit zur Freiheit des Sich-Äußerns und ist unabhängig von dem äußeren Rahmen gesellschaftlicher und rechtlicher Freiheit. Das Evangelium als Zusage solcher inneren Befreiung zu einem neuen äußeren Verhalten ist von größter Bedeutung gerade in Situationen nicht-behebbarer äußerer Unfreiheit (Gefängnis, KZ, Krankheit, Sklaverei; vgl. »Und führen, wohin Du nicht willst«, und »Du hast mich heimgesucht bei Nacht«).

13. Die Unabhängigkeit der inneren Freiheit von der äußeren, bzw. den äußeren Freiheiten (vgl. die englische Unterscheidung zwischen freedom – nur im Singular möglich – und liberty bzw. liberties) bedeutet nicht Uninteressiertheit an der äußeren Freiheit und williges Sich-Abfinden mit ihrem Fehlen. Sie hat vielmehr den Wunsch nach äußerer Freiheit zur Folge und ist die Voraussetzung für den Kampf um äußere Freiheit:

a) Die Behauptung, daß unfreie Verhältnisse die Menschen zwangsläufig unfrei machen (daß Fehlen von liberties Unmöglichkeit von freedom zur Folge habe) und daß deshalb die Rede von der inneren Freiheit eine Ideologie der Beschwichtigung sei, um den Kampf für äußere Freiheit zu hindern, trifft erweislich nicht zu. Allerdings produziert äußere Unfreiheit massenhaft innere Unfreiheit, sie tut dies aber nicht zwangsläufig und unvermeidlich. Märtyrer und Bekenner aller Art in Ketten und angesichts des Todes, die freudeerfüllten Gefängnisbriefe des Paulus und vieler anderer sind leuchtende Gegenbeweise. Hier ereignete sich aus dem Inneren eine souveräne Überwindung der inneren Folgen äußerer Unfreiheit: der Angst, Feigheit, Verzweiflung, knechtischer Gesinnung, des Befehlsempfängertums. An ihre Stelle trat Überlegenheit über die Situation, Freudigkeit, Freimut, Ausdauer, Verantwortung, Mut, Hoffnung, Menschlichkeit. Wo geknechtete Menschen sich aufmachen, für ihre äußere Befreiung zu kämpfen, muß bei ihnen zuerst, wenigstens stückweise, solche innere Befreiung erfolgen. Darum greift die Behauptung von der Unmöglichkeit oder Bedeutungslosigkeit innerer Freiheit unter äußerer Unfreiheit an die Wurzeln des sozialistischen Kampfes, der vielmehr davon lebt, daß Menschen schon in Ketten innerlich frei werden und eben darum zu kämpfen beginnen. – Andererseits garantiert äußere Freiheit nicht die innere Freiheit. Äußerlich freie Verhältnisse begünstigen den aufrechten Gang, wie unfreie Verhältnisse knechtische Gesinnung begünstigen; denn wir stehen (was Thielicke ignoriert, als sei es unwesentlich) ständig unter dem Einfluß der äußeren Verhältnisse, unter ihren Erleichterungen wie unter ihren Versuchungen, unter ihrer Hilfe wie unter ihrem Druck. »Die Hälfte der Tugend verliert der Mann in der Knechtschaft« (Homer) – ja, aber nicht automatisch, nur wenn nichts anderes ihn schützt und ihm hilft. Ebensowenig automatisch produzieren freie Verhältnisse freie Menschen; der Möglickeiten, auch unter freien Verhältnissen ein versklavter Mensch zu sein, innerlich und darum unfrei sich äußernd, sind unendlich viele. Die Hälfte der Tugend und mehr kann der Mensch auch in der Freiheit verlieren.

b) Dies muß nicht Gleichgültigkeit gegen die äußere Freiheit zur Folge haben, weder gegen die eigene noch gegen die der anderen. Sklaverei setzt der Versuchung zum Unfreiwerden oft übermächtig aus und hindert zugleich auf vielfältige äußere Weise an dem Sich-Äußern der inneren Freiheit im Dienst an den anderen, den der von sich selbst Befreite zu tun begehrt. Wer innerlich befreit ist, kann äußere Unfreiheit ertragen, ihren Versuchungen widerstehen, in ihrem Rahmen seine Freiheit zur Liebe äußern; er kann sie aber nicht wünschen, und er wird darum auch nach äußerer Freiheit verlangen. – Ebenso verlangt er nach der äußeren Freiheit der anderen; denn er sieht, wie äußere Unfreiheit die Menschen massenhaft auch innerlich unfrei macht, im Charakter verkrüppelt, ihnen den Reichtum des Lebens entzieht, ihnen die Möglichkeit, einander Gutes zu tun, nimmt, sie auf ihren Egoismus zurückwirft. Er wird also dafür kämpfen, daß freedom und liberty übereinstimmen, und er ist eben dazu durch seine innere Freiheit instandgesetzt.

14. Diese »Freiheit der Gebundenen« hat Paulus (1 Kor 7, 22 f) den Sklaven zugesprochen. Ein Beweis für die Wirklichkeit der Bruderschaft in der Gemeinde ist eben dies, daß er, der Privilegierte, der freie civis Romanus, dies den Sklaven sagen konnte, offenbar ohne fürchten zu müssen, sie würden dies mürrisch zurückweisen (»Du hast leicht reden!«) oder als Versuch verdächtigen, sie im Interesse der Herrenklasse dumm zu machen. Daran wird auch die Bedingung sichtbar, unter der allein ein äußerlich Freier einen äußerlich Versklavten auf das »Freisein in Christus« glaubwürdig verweisen darf: nur wenn die Bruderschaft zwischen beiden intakt und von Seiten des Privilegierten die Solidarität mit dem Nicht-Privilegierten durch ein Sich-Äußern seines Freiseins gegenüber seinen Privilegien manifestiert ist. – In der Geschichte der Kirche bis zum heutigen Tag ist die Verkündigung der inneren Freiheit, da sie ein Wesensmoment des Evangeliums ist, ein zentrales Motiv der christlichen Predigt. Sie ist aber diskreditiert dadurch, daß sie zur Anrede an die Unterprivilegierten im Interesse der Privilegierten verwendet wurde und wird, mit dem Ziel, die äußere Freiheit zu vergleichgültigen, das Verlangen nach ihr zu dämpfen und den Kampf um sie zu lähmen und zu diffamieren. So wurde sie ideologisches Mittel zur Erhaltung des unfreien Status quo, ebenso wie die Predigt der Gewaltlosigkeit, adressiert an die Unterdrückten, um ihnen, nicht aber den Unterdrückern die Waffen aus der Hand zu winden. Nur wer als Privilegierter dafür kämpft, daß aller Unterschied der Privilegierung beseitigt wird, und bereit ist, dafür seine Privilegien einzusetzen und in diesem Kampf sie zu verlieren, kann unideologisch vom Sieg der inneren Freiheit über die äußere Unfreiheit sprechen.

15. Die urchristlichen Gemeinden lebten als von der Umwelt deutlich unterschiedenes Kollektiv (die Disziplin der Nachfolge Christi drückte sich in Erwachsenentaufe und Gemeindezucht aus), waren aber nicht abgeschlossene Sekten. Wichtig ist für sie gerade die Verbindung von Abgegrenztheit und Offenheit nach außen. Brüderliches Verhalten beschränkt sich nicht auf das Innenleben der Gemeinde, auf die Glaubensbrüder. Wie nach innen, so nach draußen sollen die Gemeinden »das Gute vollbringen gegen jedermann« (Gal 6, 10). Die von Paulus hier angefügte Bemerkung: »am meisten aber gegen die Genossen des Glaubens« meint sicher nicht, daß das Tun des Guten in kollektivem Egoismus den Gemeindemitgliedern mehr als anderen erwiesen werden solle und den übrigen Menschen nur nebenher und nur, soweit Kraft und Mittel dann noch reichen; gemeint ist: Das Tun des Guten muß im neuen Sozialleben der Gemeinde anfangen und hier sich zuerst realisieren; von hier aus muß es dann auch nach draußen dringen; wird reale Brüderlichkeit nicht in der Gemeinde geübt, dann wird sie auch denen »draußen« nicht zuteil werden. Die Kirchengeschichte hat das bestätigt: Als nach der konstantinischen Wende die Gemeinden als abgegrenzte, real brüderlich lebende Kollektive in der Masse der christianisierten Bevölkerung verschwanden und die Kirche zu einer Anstalt der Herrschaftsgesellschaft wurde, verschwand auch die Auswirkung des brüderlichen Lebens auf das gesellschaftliche Leben, und »die draußen«, d. h. Juden und Heiden, bekamen nicht die Brüderlichkeit der Christen zu spüren, sondern den mörderischen Hochmut der Heilsbesitzer gegen die angeblich Heillosen.

16. Neutestamentlich ist die Funktion der Gemeinde in der Gesellschaft mit dem deutlichen Bild von Salz und Licht (Mt 5, 13–14) gekennzeichnet. Das Bild beschreibt
a) ein Sich-Verschwenden (Salz) in die Umwelt hinein, ohne Sorge der Selbsterhaltung, als wäre die Gemeinde ein Selbstzweck. Was die Gemeindeglieder durch die neue gemeindliche Lebensweise an Lebenshilfe gewinnen, soll sie nicht zu Privilegierten neuer Art machen, sondern soll »jedermann« zugute kommen, also auch die unmenschlichen Strukturen der Umwelt verändern.
Das Bild beschreibt
b) ein Sichauswirken, ein Ausstrahlen (Licht) über den eigenen Lebensbereich hinaus: Wo brüderliche Gemeinde real lebt, erweckt sie über ihren Kreis hinaus, also auch bei den Nicht-Glaubenden, den Geschmack für Brüderlichkeit, Freiheit, Toleranz, – eröffnet die Phantasie für neue Möglichkeiten gesellschaftlichen Lebens, für antiautoritäre und solidari-

sche Möglichkeiten und verdirbt den Geschmack an den bisherigen Herrschafts- und Ausbeutungsstrukturen. Die urchristlichen Gemeinden verstehen sich laut ihrer neutestamentlichen Aussagen als abgesondert von der alten Umwelt durch neue Lebensweise, als missionarisch-offen zu dieser Umwelt hin, als kritisches Gegenbild zu den alten Strukturen, als ausstrahlendes Salz und Licht, das die alte Welt nicht beim Alten läßt. Geht es im Sozialismus um die annäherungsweise Verwirklichung einer freien, brüderlichen, herrschaftslosen und solidarischen Gesellschaft, um Überwindung der aus dem Mangel resultierenden unsolidarischen Privilegiengesellschaft, dann ergibt sich am Muster der Urchristenheit: Evangelium impliziert die Tendenz auf Sozialismus hin, den Bruch mit der Klassengesellschaft, Gegensatz zur feudalen und zur bürgerlich-kapitalistischen Lebensweise. Das bedeutet für die durch das Evangelium gesammelte Gruppe, die Gemeinde und jeden einzelnen Christen die Forderung, in jeder gegebenen Zeit zu prüfen, wieweit die Überwindung der Klassengesellschaft heute möglich und dringlich ist, was dazu getan werden kann und muß und mit welchen anderswoher kommenden gesellschaftlichen und politischen Gruppen für dieses Ziel zusammengearbeitet werden muß.

Anmerkungen:

1. Z. B. bei *E. Fromm,* Das Christusdogma, 1965, 54 ff.
2. So *H. Marcuses* Luther-Deutung – 1935 – in: Ideen zu einer kritischen Theorie der Gesellschaft, es 300, 1969, 55–68.
3. *H. Thielicke,* Können sich Strukturen bekehren?, in: ZThK 66/1969, 98–114; hier 113 f.
4. Vgl. *S Kierkegaard,* Tagebücher, 1845: »Als das Christentum nicht Lehre war, als es ein paar dürftige Sätze war, die man aber im Leben ausdrückte: da war Gott der Wirklichkeit näher, als da das Christentum Lehre wurde. Und jede Vermehrung und Ausschmückung der Lehre entfernt Gott mehr.« – *K. Farner,* Theologie des Kommunismus, 1969, 22: »Von den Geboten Jesu ist eigentlich nur das der Nächstenliebe im Sinne einer Teilhabe an fremder Not dem Gewissen von Millionen Christen eingeprägt, über die Fülle der anderen Forderungen Jesu, wie Verzicht auf Reichtum, Macht, Ehre usw. geht der Mensch der christlichen Konfession im allgemeinen völlig unbeschwert hinweg, obwohl jene Forderungen die genaue Absicht Jesu wiedergeben und nach Jesu Ansicht erfüllbar sind.«

Muß ein Christ Sozialist sein?

»Sozialisten können Christen sein; Christen müssen Sozialisten sein.«
Adolf Grimme hat diesen Satz 1946 als sein persönliches Bekenntnis und
als Leitsatz für das Verhältnis zwischen Sozialismus und Christentum
formuliert[1]. Als er von mir 1971 nur zur Diskussion gestellt wurde,
ergaben sich die heftigsten Reaktionen, und zwar nicht aus dem Lager der
Sozialisten, sondern aus dem Lager der Christen. Der Abstand, den die
dazwischenliegenden 25 Jahre geschaffen haben, läßt sich nicht deutlicher
kennzeichnen. Die unmittelbare Nachkriegszeit, die Gemeinsamkeit des
Hungerns, der Niederlage und der materiellen Verluste ließen ein gemeinsames Tragen der Nöte und der Lasten des Wiederaufbaus als das einzig
Mögliche, Gerechte und Aussichtsreiche erscheinen. So bekam das Wort
Sozialismus, von der Roßtäuscherei des National-Sozialismus befreit,
neuen Glanz. An ihm wollte jeder teilhaben. Als Sozialist sich zu bekennen brachte kein Risiko. In die Parteiprogramme und in die Länderverfas-
sungen drangen Sozialisierungsforderungen ein. Über diese Forderungen
hinaus blieb freilich vage, was mit Sozialismus, mehr christlich oder mehr
marxistisch getönt, gemeint war – außer bei den Kommunisten und bei
den wenigen anderen Marxisten, die die marxistische Theorie, wenn auch
ohne Weiterentwicklung, durch die faschistische Liquidation des deutschen Marxismus hindurchgerettet hatten. Adolf Grimme selbst freilich
meinte das Wort in einem entschiedenen Sinne, durchaus die Umwälzung
der privatkapitalistischen Besitzverhältnisse einschließend. Das beweist
sein im Zuchthaus während des Krieges konzipiertes, posthum erschiene-
nes Buch »Sinn und Widersinn des Christentums«[2], in dem er die Tradition des religiösen Sozialismus, in der er stand, eigenständig weiter-
führte.
Heute dagegen ist Sozialismus in den gleichen Bevölkerungsschichten, die
damals in offener Bereitschaft standen, zu einem Schreckwort geworden,
tauglich für jede antireformerische Propaganda. Dafür wirkten zusammen
die Diskreditierung des östlichen Sozialismus durch seine Unfreiheit und
seinen Mangel an ökonomischer Effizienz und die augenscheinliche Bewährung der »freien Marktwirtschaft« durch den raschen Wiederaufbau

und den Massenwohlstand, schließlich auch das Erschrecken über die Neue Linke, die sich weigert, die allgemeine Schlußfolgerung aus dem negativen Anschein des östlichen Sozialismus und dem positiven Anschein des westlichen Kapitalismus auf Untauglichkeit des sozialistischen Programms mitzumachen; vehemente Kapitalismuskritik und entschlossene Zielsetzung einer klassenlosen Gesellschaft geben dem Wort Sozialismus nun wieder Konturen, die freilich ungewohnten Gemütern keineswegs sofort anziehend erscheinen. Daß Christen Sozialisten sein müssen, hört sich deshalb 1971 sehr viel schockierender an als 1946. Man sieht daran, wie vergessen die Religiösen Sozialisten sind in ihren heute überall mit ehrendem Gedenken geschmückten Prophetengräbern; denn Hermann Kutters: »Sie müssen!« (1903) – nichts anderes als Grimmes Satz – war ja auch ihre Parole. Man sieht daran, wie sehr Kirche und Theologenschaft sich mit dem restaurierten Kapitalismus der fünfziger und sechziger Jahre arrangiert haben: so sehr, daß sie (einschließlich der sozialethischen Literatur dieser Epoche) keine Phantasie mehr haben, über ihn hinauszudenken, und schockiert sind, wenn andere es tun.

II

Wie auch immer zunächst die Reaktion auf ihn sein mag, der Sachgehalt des Grimmeschen Satzes ist in Ruhe zu prüfen. Sein erster Teil – *»Sozialisten können Christen sein«* – ist, wenigstens im vordergründigen Sinne, kaum von jemandem bestritten. Die sozialistischen Parteien, einschließlich der leninistischen, haben ihn, seit Friedrich Engels Eugen Dührings Forderung eines Religionsverbotes für die sozialistische Bewegung als »preußischen Sozialismus« abwies, immer bejaht: Auch Christen können Mitglieder der sozialistischen und kommunistischen Parteien sein[3]. In einem tieferen Sinne freilich wird der Satz von der immer noch weithin herrschenden Tradition des offiziellen Marxismus nicht konzediert: Ob wir das Wort »Sozialist« auf den sozialistischen Kämpfer in der Gegenwart oder auf das Mitglied einer sozialistischen Zukunftsgesellschaft beziehen – wer Sozialist im Vollsinn sein will, kann nicht zugleich Christ sein; er muß für die Religion und die Religion muß für ihn »abgestorben« sein; solange er noch beabsichtigt und es vermag, gleichzeitig Sozialist und Christ zu sein, lebt er in der inkonsequenten Verbindung von Elementen der Zukunft mit Elementen der Vergangenheit, die die Partei im Vertrauen auf ihren aufklärenden Einfluß tolerieren kann – solange die religiösen Elemente der Vergangenheit die Wirksamkeit der sozialistischen Elemente der Zukunft nicht beeinträchtigen.

Nicht geringer waren die Vorbehalte auf kirchlicher Seite. Zwar hat es im protestantischen Lager immer Befürworter der Vereinbarkeit von Christentum und Sozialismus gegeben, aber das war eine Minderheit, die 1933 samt den übrigen Sozialisten zum Schweigen gebracht wurde, ohne daß dies die Sympathien der Mehrheit von Pfarrerschaft und Kirchenvolk für das, was sich damals »nationale Revolution« nannte, gedämpft hätte. Auch nach 1945 bedurfte es noch geraumer Zeit, bis die Überzeugung, daß Christen Sozialdemokraten sein können, ihre heutige Selbstverständlichkeit erreichte. Im katholischen Lager ist es bekanntlich noch nicht einmal soweit. Daß die SPD für einen Katholiken wählbar sei, wird kirchenamtlich mal konzediert, mal wieder, mehr oder weniger verhüllt, zurückgenommen, wenn die Konzession für Interessen der Amtskirche oder der von ihr begünstigten Partei gefährliche Folgen befürchten läßt. Die päpstlichen Sozialenzykliken haben vor *Populorum progressio* (1967) die Vereinbarkeit von Sozialismus und Katholizismus bestritten. Die Exkommunikation praktizierender Kommunisten durch Pius XII. zeigte eine engere Toleranzgrenze der katholischen Amtskirche im Vergleich mit den kommunistischen Parteien, die die Exkommunikation praktizierender Katholiken nie vollzogen haben (freilich solche Mitglieder auch nicht in die höheren Ränge der Partei aufsteigen ließen). Don Camillo und Peppone konnten zwar auf der lokalen Ebene einen human-christlichen modus vivendi miteinander finden, aber doch mit dem gegenseitigen Einverständnis, daß man Priester und Kommunist nicht in Personalunion sein könne.

Eben gegen dieses Einverständnis geht der erste Teil des Grimmeschen Satzes an, und das läßt ihn auch heute noch umstritten sein. Grimme hatte zwar zunächst die 1946 noch nicht selbstverständliche Wahrheit der Vereinbarkeit von Sozialdemokratsein und Christsein im Auge, aber über diesen unmittelbaren politischen Sinn hinaus war hier »Sozialist« in einer radikaleren Weise gemeint. Grimme stand mit seinen Sympathien auf dem linken Flügel der SPD und hatte keine Ressentiments gegen den Marxismus. Sozialismus umschloß für ihn die Aufhebung des Privateigentums an den Produktionsmitteln und das Ziel einer klassenlosen Gesellschaft. Er war sich natürlich darüber im klaren, daß die Verbindung von Sozialistsein und Christsein auch am traditionellen Marxismus etwas ändern werde: Wird ein Marxist Christ, so gibt er damit nicht automatisch seine marxistische Überzeugung auf, sofern sie ein sozialrevolutionäres Programm enthält; er stößt aber ihre weltanschauliche Ambition einer Ablö sung aller Religion, also ihren Atheismus, ab und läßt durch sein Christsein seine Kampfmethoden humanisierend korrigieren. Daß Sozialisten Christen sein können, besagt die Vereinbarkeit sozialistischer Revolution mit christlichem Glauben und sprengt zugleich die bisherige Verbindung von Marxismus mit obligatem Atheismus. Solange sie bestand und soweit sie noch besteht, geht die Verbindung von Marxismus und Christentum nicht über die Kategorie des Bündnisses hinaus, und es ist schon viel erreicht, wenn von beiden Seiten wenigstens dieses Bündnis als ein in der Konvergenz der beiderseitigen Zielrichtungen begründetes ernst genommen und durchgehalten wird. Christen und Marxisten haben einander immer wieder enttäuscht durch Aufkündigung des Bündnisses, sobald es für die eigene Seite lästig wurde, oder sobald man meinte, nicht mehr darauf angewiesen zu sein. Sie sollten sich beide klar sein über die Wahrheit von Roger Garaudys Worten: »Die Zukunft des Menschen kann nicht gegen die Gläubigen, nicht einmal ohne sie erbaut werden; die Zukunft des Menschen wird nicht gegen die Kommunisten, nicht einmal ohne sie erbaut werden können.«[4] Aber solche Worte kommen immer noch aus dem bisherigen Gegenüber von zwei Lagern, die entweder miteinander Krieg führen oder sich verbünden und zwischen denen der einzelne zu wählen hat. Daß Sozialisten Christen sein können, darf aber nicht nur gelten für allerlei Spielarten eines christlichen oder demokratischen Sozialismus, die es nie zu genügender Bestimmtheit ihrer sozialistischen Theorie und Praxis gebracht haben. Es muß auch gelten für den Marxismus. Damit wird die bisherige Verbindung von Marxismus mit obligatem Atheismus gelöst und der Marxismus auf seine Politökonomie und sein sozialrevolutionäres Programm beschränkt; die Ambition, die Religion abzulösen, fällt weg. Ob dies ohne Schaden für den Marxismus möglich sei, ist Inhalt einer lebhaften innermarxistischen Diskussion, bei der die Bejahung dieser Frage besonders von christlichen Marxisten vertreten wird, aber doch auch von solchen Marxisten, die, ohne Christen zu sein, skeptisch geworden sind gegenüber der behaupteten Wissenschaftlichkeit des dialektischen Materialismus, gegenüber solcher Extrapolation zur Weltanschauung; sie erkennen zu deutlich, wie hier der Marxismus zum Religionsersatz wird, indem religiöse Bedürfnisse einfließen und die Gefahr des Dogmatismus und des Fanatismus mit sich bringen, und sie sehen das Handikap, das ein solcher traditioneller Marxismus mit seinem europäischen Atheismus-Erbe seiner Agitation und Ausbreitung in den anderen Kontinenten selber schafft.

Außerhalb Westdeutschlands ist die Vereinbarkeit von Marxistsein und Christsein schon für viele zur Selbstverständlichkeit geworden, und auch innerhalb der Bundesrepublik hat sich durch das Aufkommen der Neuen Linken die Lage verändert. In den romanischen Ländern Europas und Lateinamerikas, in Afrika und Asien gibt es eine nicht geringe Anzahl Christen, auch von Pastoren und Priestern, die Mitglieder kommunistischer Gruppierungen sind. Die weltanschaulichen Differenzen treten zurück, die politische Praxis vereinigt. Statt des früheren Dialogs zwischen Christen und Marxisten als Vertretern verschiedener weltanschaulicher Lager ist vielfach schon, wie Günther Nenning[5] richtig bemerkt, »diese Art von christlich-marxistischer Personalunion nun regelhaft geworden. Tausende vollziehen sie mit Selbstverständlichkeit, insbesondere junge Menschen, insbesondere auch in den Ländern mit starkem katholischen, starkem kommunistischen Hintergrund, wie Frankreich, Italien, Spanien sowie in Lateinamerika. Erst recht geschieht dies in den Ländern mit vorwiegend protestantischem Hintergrund, insbesondere im angelsächsischen Bereich. Protestantische Theologen wie Paul Tillich vollzogen lange vor der katholischen Entdeckung des Marxismus die christliche Öffnung zum Sozialismus. Die neue, dunkelrote Welle des Sozialismus, Neue Linke oder sonstwie genannt, ist voll von postdialogischen Christen-Marxisten, die nicht mehr reden, sondern handeln.«

III

Grimmes Satz spricht im Blick auf die sozialistische Seite ein pluralistisches Minimalziel aus: Menschen verschiedener Weltanschauung vereinigen sich für ein gemeinsames politisches Ziel, für das sozialistische. Von einem Sozialisten wird nicht verlangt, daß er Christ sei, auch nicht mehr, daß er es nicht sei; er kann es sein, ohne als Sozialist abgewertet zu werden. Für die christliche Seite gibt dagegen der sozialistische Christ Grimme eine Maximalformulierung: *»Christen müssen Sozialisten sein«*, und dieser Teil des Satzes ist es, der verständlichen Widerspruch auslöst.

Mit diesem »müssen« scheinen Christen qua Christen, also im Namen Gottes, gebunden zu werden an ein bestimmtes politisches Programm, gar an eine »Ideologie«, noch dazu an eine solche, die nicht aus christlicher Wurzeln stammt. Und selbst wenn sie aus solchen Wurzeln stammte würde das nichts bessern. Christlicher Glaube verpflichtet auf keine Philosophie, auf keine Art, die Welt anzuschauen, auf keine Gesellschaftsordnung, auf kein Programm. Wo solches unternommen wird, ist christliche Freiheit in ihrer Wurzel angetastet; wo solches zum Inhalt christli cher Verkündigung wird, so daß diese zum Ziel hat, daß Christen Sozialisten werden, wird das Evangelium ins Gesetz verkehrt. Die reformatorische Aufkündigung der Einheit von mittelalterlicher Gesellschaftsordnung und christlichem Glauben, von aristotelischer Philosophie und christlicher Theologie ebenso wie die Verwerfung der deutsch-christlichen These »Christen müssen Nationalsozialisten sein« durch die Bekennende Kirche sind große Bezeugungen der Freiheit des Evangeliums und der Freiheit des Glaubens. Verführt Grimmes Satz dazu, hinter diese reformatorische Emanzipation der Vernunft in ihrem Weltverhältnis durch das Evangelium zurückzufallen, dann ist er zu verwerfen und zu reduzieren auf den Satz: Wie Sozialisten Christen sein können, so können auch Christen Sozialisten sein.

Christen »müssen« überhaupt nichts. Kein Müssen, kein Zwang zu irgendeinem vorgeschriebenen Werk regelt ihr Gottesverhältnis. Der verlorene Sohn muß nicht nach Hause zurückkehren, um sich dadurch die Liebe des Vaters zu erwerben. Der Vater zeigt ihm durch sein Entgegenlaufen, daß er nie aufgehört hat, ihn zu lieben. Seine Liebe hängt nicht an Bedingungen, die erfüllt werden müssen. Sie umgibt den Sohn als die Luft der Freiheit: »Alles, was mein ist, das ist dein.« Draußen »mußte« der Sohn allerlei tun, um sich das Leben zu verschaffen; draußen war er geknechtet von Bedingungen, Vorschriften, Ideologien. In der Liebe des Vaters ist er ein freier Herr aller Dinge. Aber »muß« er jetzt nicht dem Vater dienen? Das Muß der Liebe ist wirklich ein neues, neuartiges Muß: nicht heteronom aufgenötigt, nicht mit der Drohung des Hinauswurfs aus dem Vaterhause, des Liebesentzugs verbunden, ein Muß vielmehr im Empfänger der Liebe selbst, durch die Liebe selbst erweckt und am Leben gehalten, das Muß des Glücks der neuen Verbindung mit dem Vater, der Vereinigung des Sohneswillens mit dem Willen des Vaters, durch die der Sohn spricht: Volo omnia, quae vult deus[6]. Daß es ein neues Muß ist, zeigt sich an zweierlei: Es ist erfüllt mit Freude statt mit Angst – und es wird betätigt in Freiheit: »Ich sage hinfort nicht, daß ihr Knechte seid; denn ein Knecht weiß nicht, was sein Herr tut. Euch aber habe ich gesagt, daß ihr Freunde seid; denn alles, was ich von meinem Vater gehört habe, habe ich euch kundgetan« (Joh 15, 15). Die Christus-Verbindung zwischen Gott und Mensch macht den Jünger Jesu zum Mitwisser des Willens Gottes und zu dem, der diesen Willen liebt und dessen Glück es ist, Mitarbeiter des Vaters zu sein, den väterlichen Willen aufnehmend in den eigenen Willen. Das ist die Autonomie des Sohnes anstelle der Heteronomie des Knechtes.

Was aber ist der Wille des Vaters? Das Leben seiner Kinder. Mein Leben und das Leben der Brüder, das Leben der anderen neben mir, die durch den gemeinsamen Vater meine Brüder sind. Leben ist hier so umfassend gemeint, wie es unser Dank für jede Lebensgabe ausdrückt: das leibliche, das geistige, das geistliche, das soziale und politische Leben, Leben in allen Beziehungen, in denen sich unsere Existenz entfaltet. Der Jünger, dem der Wille des Vaters durch Jesus kundgetan ist, will das Leben derer, die er als seine Brüder erkennt, und will diesem Leben dienen. Er findet sich mit diesen seinen Brüdern in je schon geregelten Gesellschaftsbeziehungen vor. Ihm wird, sobald er seinen Dienst beginnt, die außerordentliche Macht dieser Regelungen rasch offenbar. Je nach ihrer Art begünstigen sie die Entfaltung der Lebensmöglichkeiten aller Brüder, oder sie verhängen über verschiedene Gruppen der Brüder sehr verschiedene Urteile: begünstigen die einen, benachteiligen die anderen. Der Jünger begegnet der Wirklichkeit der Klassengesellschaft. Die Perspektive, mit der er in den Dienst der Mitgestaltung der gesellschaftlichen Regelungen eintritt (daß er dieses Dienstes sich weigert, ist von seiner Jüngerschaft her ausgeschlossen, da sein Dienst, dem Willen des Vaters gemäß, das ganze Leben der Brüder meint und nicht nur einen Lebenssektor), ist die der Veränderung der Klassengesellschaft. Deren Regelungen fällen unterschiedliche Urteile über das Lebensschicksal ihrer Glieder. Das Ziel des Dienstes der Jünger ist eine Gesellschaft, die ihren ungleich begabten Gliedern Gleichberechtigung gibt und jedem Glied die Chance ganzer Lebensentfaltung, in der die Starken den Schwachen helfen, in der die Produktion im Dienste aller steht, in der das Sozialprodukt nicht von einer privilegierten Minderheit abgeschöpft wird, so daß den anderen nur der bescheidene Rest zur Verfügung steht, in der geeignete Regelungen die Freiheit und die gesellschaftliche Mitbestimmung aller sichern und die Entwicklung des gesellschaftlichen Lebens zur gemeinsamen Aufgabe und zum reichen Lebensinhalt aller Mitglieder der Gesellschaft wird. Das Ziel ist eine sozialistische, klassenlose Gesellschaft. Hinsichtlich dieser Zielvorstellung, die zugleich das Kriterium für die Kritik jeder bestehenden Gesellschaft gibt, läßt der Wille des Vaters dem Jünger keine Wahl. Er muß Sozialist sein.

Der historische Materialismus hat energischer als andere Weisen der Geschichtsbetrachtung darauf aufmerksam gemacht, daß nicht zu allen Zeiten alles möglich ist. Die jeweilige Entwicklung der Produktivkräfte setzt unseren Möglichkeiten Maß und Grenze. Historische Traditionen in Denk- und Lebensweise, dazu mächtige Interessen der privilegierten Gruppen begrenzen noch enger. Nicht zu jeder Zeit ist die Überwindung der Klassenteilung gleich möglich. Die enorme Entwicklung der Produktivkräfte in den letzten hundert Jahren macht sie heute möglicher als je zuvor in der Menschheitsgeschichte. Aber auch in früheren Zeiten gab es einen gewissen Spielraum zum Besseren oder zum Schlechteren hin. Die Aufrechterhaltung der Sklaverei nach dem sogenannten »Sieg« des Christentums in der konstantinischen Zeit, die Unterjochung der freien Bauern in die Leibeigenschaft, die Einführung der Sklaverei in der »Neuen Welt« waren Entscheidungen, die durch den Stand der Produktivkräfte bedingt, aber nicht zwangsläufig verursacht waren. Hätte die offizielle Kirche mit ihrer Theologie und Verkündigung den Willen des Vaters in seiner Ganzheit vor Augen gehabt, so wäre sie auf die Seite derer getreten, die die Opfer jener Entscheidungen wurden und die ihnen zu widerstehen versucht haben. Die Zielvorstellung gibt die Tendenz an, in der unter den Bedingungen jeder Epoche das Möglichste für einen Abbau der gesellschaftlichen Vorenthaltungen und Unterprivilegierungen herauszuholen ist.

Wie das zu realisieren ist, in welcher Weise dem zähen Klassenkampf der privilegierten Schichten zu begegnen, und wie ihnen die Besserung der Lage der Unterprivilegierten abzuringen ist, welche Regelungen in Ökonomie, Administration und politischer Machtverteilung dieser geboten Tendenz nützlich sind, ist eine Frage der Vernunft, genauer: der »technischen Vernunft« (Tillich), der Freiheit unserer vernünftigen Diskussion und Verantwortung anheimgegeben. Ob totale Sozialisierung der Produktionsmittel oder partielle, ob Parteiendemokratie westlichen Stils oder Rätedemokratie, ob zentrale Planung oder Gemisch von Planung und Freiheit zu Einzelinitiativen – diese und viele andere Fragen der konkreten Gesellschaftsgestaltung und nicht »vom Evangelium her«, sondern in vernünftiger Ansehung der jeweiligen historischen Bedingungen und Möglichkeiten zu entscheiden. In ihnen wird es Diskussion und Streit auch unter den Jüngern Jesu geben dürfen und müssen. »Die Christengemeinde steht im politischen Raum als solche und also notwendig im Einsatz und Kampf für die soziale Gerechtigkeit. Und sie wird in der Wahl zwischen den verschiedenen sozialistischen Möglichkeiten (Sozial-Liberalismus? Genossenschaftswesen? Syndikalismus? Freigeldwirtschaft? Gemäßigter, radikaler Marxismus?) auf alle Fälle die Wahl treffen, von der sie jeweils (unter Zurückstellung aller anderen Gesichtspunkte) das Höchstmaß von sozialer Gerechtigkeit erwarten zu sollen glaubt.«[7] Karl Barth sagt in der gleichen Schrift[8], daß »das christlich-politische Unterscheiden, Urteilen, Wählen, Wollen, Sicheinsetzen auf der ganzen Linie eine Tendenz auf die Gestalt des Staates hat, die in den sogenannten Demokratien‹ wenn nicht verwirklicht, so doch mehr oder weniger ehrlich und deutlich gemeint und angestrebt ist«. In beiden Äußerungen Barths, die ebenfalls aus dem Jahre 1946 stammen, wird die gleiche Differenzierung vollzogen. Es gibt einerseits eine Zielvorstellung: im Gesellschaftsbereich das »Höchstmaß von sozialer Gerechtigkeit«, in der Staatsgestaltung jene »Gestalt des Staates«, die in den »Demokratien« angestrebt wird; hier ist die »Richtung und Linie« festgelegt. Man kann nicht Christ sein und sich zugleich in einer anderen Richtung als der auf ein »Höchstmaß von sozialer Gerechtigkeit« und auf Demokratie hin bewegen und einsetzen. Andererseits besteht die Realisierungsaufgabe, und in ihr wird sich christliche Freiheit bewähren müssen als die Freiheit, die einzelnen Realisierungsvorschläge und -programme jeweils neu zu prüfen, weder gemäßigte aus Lust am Radikalismus noch radikale aus Scheu vor Radikalismus von vornherein zu verwerfen und nicht zu allen Zeiten und in allen Lagen immer nur ein und dasselbe für richtig zu halten. Die Wahl ist der Vernunft freigegeben, aber nicht der Willkür, auch nicht der »technischen Vernunft« als oberster Instanz, der dann als Richtlinie höchstens die Worte »Verantwortung« oder »Liebe« ohne jede weitere inhaltliche Füllung mitgegeben werden. Es war jedenfalls Barths Anliegen, zu zeigen, wie diese Worte durch die reale Geschichte von Gottes Liebe inhaltlich gefüllt werden: mit einem als gesellschaftlich-politische Tendenz auf Sozialismus und Demokratie hin aussprechbaren Inhalt[9].

Das hat eine Begrenzung und Kontrolle der Wahlfreiheit zur Folge. Nicht zufällig nennt Barth in dem ersten der obigen Zitate nur sozialistische Möglichkeiten, und zwar solche von einer nur vage sozialistischen Tendenz (»Sozial-Liberalismus«) bis zu präzise sozialistischen Programmen. Die Tendenz auf den Sozialismus hin bildet eine »Fahrrinne« (Thielicke), deren Grenzen die unmöglichen Möglichkeiten ausscheiden. Kapitalismus, autoritären Obrigkeitsstaat, Diktatur – dies alles kann ein Jünger Jesu nicht »anstreben«, er kann nur vorhandenen kapitalistischen, autoritären und totalitären Verhältnissen bei seinem Bestreben, sie zu überwinden, Rechnung tragen, und da er dies, soll die Realisierung gelingen, tun muß, werden sich dementsprechend auch seine Programme modifizieren. Diese Modifizierung muß strategisch stets das Ziel im Auge haben. Am Ziel hat sie den Maßstab, vor dem sie sich rechtfertigen muß.

Deshalb sind auch innerhalb der »Fahrrinne« nicht alle Möglichkeiten gleich. Die radikaleren Programme haben einen Vorsprung an Wahrscheinlichkeit, vor diesem Maßstab gerechtfertigt zu werden, wegen ihrer inhaltlichen Nähe zur Zielvorstellung. Gemäßigte Programme müssen nachweisen, daß sie Schritte zum Ziel hin sind, allenfalls Umwege, die nicht Abwege sind, und daß der Kompromiß mit den gegebenen Verhältnissen im Interesse der Realisierung auf das Ziel hin geschieht. Diskussion zwischen Radikalen und Gemäßigten bewahrt die Radikalen vor einem für die Realitäten blinden, darum diese überspringenden und die Menschen vergewaltigenden Dogmatismus – und die Gemäßigten vor resignativer Anpassung an das Gegebene, die das Ziel aus dem Auge verliert.

Exempla: Ein Christ und eine Gemeinde von Christen können nicht für Versklavung von Menschen unter Menschen sein. Finden sie sich vor in einer Sklaverei-Gesellschaft, so werden sie zunächst und sofort das Rechtsinstitut der Sklaverei durch ein neues, brüderliches Verhalten aushöhlen (Urchristenheit)[10], damit dessen Abschaffung vorbereiten und diese politisch anstreben. Wie dann im einzelnen diese Abschaffung durchgesetzt wird und die Umstrukturierung der bisher auf Sklaverei aufgebauten Gesellschaft erfolgt, dafür wird man verschiedene Vorschläge prüfen und mittelfristige Programme aufstellen müssen. Steckenbleiben in Reformen, die die Lage der Sklaven etwas verbessern, wird verhütet werden müssen. »Reformen *oder* Revolution – das ist keine Alternative für Sozialisten. Reformen *statt* Revolution – das ist eine Freude für Kapitalisten. Reformen *und* Revolution – das ist eine sozialistische Lösung.« Diese Formulierung Günther Nennings[11] trifft genau für Christen zu und wird augenfällig am Verhalten zur Sklaverei (deren Geschichte seit dem Urchristentum eine Geschichte auch des christlichen Versagens gewesen ist).

Ein Christ kann nicht für Massenvernichtungsmittel sein. »Den Menschen, den Gott so geliebt hat, wie es das Evangelium von Jesus Christus uns sagt, als Objekt von Massenvernichtungsmitteln auch nur denken zu wollen, ist Sünde.«[12] »Es gibt keinen denkbaren Zweck, der diese Mittel rechtfertigt, weder einen westlichen noch einen östlichen.«[13] In einer Welt, in der wir »mit der Bombe leben« (C. Fr. von Weizsäcker) müssen, das heißt mit der nicht mehr rückgängig zu machenden Erfindung der modernen Massenvernichtungsmittel, wird es verschiedene Methoden und aufeinander folgende Schritte geben, die Herstellung, Lagerung, politische Verwendung und schließliche Anwendung dieser »Waffen« zu beseitigen. Aber am Anfang muß die Entscheidung des Nein stehen, und alle Methoden und Schritte müssen sich am Ziel der Abschaffung ausweisen.

Der Christ und die Christengemeinde müssen gegen rassische Apartheid sein, oder sie sind nicht christliche Gemeinde nach Gal 3, 28. Sie werden diese Apartheid zunächst in ihrer eigenen Mitte aufheben. Aber sie können sich nicht damit begnügen, als Insel ohne Rassentrennung in einer rassisch getrennten Bevölkerung zu existieren. Sie müssen politisch werden und die Beseitigung der Apartheid anstreben. Welche Schritte dafür nötig sind in einer Apartheid-Gesellschaft, in der die bisher unterdrückten Bevölkerungsteile einer Entwicklung bedürfen, um zur Wahrnehmung der Gleichberechtigung fähig zu werden, ist Gegenstand der Diskussion und der politischen Auseinandersetzung. Am streng vorgehaltenen Ziel muß sich ausweisen, ob angebliche Entwicklungsmaßnahmen in Wirklichkeit Maßnahmen zur Verhinderung der Gleichberechtigung und zur Stabilisierung des Systems der rassischen Privilegien sind.

Ein Christ und eine Christengemeinde müssen gegen die Klassengesellschaft mit ihren Geburts-, Besitz- und Machtprivilegien stehen. »Wenn wir wirklich in jener absoluten Freiheit leben dürfen, die da ist, wo Gott selbst den Sünder freispricht durch das Wort der Vergebung, dann dürfen wir nicht desinteressiert sein an der Freiheit der menschlichen Existenz in den politischen und sozialen Verhältnissen. Wenn wir glauben, daß Gott allein gerecht ist und Gerechtigkeit schafft, dann müssen uns die zum Himmel schreienden Ungerechtigkeiten in den menschlichen Verhältnissen die Schamröte ins Gesicht treiben. Dann ist es Sache unserer christlichen Verantwortung, an unserem Teil dazu beizutragen, daß Gerechtigkeit im Zusammenleben der Menschen Raum gewinne. Wenn uns die Verantwortung für die Zukunft gebietet, den des Menschen unwürdigen Verhältnissen aktiv zu Leibe zu gehen, dann muß das Hand in Hand gehen mit dem Versuch, einer gerechteren Ordnung im Zusammenleben der Menschen Raum zu schaffen.«[14] Im Blick auf dieses Ziel müssen also die Christen Sozialisten sein, das heißt die Überwindung der Klassengesellschaft anstreben. Soweit unter Sozialismus außerdem noch zu verstehen ist, eine Reihe von Vorschlägen für den diesem Ziele geltenden politischen Kampf und für die gesellschaftlichen Regelungen des Zusammenlebens, für Produktion und Konsumtion zu machen, die die Klassengegensätze beseitigen und das Neuaufkommen von Klassengegensätzen verhindern, müssen Christen nicht Sozialisten im Sinne eines bestimmten Vorschlags sein, weder Marxisten noch Maoisten noch Sozialdemokraten noch Anhänger Silvio Gsells oder der Dreigliederung Rudolf Steiners. Sie haben die Freiheit der vernünftigen Wahl, aber der verantwortlichen Wahl, das heißt der vor dem Ziel sich verantwortenden Wahl. Ihr Wissen, daß dieses Ziel in hac valle lacrimarum immer nur annäherungsweise zu erreichen ist, entbindet sie von ihrem verantwortlichen Wählen und Entscheiden sowenig wie ihr Wissen um die menschliche Fehlsamkeit und die ständige Gefahr des Scheiterns. Die Besonderheit ihrer christlichen

Motivation entbindet sie nicht von der Verpflichtung, mit anderen, die anders motiviert sind, also zum Beispiel mit Atheisten, zusammenzuarbeiten, wie sie es auch sonst in allen irdischen Geschäften tun. Die Verantwortung für den Weg und das Schicksal der sozialistischen Bewegung als der Bewegung, die sich die Befreiung der Unterdrückten Klassen und die Überwindung der Klassengesellschaft zum Ziel gesetzt hat, liegt heute, infolge des Evangeliums, auf niemandem so sehr wie auf den Christen.

IV

Drei Jahrzehnte vor Grimmes Satz prägte Karl Barth einen ähnlichen und charakteristisch verschiedenen. In einem am 14. 2. 1915 vor dem Grütliverein (einer Gruppierung in der schweizerischen Sozialdemokratie) in Zofingen gehaltenen Vortrag über »Krieg, Sozialismus und Christentum« sagte er: »*Ein wirklicher Christ muß Sozialist werden (wenn er mit der Reformation des Christentums Ernst machen will). Ein wirklicher Sozialist muß Christ sein (wenn ihm an der Reformation des Sozialismus gelegen ist).*«[15]

Für den jungen Pfarrer des Industriedorfes Safenwil bedürfen also Christentum wie Sozialismus dringend einer Reformation. Die Zeitereignisse haben ihm das deutlich gemacht, insbesondere der Beginn des Ersten Weltkrieges. Seine theologischen Lehrer in Deutschland verfielen dem nationalen Wahn, und die christlichen Kirchen Europas sagten ja zu der Massenschlächterei. Die sozialistischen Parteien bewilligten die Kriegskredite und waren in allen europäischen Vaterländern stolz darauf, daß, wie der Nürnberger Arbeiterdichter Karl Bröger das Vaterland ansang, »dein ärmster Sohn auch dein treuster war«. Diese doppelte Reformation versprach sich Barth davon, daß die Christen Sozialisten und die Sozialisten Christen werden.

Das erstere hat er später nicht mehr in dieser Deutlichkeit gesagt. Die nötige Reformation des Christentums versprach er sich in seinem weiteren Wirken, das dieser Reformation dienen sollte, von einem entschlossenen und uneingeschränkten Hören, Bedenken und Bezeugen der biblischen Botschaft. So schien es vielen, die ihm darin aufmerksam folgten, als habe er die Bedeutung des Sozialismus für eine Erneuerung des Christentums abgeschrieben. Daß er vom Sozialismus lange Zeit nur wenig sprach – in seinen späteren Jahren übrigens wieder mehr als in der mittleren Periode –, hängt mit der Anspannung seiner theologischen Arbeit ebenso wie mit den Zeitereignissen, besonders mit der Geschichte des Sozialismus, später auch mit der stalinistischen Entartung seiner östlichen Gestalt zusammen. Aber er hat doch nie einen Zweifel darüber gelassen, daß Hören und Bezeugen des Evangeliums nur in der Einheit des lebendigen Tuns, in der Einheit von Wort- und Tatzeugnis geschehen kann, und daß das Tatzeugnis, mit dem die christliche Gemeinde ihre Verkündigung auslegt, immer auch ein politisches Zeugnis sein muß. Für dieses politische Zeugnis hat er in seinem Verhalten wie in seinen Schriften die »Richtung und Linie« gezeigt, die das Evangelium dafür weist, und dies war eben eine Richtung auf Sozialismus und Demokratie hin. Ohne eine entschiedene Bewegung der Christen und der Kirche in dieser Richtung gab es für ihn keine Erneuerung des Christentums. Nicht nur als Konsequenz aus dem Evangelium war für ihn das Einschlagen dieser Richtung geboten, sondern er versprach sich davon auch eine Rückwirkung auf den Glauben und die Verkündigung der Kirche. Im Ernstmachen mit dieser Bewegungsrichtung wird die Kirche herausgeführt aus ihrem Umklammertsein durch die Interessen der bürgerlichen Schicht, aus ihrer Klassenbindung an das Bürgertum, aus der individualistischen Tradition ihres Evangeliumsverständnisses und aus der falschen Innerlichkeit, die den Glauben gesellschaftlich unfruchtbar werden läßt.

Das ist heute so aktuell wie damals. Alle christlichen Erneuerungsbewegungen werden versacken, wo sie die Erprobung an der Härte der Arbeit für die gesellschaftliche Erneuerung vermeiden. Sie werden der selbstbezogenen Seelenkultur, dem alten Heilsegoismus verfallen, wenn die Revolutionierung des inneren Menschen durch die Botschaft nicht die Arbeit für die Revolutionierung der Gesellschaft zur Folge hat. An der Sperre im Bewußtsein, die vor dem tätigen Angriff auf die Klassengesellschaft zurückscheuen läßt, ist die Hemmung zu erkennen, die die eigene Klassenbindung der Revolutionierung durch das Evangelium entgegensetzt. Es wird nicht »Ernst gemacht« mit dem *ganzen* Willen des Vaters; er wird beschränkt aufs Religiöse oder auf den individuellen Umkreis. Damit kann er sich an uns selbst nicht so umfassend auswirken, wie es sein Ziel ist. Der Eintritt in die sozialistische Bewegungsrichtung ist unentbehrlich für die Reformation des Christentums.

Was die Sozialisten anlangt, scheint Barth diktatorischer zu sprechen als Grimme: Sozialisten »müssen« Christen sein. Aber dieses »müssen« will in Wirklichkeit nicht an die Stelle von Grimmes »können« treten. Es will den alten Fehler der Verbindung des Sozialismus mit einer Weltanschauung – diesmal anstelle des atheistischen Diamat mit der christlichen Weltanschauung – nicht wiederholen, nicht das Christentum für Sozialisten obligatorisch machen und die nicht-christlichen Sozialisten aus der Bewegung exkommunizieren. Dieses »muß« hat eine andere Qualität: die Qualität des Appells, des Rates, des Aufmerksammachens. Mit ihm wendet sich nicht einer von außen als Christ an die Sozialisten und ruft sie wegen ihres Atheismus zur Buße; er behauptet auch nicht, ihr Atheismus sei am schlechten Zustand der sozialistischen Bewegung schuld. Hier spricht vielmehr ein Sozialist zu anderen Sozialisten. Er ist mit ihnen besorgt wegen des Zustands der für die Gesellschaft doch so nötigen sozialistischen Bewegung – ebenso wie er vorher als Christ zu Christen sprach, besorgt über den Zustand der für die Gesellschaft doch so nötigen christlichen Kirche. Er fragt mit seinen Genossen, was der sozialistischen Bewegung helfen, was sie erneuern könnte. Und er antwortet: Wir müssen Christen sein.

Vielleicht ist es nicht zufällig, sondern in tiefer Einsicht begründet, daß er im ersten Teil sagt »werden«, im zweiten Teil dagegen »sein«. Vielleicht (ich kenne den Kontext noch nicht) will er damit ausdrücken: Sozialist kann man werden aus eigenem Entschluß; Christ zu werden kann man sich nicht entschließen, man muß es schon sein, damit man es ist, das heißt, man entdeckt sich als Christ, indem man entdeckt, was man durch die Wirkung des göttlichen Wortes und Geistes geworden ist. Faßt man den Unterschied der beiden Hilfsverben so streng, dann spricht der zweite Teil nicht sosehr eine Aufforderung als einen dringenden Wunsch dieses Sozialisten, ein schreiendes Bedürfnis des Sozialismus aus: Soll die sozialistische Bewegung aus ihrem schlechten Zustand herauskommen, soll sie die Funktion erfüllen, derentwegen sie der Gesellschaft so dringend nötig ist, soll sie nicht immer wieder scheitern und entarten, dann muß es sich ereignen, daß die wirklichen Sozialisten, denen an der Reformation des Sozialismus gelegen ist, unter den Einfluß von Gottes Wort und Geist geraten, so daß dann die lebendigen Träger der sozialistischen Bewegung zugleich lebendige Christen, Hörer des Evangeliums und Jünger Jesu sind. Dann wird ein erneuerter Sozialismus den Kampf aufnehmen, der jetzt durch das große Versagen von Führern und Massen fast hoffnungslos geworden ist.

So spricht ein Sozialist, der im Hören der biblischen Botschaft erkannt hat, wie wenig wir Menschen uns schützen können vor den uns umlauernden Gefahren, gerade im politischen Kampf, wie sehr wir dafür des Schutzes und der Ausrüstung durch Gottes Geist bedürfen: Resignation und Fanatismus, Machtgier und Herdensinn, Arroganz und Feigheit, Fehleinschätzung der Lage durch Verdunkelung der sich selbst überlassenen Vernunft und Verkrustung in verfestigten Traditionen, durch Dogmatismus und Opportunismus – dies alles bedroht diejenigen, die sich auf ein so schwieriges Unternehmen wie das der Überwindung der Klassengesellschaft eingelassen haben; und diejenigen, die sich von einem solchen Unternehmen fernhalten, haben es leicht, händereibend und schadenfroh die Schäden einer so kühnen Bewegung anzuprangern. Barth meint sicher nicht, daß Christen bessere und gescheitere Menschen sind als die anderen; aber er meint: Wo lebendige Christen sind, da bringen sie eine Belehrung und eine Kraft der Bewahrung und Erneuerung mit, deren eine so kühne und darum so gefährdete Bewegung wie die sozialistische dringend bedarf.

Eben darum schlägt nun aber das innersozialistische Gespräch, das der zweite Teil enthält, zurück auf die Christen, und zwar gerade dann, wenn sie von außen auf allerlei Schäden der sozialistischen Bewegung mit den Fingern zeigen und sie als Argumente dafür anführen, daß sie sich von ihr fernhalten. Zu seiner Erneuerung braucht der Sozialismus Menschen, die wirkliche Sozialisten und wirkliche Christen in einem sind. Seine Schäden, die ihn so erneuerungsbedürftig machen, können gerade dadurch entstanden sein, daß ihm christliche Sozialisten, sozialistische Christen gefehlt haben. Seine Schäden, die die Christen von außen so selbstgerecht aufzählen, fallen dann diesen Christen selbst zur Last. Ist aber der Sozialismus eine der in der Unordnung des Klassengegensatzes befindlichen Gesellschaft dringend nötige Bewegung, dann haben die Christen, indem sie der sozialistischen Bewegung gefehlt haben, auch der notleidenden Gesellschaft gefehlt und haben in dieser Gesellschaft nicht den Ort bezogen, an dem sie nötig gewesen sind. Wenn sie, statt die Sozialisten zur Buße zu rufen, selber bußfertig werden, dann werden sie diesen Ort beziehen; dann werden sie erkennen, daß das Evangelium selbst wegen der ihm innewohnenden Tendenz sie für Weg und Schicksal der sozialistischen Bewegung verantwortlich macht. Ihre eigene Metanoia wird also die Chance der Erneuerung für die sozialistische Bewegung sein: Die Reformation des Christentums und die Reformation des Sozialismus sind ein und dieselbe Reformation.

Diese kühne Überzeugung des jungen sozialistischen Pfarrers hat nichts an Aktualität verloren. Sie ist kühn, weil sie sich nicht darum kümmert, daß Christen, die Sozialisten werden, in den Organisationen der sozialistischen Bewegung aus Gründen, die in der Tradition dieser Bewegung und in der Tradition der christlichen Kirchen liegen, vielfach keineswegs mit großer Begeisterung aufgenommen werden und oft einen schweren Stand haben. Auch kümmert sie sich nicht darum, daß diese »wirklichen Christen« wohl immer eine kleine, oft genug ohnmächtig scheinende Minderheit sein werden. Diese Überzeugung vertraut auf die Verheißung, die kleine Schar der Christen werde weit über ihre Grenzen hinaus als Salz und Licht wirksam werden, wenn sie sich nur tätig in die Welt hinein-wagt, in die sie hineingesendet ist.

V

Veranlaßt durch die beiden Sätze von Adolf Grimme und Karl Barth ist vom Sozialismus gesprochen worden, von der sozialistischen Zielvorstel-lung wie von der empirischen sozialistischen Bewegung. Wegen ihrer Zersplitterung und wegen der vielen Enttäuschungen, die sie erlitten und bereitet hat, liegt die Frage nahe, ob Sozialismus heute noch ein verwert-bares Wort ist. Es scheint ihm die Eindeutigkeit zu mangeln, wenn es nicht mit einem bestimmten politischen Programm, etwa dem der Dritten, von Moskau gesteuerten Internationalen (der sowohl Grimme wie Barth mit lebhafter Kritik gegenüberstanden) identifiziert wird. Wird das Wort Sozialismus mit einem solchen Programm identifiziert, dann stimmen die Sätze der beiden Männer nicht mehr, weil damit die christliche Freiheit unter ein gesetzliches Joch gezwängt würde. Aber der Schein trügt. Das Wort Sozialismus hat bei aller Weite Bestimmtheit genug und bei aller Bestimmtheit genug Weite, um jene Sätze zu christlich möglichen, ja notwendigen zu machen. Im gleichen Jahr, in dem Adolf Grimme seinen Satz formulierte, hat Walter Dirks[16] die Bestimmtheit des Wortes Sozialis-mus in einer heute noch und wieder gültigen Weise so klargestellt, daß die Auslegung jener beiden Sätze mit seinen Worten geschlossen werden kann:

»Sozialismus ist . . . das zu einer konkreten Ordnung erhobene Soziale im Sinne des Genossenschaftlichen. Es gibt hier eine deutliche Grenze zwi-schen der Sozialpolitik, die nicht notwendig das Wesen und damit das Ganze betrifft, sondern Teile angreift und also unsystematisch sein kann, und der sozialistischen Politik, die aufs Ganze geht, aufs Ganze des sozialen Lebens. Daß gerade diese Gesamtreform notwendig ist, ein eigentlicher Umbau des wirtschaftlichen und sozialen Lebens, das ist freilich die Erkenntnis, die unserer Politik zugrunde liegt. Wer sie bestrei-tet, wird mit Recht das Wort Sozialismus ablehnen – weil er die Sache ablehnen muß . . . Wir empfehlen es allen den Christen, die dahinterge-kommen sind, daß zwischen der eingeschränkten Produktionsfreiheit und der mit Freiheit durchsetzten Wirtschaftsplanung nicht ein bloß quantitati-ver, sondern ein wesentlicher Unterschied ist. Wer geistig von dem einen

System in das andere übertritt, hat eine Bekehrung hinter sich, keine religiöse, sondern eine politische. Wer diese Bekehrung hinter sich hat, sollte sie bekennen: das geschieht durch die Aneignung des Wortes Sozialismus. Wir glauben, daß den Christen, die jene Bekehrung hinter sich haben, dieses Bekenntnis nicht erspart bleiben darf. Darum treten wir nicht nur für die Sache ein, sondern auch für das Wort.«

Anmerkungen:

1. Ich verdanke die Überlieferung dieses Satzes Frau *Josefine Grimme.*
2. Heidelberg 1969; vgl. meine Besprechung in: EvTh 30, 1969, 444 ff.
3. Vgl. *H. Gollwitzer,* Die marxistische Religionskritik und der christliche Glaube (Siebenstern-Taschenbücher, Nr. 33), 37–43.
4. Auf der ersten großen Dialogkonferenz der Paulus-Gesellschaft in Salzburg 1965, vgl. *H. Kellner* (Hg.), Christentum und Marxismus heute, 1966, 16.
5. Neues Forum, März 1972, 45.
6. *M. Luther,* WA 14, 609, 26: »Ich will alles, was Gott will.«
7. *K. Barth,* Christengemeinde und Bürgergemeinde, 1946, Neuausgabe ThSt Nr. 104, 69; dazu richtig *F.-W. Marquardt,* Theologie und Sozialismus. Das Beispiel Karl Barths, 1972, 312: »Ein anderes als ein sozialistisches Maß kommt hier offenbar gar nicht in Frage.«
8. *K. Barth,* aaO. 76.
9. Vgl. *H. Gollwitzer,* Reich Gottes und Sozialismus bei Karl Barth, 1972, ThExh NF, 169.
10. Vgl. meine Thesen »Die gesellschaftlichen Implikationen des Evangeliums« in: Christliche Freiheit – im Dienst am Menschen, Ein Themaband zum 80. Geburtstag Martin Niemöllers, hg. von *K. Herbert,* 1972, 141–152.
11. Neues Forum, April 1972, 39.
12. *H. Vogel,* Um die Zukunft des Menschen im atomaren Zeitalter, 1960, 20.
13. *H. Vogel,* aaO. 209.
14. *H. Vogel,* aaO. 210 f.
15. Die Mitteilung dieses Satzes aus den »Sozialistischen Reden«, die den Hauptteil von *K. Barths* Safenwiler Nachlaß bilden, verdanke ich *F.-W. Marquardt,* der die Edition dieses Teils von Barths unveröffentlichten Manuskripten im Rahmen der im Theologischen Verlag Zürich erscheinenden Gesamtausgabe übernommen hat.
16. »Das Wort Sozialismus«, in: Frankfurter Hefte, Okt. 1946.

Zur »schwarzen Theologie«

»Schwarze Theologie«, sich abgrenzend von einer »weißen« – das gibt es, weil es Kolonialismus und Sklavenhandel gegeben hat und weil dies nicht ein Thema des historischen Rückblicks ist, sondern durch seine Nachwirkungen unsere heutige Realität bestimmt. Wer zur »weißen Theologie« gehört, hat spätestens, wenn ihm die »schwarze Theologie« gegenübertritt, allen Anlaß, sich über die spezifische historische und gesellschaftliche Bedingtheit seiner Theologie, seines Verständnisses der christlichen Botschaft klar zu werden. Hatte er diese Bedingtheit bisher auch nicht geleugnet, da er sich der Geschichtlichkeit seines Denkens schon länger bewußt gewesen war, so bekommt sie nun – durch die negative Charakterisierung, die sie seitens der »schwarzen Theologie« erfährt – eine erschreckende Bedeutung. Ideologiekritik als Selbstkritik wird jetzt nicht nur von ihm als Individuum gefordert, sondern die Tradition, in der er steht und die er weiterzuentwickeln sich bemüht, wird als ganze in Frage gestellt, und dies nicht nur in jener programmatischen Weise, wie Traditionskritik unter dem Schriftprinzip schon immer zum Wesen der von der Reformation herkommenden Theologie gehörte, sondern durch die Absage, die seine Welt, die Welt des weißen Mannes, insgesamt von einem anderen Teil der Menschheit her trifft, und zwar als eine theologische, im Namen des Evangeliums formulierte Absage. Als Angehöriger seiner Welt erscheint er hier unter einem Bann, der nicht einzelne theologische Aussagen falsch macht, sondern das Gesamt von Kirche und Theologie verfälscht, und den er nur brechen kann, wenn er sich aus der bisher fraglosen Solidarität zu seiner Welt löst und in Solidarität mit jener anderen Welt eintritt, indem er also »schwarz« wird. Das ist die konkrete Gestalt der Metanoia, zu der er sich hier aufgefordert sieht, einschneidender wohl in seine bisherige Lebensführung als das, was er meist als Metanoia sich und anderen verdeutlicht hat. Mag ihn dabei auch trösten, daß der Wortführer der schwarzen Theologie, *James H. Cone*, selbst dankbar auf Belehrungen, die er durch weiße Theologen erhalten hat, zurückgreift, so daß also jene Absage nicht pauschal alles für verfälscht und unbrauchbar erklärt, was weiße Theologie im Laufe der Jahrhunderte hervorgebracht hat – und mag dies eine ähnliche Wichtigkeit haben wie evangeliumsgemäße Stimmen in der früheren Kirche, auf die Luther zu verweisen pflegte, um die Frage, wo denn unter dem Papsttum die eine, heilige, christliche Kirche gewesen sei, zu beantworten –, an dem Ernst und der Fragwürdigkeit seiner Situation und seiner Tradition, die ihm durch jene Absage aufgedeckt wird, ändert sich damit nichts und nichts also auch an der Dringlichkeit der Aufforderung, nicht nur seine geschichtliche Bedingtheit im allgemeinen, sondern deren verfälschenden Einfluß auf seine christliche Existenz und auf sein Denken scharf ins Auge zu fassen. Es zerbricht die Naivität, mit der er bisher sein theologisches Denken und den Traditionszusammenhang, in dem es geschieht, als an alle Menschen gleichermaßen adressiert, für alle gleichermaßen gültig, zugänglich und tauglich angesehen hatte. Er sieht sich samt der Welt, zu der er gehört, plötzlich von außen, von einer ganz anderen Gruppe mit einem ganz anderen Schicksal her, und muß sich fragen, inwieweit seine Theologie und ihre Tradition vielleicht nur Ausdruck seiner Welt, einer Welt der herrschenden Rasse, gewesen ist. Inwieweit sie mehr ist, müßte sich daran zeigen, daß sie ihn herausruft aus dem fraglosen Zusammenhang mit seiner Welt, daß sie ihn in einen kritischen Gegensatz zu ihr bringt.

I

Kolonialismus und Sklavenhandel sind die Realitäten, auf die zunächst zu blicken ist. Zwei tiefgreifende Umbrüche prägen die Geschichte der christlichen Kirche in ihrer Frühzeit. Der erste ist der Übergang der Kirche von den Juden zu den Völkern, das Verschwinden des Judenchristentums – die Verwandlung der Kirche in eine heiden-christliche Kirche, für die ihr Zusammenhang mit Israel, mit der hebräischen Bibel und mit dem lebendigen Judentum zu einem dauernden Problem wird. Die Juden leben nun als die anderen inmitten der christlichen Gesellschaft, müssen die dunkle Folie für das christliche Selbstbewußtsein bilden und ihr Anderssein mit einer Kette von schrecklichen Leiden bezahlen. Alle heutigen Abschwörungen des Antisemitismus haben noch längst nicht zu der nötigen Bereitschaft geführt, bußfertig sich der Geschichte der Wirkungen des christlichen Antijudaismus zu stellen und damit auch der Infragestellung der heidenchristlichen Denktraditionen durch das Judentum, die parallel geht zu der Infragestellung unserer weißen durch die schwarze Theologie.
Der andere Umbruch ist die konstantinische Machtergreifung der Kirche. Vorher war die Kirche ein soziales und ethnisches Gemisch, in dem sich

das Völkergemisch der hellenistischen Welt spiegelte. Jetzt entwickelt sie sich zu einer Kirche der weißen Völker, des christlichen Abend- und Morgenlandes, erst recht, nachdem die nordafrikanischen und kleinasiatischen Kirchen unter dem Ansturm des Islams untergegangen sind. Den weißen Völkern, die ohnehin mit der Beweglichkeit und Aktivität ausgerüstet sind, die den Bewohnern gemäßigter Zonen und erst recht dieses merkwürdigen Erdteils Europa eigen sind, verlieh die Christianisierung zusätzlich ein unerhörtes Selbstbewußtsein, das sich zuerst im spanischen Kampf gegen den Islam und in den Kreuzzügen zeigte, dann ausgreifend auf den ganzen Globus im Zeitalter der Entdeckungen den Europäern die Ermächtigung gab, alle nichtchristlichen Völker als von Gott ihnen zur Beherrschung und Ausbeutung bestimmt anzusehen. So wurden die Küsten Afrikas und Indiens von den Portugiesen ausgeplündert, die Neue Welt vom Papst zwischen Spaniern und Portugiesen verteilt, die Reiche der Azteken und der Inkas zerstört und deren Bewohnern ein vielfaches Auschwitz bereitet. Der einsame *Las Casas,* dem eine zäh sich haltende Geschichtslegende die Schuld an der Ersetzung der versklavten Indianer durch schwarze Sklaven zuschreibt, hat nicht nur dagegen protestiert, sondern in denkwürdiger Radikalität verkündet, daß nun Gott auf die Seite der preisgegebenen Heiden getreten sei, gegen die verderbte christliche Kirche und ihre von Habgier zerfressenen Glieder, und daß Gott Bundesgenosse der in immer neuen Aufständen gegen die weißen Herrscher sich erhebenden Indianer sei – eine erste, ungehört verhallende Theologie der Befreiung und der Revolution[1].

Der theologische Grund für dieses den nicht-weißen Völkern zum Verhängnis werdende abendländische Selbstbewußtsein liegt in dem sog. »Absolutheitsanspruch« des Christentums samt der spezifischen Form, die dieser in der mittelalterlichen Sakramentsfrömmigkeit erhielt[2]: Wer an den Sakramenten nicht Anteil hat, hat keinen Anteil an der Seligkeit und hat Gott zum Feinde. Theologie und Verkündigung sind nicht nur verantwortlich für das, was sie meinen, sondern auch für das, was sie anrichten. Historisch wirksam wird das Gesagte nicht in der Bedeutung, die es im Selbstverständnis der Verkündiger hat, sondern in der Bedeutung, in der es – mit Abstrichen, mit interessegeleiteten Umdeutungen – aufgefaßt und angeeignet wird. Die Berufung darauf, daß es anders gemeint war, sticht so lange nicht, als dieses »anders« nicht mit aller Kraft und Deutlichkeit der verzerrten Auffassung entgegengesetzt wird. In der Verkündigung der mittelalterlichen Kirche ist das, wie die Reformation mit Recht festgestellt hat, nicht geschehen. Insofern gehört diese welthistorisch folgenreiche Verzerrung in die Schuldgeschichte der Kirche, die nach Carl Amery ihre Erfolgsgeschichte ist; denn »nicht das Erreichen ursprünglicher Ziele und Absichten ist das landläufige Kriterium des Erfolgs, sondern die Effizienz in der Durchsetzung gegenüber anderen Kräften. Das Christentum hat – als Bewußtseinszustand oder Bewußtseinskomponente eines großen und aktiven Teils der Menschheit – die Welt verändert bzw. half sie verändern. Das war seine Effizienz, seine Wirkkraft, und diese Wirkkraft reicht über die Grenzen des christlich-kirchlichen Selbstverständnisses hinaus.«[3] In einer Zeit, die allgemein das menschliche Leben im Koordinatensystem einer religiösen Weltanschauung deutete, also in der Beziehung auf das Walten einer göttlichen Weltregierung, auf Endgericht und Leben nach dem Tode, konnte die Heilsgarantie, die der Sakramentsglaube gab, das Bewußtsein des Erwähltseins fast zwangsläufig zur Verachtung der Nicht-Erwählten verleiten. War diese Garantie, wie die Theologie einschärfte, auch nicht absolut, da ja religiöse und sittliche Leistungen auch noch gefordert waren, um im Endgericht zu bestehen, so lag der tiefe Unterschied zwischen der christlichen und der nichtchristlichen Menschheit doch darin, daß in der christlichen wenigstens die Möglichkeit bestand, das angebotene Heil zu ergreifen, wogegen in der nichtchristlichen das Angebot selbst fehlte. Dieses Angebot dorthin zu tragen, bemühte sich die christliche Mission, auf deren Geschichte, reich an Zeugenmut und Problematik, hier nicht eingegangen werden kann. Aber wo das Heidentum von der Mission nicht erreicht wurde oder ihr widerstand, da war das göttliche Verdikt über ihm manifest. Solange das Heil in Jesus Christus als ein nur angebotenes verstanden wird, das nur bei Realisierung bestimmter aufweisbarer Bedingungen – der Sakramentsteilhabe oder (im Protestantismus) des Glaubens (der dann unversehens mit der Bejahung der rechten Glaubenslehre gleichgesetzt wurde) – verwirklicht wird, wandelt sich die Verkündigung Jesu Christi als des Retters und des Herrn der Welt unvermeidlich in den Absolutheitsanspruch des Christentums, und wer das Privileg hat, zu diesem Christentum zu gehören, wird damit unerhört über die übrige Menschheit hinausgehoben. Wird dieses Bewußtsein des Privilegiertseins durch die gesellschaftliche Dominanz der Kirche zum Bewußtsein einer ganzen Kultur, dann kann es in einzelnen Individuen und Gruppen sich als Gefühl der Verpflichtung äußern gegen die, die bisher an diesem Privileg nicht teilhaben, also in missionarischer und karitativer Tätigkeit (wenn auch hier, wie die Missionsgeschichte zeigt, oft durchsetzt mit dem Überlegenheitsbewußtsein des Privilegierten, der sich selbst zum Muster setzt, also mit Kultur-Imperialismus); in der historischen Wirklichkeit der Völker und Staaten aber ist vom Bewußtsein der religiösen Privilegierung zum politischen und ökonomischen Imperialismus nur ein kurzer Schritt. Wenn dann das religiöse Bewußtsein als allgemeines Bewußtsein abklingt, so ist inzwischen das Privilegienbewußtsein schon zu fest verankert und zu vorteilhaft, als daß es damit ebenfalls verschwände[4].

Die europäischen Völker im Zeitalter der Entdeckungen haben diesen Schritt getan. Spanier und Portugiesen errichteten ihre kolonialen Imperien mit christlicher Begründung. Das neue Evangeliumsverständnis der Reformation hat dieser Begründung zunächst den Boden entzogen. Aber die Ersetzung der Sakramentsfrömmigkeit durch eine innerliche Glaubensfrömmigkeit ließ das Privilegienbewußtsein unerschüttert bestehen. Die Reformation hat an dem Schicksal, das die Weißen den Farbigen bereiteten, nichts geändert[5]. Ob Rom, Wittenberg oder Genf sich durchsetzen, ob Rechtfertigung vor Gott durch die Werke oder durch den Glauben geschieht, ob est oder significat richtig ist, ob die Dordrechter Beschlüsse oder die Erklärungen der Remonstranten zur geltenden kirchlichen Lehre werden, ob Cromwell oder Karl I. siegt – für die Roten, Gelben und Schwarzen ist dies alles irrelevant, auf ihre Lage hat das keinen Einfluß; für die weißen Bekenner jedweder christlichen Richtung sind sie zur Knechtschaft bestimmt, und das »Allzumal-Einer-Sein-in-Christo« gilt vielleicht für den Himmel, keinesfalls aber für die Erde. Nur der Pietismus gibt hier andere Anstöße; wenigstens einige seiner Randgestalten (besonders die hochrühmlich zu nennende Zinzendorf-Gruppe) versuchen diesseitige Gemeinschaft von Weißen und Farbigen. Weit entfernt davon, daß die protestantisch gewordenen Völker in ein neues, christlicheres Verhältnis zur nichtchristlichen Welt getreten wären, haben sie vielmehr den romanischen Völkern Teile ihres Imperiums entrissen und den Kolonialismus nun erst recht über den ganzen Globus ausgedehnt. Die kapitalistische Revolution als die Revolution der weißen, christianisierten, protestantischen Völker trat ihren weltweiten Siegeszug an und eröffnete ein neues Zeitalter der Sklaverei, das bis zum heutigen Tage – wenn auch mit gewandelten Formen von Sklaverei – noch nicht beendet ist. Millionen Menschen wurden als Jagd- und dann als Arbeitstiere behandelt; noch bis zu Beginn des 19. Jahrhunderts war es in einigen Gebieten Nordamerikas gesetzlich verboten, ihnen ein Minimum an Bildung zu vermitteln, auch nicht christlichen Unterricht, und sie zu taufen. In Erfüllung des Wortes von der Heimsuchung der Sünden der Väter an den Kindern immerhin bis ins dritte und vierte Glied haben die USA damit ein Problem geerbt, das sie in ihrer gegenwärtigen gesellschaftlichen und geistigen Verfassung nicht werden lösen können und das infolgedessen immer weiter vergiftend und brutalisierend auf die amerikanische Gesellschaft einwirkt. Ganze Flotten waren im Sklavenhandel unterwegs, ganze Landstriche Afrikas wurden entvölkert, Europa aber und die in die Neue Welt übergesiedelten Europäer wurden reich. Nun entstand – wörtlicher noch als bei den freien Lohnsklaven des europäischen Proletariats – »eine Klasse mit radikalen Ketten«, weil »kein besonderes Unrecht, sondern das Unrecht schlechthin an ihr verübt wird«, eine Klasse, »welche mit einem Wort der völlige Verlust des Menschen ist«[6]. Nicht nur Liverpools Straßen sind, wie man sagte, mit Negerschädeln gepflastert, sondern die ganze Entwicklung des Reichtums der weißen Staaten (die man meint, wenn man heute verschämt von den Industriestaaten spricht) entstammt diesen beiden Quellen: der Überzahl der armen Landbevölkerung in den europäischen Ländern selbst, vermehrt durchs Bauernlegen, die das Proletariat für die neue Industrie lieferte – und der Ausplünderung der anderen Kontinente, um Rohstoffe und – was Afrika anlangt – Menschenmaterial zu gewinnen. *Karl Marx* hat das in gültiger Weise im 24. Kapitel des ersten Bandes des »Kapital« – »Die sogenannte ursprüngliche Akkumulation« – beschrieben und mit zeitgenössischen Berichten belegt. Jeder Theologe sollte diesen Text kennen; denn nicht ohne Absicht spricht Marx dort satirisch vom »christlichen Charakter der ursprünglichen Akkumulation«[7].

Daß dies Sünden der Vergangenheit seien, die wir in unserem fortgeschrittenen Stadium des Kapitalismus im Zeitalter der Entkolonisierung überwunden hätten, ist eine – verständlicherweise – zu unserer Beruhigung gepflegte apologetische Illusion. Nicht nur im amerikanischen Negerproblem und in der südafrikanischen Apartheid ist diese Vergangenheit Gegenwart. Sie ist darüber hinaus Gegenwart durch folgende Fakten:

1. Der von den durch den Kolonialismus in ihrer eigenen Entwicklung irreparabel gestörten Ländern der Dritten Welt nicht mehr aufholbare ökonomische und politische Vorsprung des weißen Welt-Zentrums, den wir weißen Christen täglich genießen, verdankt sich diesen Sünden der Vergangenheit und ist darum eine einmalige, irreversible historische Entwicklung. Die Sünden unserer Väter sind noch heute unser Profit.

2. Auch die Gegenwart der Menschheit ist durchaus noch vom weißen Rassismus geprägt. »Imperialismus« ist *kein* demagogisches Schlagwort, sondern Welt-Wirklichkeit, und dieser Imperialismus ist weiß. Das mag auch mit der merkwürdigen Tatsache zusammenhängen, auf die A. Toynbee[7a] hingewiesen hat: daß neben Juden und Zigeunern die Nordgermanen das exklusivste Rassenbewußtsein haben und sich deshalb – wie sich eben in den USA, in Südafrika und Rhodesien zeigt – besonders neurotisch von Rassenmischung fernhalten. Die protestantisch-nordgermani-

schen Völker aber, die Engländer und die Holländer, waren die Promotoren der kapitalistischen Entwicklung. Jedenfalls sind die obersten Ränge der heutigen Weltgesellschaft – wenn man von dem Sonderfall Japan und den aus dem kapitalistischen Weltsystem ausgebrochenen Ländern absieht – von den Spitzen der weißen Völker besetzt, und auch die Spitzen der Länder der Dritten Welt haben keine Aussicht, in diese oberen, alles Übrige beherrschenden Ränge aufzusteigen. »Es ist eine altbekannte Tatsache, daß die ethnische Homogenität zunimmt, je höher man in der Unternehmenshierarchie steigt; auf den unteren Ebenen gibt es eine große Vielfalt von Nationalitäten, aber die Zusammensetzung der oberen Ebenen wird stetig homogener. Zum Teil ist das auf den unterschiedlichen Qualifikationsgrad der verschiedenen Nationalitäten zurückzuführen; wichtiger ist jedoch die Tatsache, daß gegenseitiges Verstehen und ungezwungene Kommunikation immer wichtiger werden, je höher man im Entscheidungsprozeß aufsteigt; ein gemeinsamer ›background‹ gewinnt zentrale Bedeutung«[8] – der background der weißen, abendländischen Kultur. Das wird durch das Phänomen der die westliche Gesellschaft mehr und mehr beherrschenden multinationalen Konzerne nur bestätigt; einzelne angepaßte Farbige wie Ralph Bunch, die nach oben gelangt sind, ändern daran sowenig wie das gegenwärtige Aufkommen einiger schwarzer Banken in den USA. Der Zusammenhang von Klassen- und Rassenherrschaft ist auch in der heutigen marxistischen Theorie noch zu wenig erkannt und analysiert, weil eben auch sie von weißen Theoretikern entwickelt wird; der Blick von unten, von den benachteiligten Rassen her, sieht deutlicher »die Fakten . . .: daß die meisten Menschen farbig sind und die Weißen eine Minderheit bilden; daß überall die Farbigen arm sind, während die Weißen reich sind; daß darum die Farbigen in Abhängigkeit von den Weißen gehalten werden; und daß alle unentwickelten Nationen farbig sind und gleichzeitig sehr arm« – und daß »die farbigen Nationen alle weißen Nationen im Westen in einer Front gegen sich vereint (finden), wenn sie Maßnahmen gegen eine besonders bösartige Ausübung weißer Vorherrschaft fordern«[9].

So kann man, das Christentum mit den christianisierten Völkern und dem, was sie aus dem Christentum gemacht haben, identifizierend, wohl sagen: »Ein unvoreingenommener nichteuropäischer (oder außerirdischer) Beobachter . . . wird das Christentum als Teil einer sehr aggressiven, unaufhaltsamen Macht beurteilen, die sich seit ein paar Jahrhunderten mit Missionaren und Kanonenbooten, mit Faktoreien und Impfstationen, mit Banken, Napalm und Entwicklungshelfern über den Rest des Planeten hergemacht hat.«[10] Wie aber hat darauf die christliche Theologie, die Theologie der Kirchen dieser weißen Völker und insbesondere der protestantischen Völker, reagiert? Wie hat sie von diesem Sieges- und Ausbeutungszug ihrer Völker über die anderen Erdteile, von der Versklavung der Neger, von der Ausrottung der Indianer und der Australneger Kenntnis und wie dazu Stellung genommen? Wie hat sie ihr Wächteramt ausgeübt?

Der Feststellung von *James H. Cone* dürfte nichts entgegenzusetzen sein: In der weißen Theologie kommt der Schwarze nicht vor. Calvinisten und Arminianer haben sich in Holland über die Prädestination gestritten; auf das hybride Erwählungsbewußtsein ihrer Sklavenhändler hat das keinen hemmenden Einfluß gehabt. In England lagen Anglikaner und Puritaner im Streit; im Verhalten gegen Indianer und Schwarze gab es keinen Unterschied. Man betrieb antikatholische Kontroverstheologie; das Bestreben, den Spaniern und Portugiesen die Kolonialbeute abzujagen, wurde dadurch höchstens gefördert. Man mag die theologischen Wälzer und Traktate des 17. und 18. Jahrhunderts durchgehen, vom Schicksal der der weißen Macht preisgegebenen farbigen Menschen wird man in ihnen kaum eine Erwähnung finden, obwohl doch von dem Geld, das durch ihre Ausbeutung ins Land strömte, auch die Kirchen und die theologischen Schulen ihre materielle Existenz bezogen. Das Evangelium, das den Gefangenen Befreiung und den Elenden Heil verkündet, erinnerte nicht an das Kolonialelend, und daß im Leibe Christi Juden, Griechen, Barbaren, Herren und Sklaven vereinigt sind, hatte keine praktischen Auswirkungen. Für unseren akademischen Betrieb, in dem den abseitigsten Figuren der Kirchengeschichte immer neue Dissertationen gewidmet werden, ist es bezeichnend, daß solche Behauptungen vermutungsweise aufgestellt werden müssen, ohne Forschungsunterlagen; es gibt keine. Als dann endlich, dank der methodistischen Erneuerung des englischen Protestantismus, die Sklavenfrage ins christliche Bewußtsein trat, wurde von Gegnern wie Befürwortern der Sklaverei mit theologischen Argumenten gearbeitet[11], ebenso wie heute noch unter den Buren Südafrikas. Es lag also Theologie dafür bereit; aber wieweit diese gegenseitige theologische Argumentation in den Loci der protestantischen Orthodoxie schon vorbereitet war und welche Aufstellungen der alten Theologen dafür Anhaltspunkte boten, welche Lehrstücke hierfür so oder so verwendet werden konnten, darum hat sich m. W. noch kaum jemand gekümmert, obwohl es dabei doch um die Verantwortung der Kirche geht für Millionen Menschen, für die Täter wie für die Opfer, und um die praktische Wirkung kirchlicher Lehre und Verkündigung bei ihren Hörern.

In der weißen Theologie kommt, wie Cone immer wieder feststellt, der schwarze Mensch nicht vor – so wenig übrigens – und die Parallele ist nachdenkenswert –, wie in ihr nach Albert Schweitzers Beobachtung[12] das Tier vorkommt. Was zur Rechtfertigung der Sklaverei bereitlag, war Fundamentalismus (z. B. Noahs Fluch über Ham, Gen 9,20–27) und Ausnützung urchristlicher Zurückhaltung in der Sklavenfrage[13]. Anlässe aber zur Beunruhigung über die Sklaverei wurden in den einzelnen Aussagen des kirchlichen Bekenntnisses nicht entdeckt. Die Anti-Sklaverei-Bewegung, an der es wenigstens vom 18. Jahrhundert an – abgesehen von den rühmend zu nennenden Quäkern – in den amerikanischen Kirchen nicht fehlte, argumentierte mit ethischen Anweisungen des Neuen Testamentes, besonders dem Liebesgebot und der Goldenen Regel[14]. Wie aber steht es mit den Kernsätzen reformatorischer Glaubenserkenntnis? Wie z. B. mit der Rechtfertigung des Gottlosen, wenn der weiße Christ auf den afrikanischen Neger traf? Wie mit der verborgenen Gnadenwahl Gottes, die sich, wie man im Calvinismus immerhin wußte, nicht nach der Hautfarbe richtet? Wie mit der von den Lutheranern der calvinistischen Lehre vom ewigen Prädestinationsdekret entgegengesetzten These, daß Gottes Heilswille serie et universalis, in ganzem Ernste allen Menschen zugewendet sei? Und wie mit den Sakramenten, die doch »das Volk aus aller Welt Zungen« zur einen Kirche Jesu Christi zusammenschließen (Gal 3,28)? Es ging von alledem, soweit mir bekannt ist, keine Beunruhigung aus gegenüber der Kolonialplünderung, gegenüber Menschenjagd, Menschenverfrachtung und Erniedrigung von Menschen zu Arbeits- und Haustieren, millionenfach, systematisch.

Diese Fragestellung kann nicht abgetan werden mit dem Hinweis auf die historischen Grenzen jeder Theologie. Denn nicht an einem modernen Humanitätsdenken wird hier gemessen, sondern die biblischen Texte selbst und die von ihnen her gemachten dogmatischen Aussagen sind der Maßstab. Indem der Schwarze in ihnen nicht vorkam und von ihnen keine Folgen verspüren konnte, steht diese ganze theologische Arbeit und Tradition von Jahrhunderten – wohlgemerkt von Jahrhunderten, in denen der Schwarze in der weißen Ökonomie und Politik sehr wohl vorkam! – unter der Frage, ob die in ihnen verhandelten menschlichen Probleme *mehr* waren als die Probleme eines privilegierten Teils der Menschheit, die Probleme einer abendländischen Subjektivität, auf die die ursprünglich so weltausgreifende christliche Botschaft eingeschränkt und verinnerlicht wurde. Dabei war diese Verinnerlichung selbst sowohl das nötige Mittel zur Abdeckung der bestehenden innereuropäischen Herrschaftsformen gegen eine zuletzt in den Bauernaufständen des 16. Jahrhunderts sich rührende Infragestellung durch diese Botschaft als auch das nötige Mittel, um das schreckliche Schicksal des Schwarzen draußen zu halten und von ihm bestenfalls im menschlichen Mitgefühl, nicht aber christlich beunruhigt zu werden.

Die deutsche Theologie bekam mit diesen Fragen erst zu tun, als die Welt schon fast weggegeben und der nackte Sklavenhandel verboten war, d. h. aber, als die durch Kolonialismus und Sklavengeschäft geschaffenen Tatsachen schon perfekt waren. Das machte es ihr leichter, den europäischen Imperialismus, in den nun auch das deutsche Reich einstieg, als vermeintlichen Beruf des christlichen Europas zur Ordnung der Welt zu akzeptieren und für die eigenen Missionszwecke auszunützen. Durch diese historische Verspätung deutscher Kolonialpolitik und durch das Abgehängtwerden der skandinavischen Länder vom imperialistischen Wettkampf konnte die lutherische Theologie noch leichter als die Theologien der übrigen Konfessionen Sklaverei und rassischen Kolonialismus ignorieren[15]. *Werner Elert* gab dem zweiten Band seiner »Morphologie des Luthertums« den Titel: »Soziallehren und Sozialwirkungen des Luthertums«[16]. In der Beschreibung der »gesellschaftlichen Dynamik« des Luthertums kommt der Schwarze auch an denjenigen Stellen nicht vor, wo das Luthertum in eine Sklavenhaltergesellschaft eingetreten war. Man erfährt bei Elert etwas über das Verhalten der Lutheraner im amerikanischen Bürgerkrieg[17]; daß in diesem Kriege aber die Sklavenfrage ein Hauptthema gewesen ist, wird von Elert nicht einmal erwähnt, und im Kapitel über die lutherische Mission[18] ist zwar – dem Interesse in der Entstehungszeit des Werkes entsprechend – viel von der Stellung der Mission zum »fremden Volkstum« die Rede, mit keinem Worte aber vom Kolonialismus. Wohl aber kann Elert zu seiner Freude auf die seit 1734 in den Südstaaten der USA angesiedelten lutherischen Salzburger verweisen, »wie ihnen die Verwendung von Sklaven von Anfang an widerstrebt und wie sie dauernd mit der ethischen Seite der Fragen gerungen haben«[19]. Diese Salzburger waren im Unterschied zur angelsächsischen Bevölkerung auf die Bekehrung der Schwarzen bedacht und auf Milderung der Härte des Sklavenkaufs, vergaßen »also nie, daß man Menschen vor sich hat«. Das patriarchalische Denken hat die Sklaverei gemildert, aber nicht überschritten. So blieben denn die Lutheraner im Bürgerkrieg meist neutral, waren aber nie aktiv auf Seiten der Abolitionisten[20]; die »Sozialwirkungen des Luthertums« sind also für die Schwarzen nur in sehr geringem Maße spürbar geworden[21]. Außerdem wird man mit ziemlicher Sicherheit sagen können, daß sich die an die Schwarzen adressierte weiße Verkündigung in den lutherischen Kirchen kaum unterschieden haben dürfte von dem, was die Schwarzen in den Kirchen der anderen Denominationen zu hören bekamen: »Je tiefer die Frömmigkeit des Sklaven, desto wertvoller ist er in jeder Hinsicht.«[22] Wertsteigerung des Sklaven, nicht seine Erhebung vom Sklaven zum Bruder war das Motiv der – übrigens erst im 18. Jahrhundert durchgesetzten – Erlaubnis christlicher Unterweisung an Sklaven, und auch sie konnte erst durchgesetzt werden, als Theologie half, die Taufe zu entwerten. Die richtige Erkenntnis, daß Taufen und Versklaven eines Menschen sich ausschließen, hatte das frühere Verbot veranlaßt. Aufgehoben wurde es, als findige Theologie den Trick anbot, »daß der Empfang der Taufe den Personenstand – sei es zur Knechtschaft oder zur Freiheit – nicht ändert; daß also manche Masters, befreit von diesem Bedenken, die Verbreitung des Christentums sorgfältiger betreiben mögen, indem sie erlauben, daß Kinder, auch von Sklaven, oder Heranwachsende, falls aufnahmefähig, zu diesem Sakrament zugelassen werden«[23].

Das hindert nicht die Illusionen, denen man beim Thema Sklaverei in der theologischen Literatur begegnen kann, sofern es dort Erwähnung findet. Zu dieser Erwähnung ist spätestens dann Anlaß, wenn Leute, die eine Veränderung gesellschaftlicher Verhältnisse anstreben, sich dafür aufs Neue Testament berufen. Dem nur die Tatsache entgegenzuhalten, daß der Wortlaut des Neuen Testamentes dafür keine direkten Belege liefert, und daß das Urchristentum keine sozialrevolutionäre Bewegung gewesen ist, erscheint den theologischen Kritikern solcher Berufung doch als zu mager, und bloße Indifferenz gegenüber elenden Gesellschaftszuständen will man dem Neuen Testament doch nicht nachsagen. Seit dem Streit um *Franz Overbecks*[24] Behauptung, die Stoa sei eine viel effektivere Anti-Sklaverei-Bewegung gewesen als das Urchristentum, und der »Sieg des Christentums« habe die kurz vor ihrer Abschaffung stehende Sklaverei wieder befestigt, bemüht man sich, dem Christentum das direkte oder wenigstens indirekte Verdienst für die Überwindung der Sklaverei zuzuschreiben[25]. Die neutestamentlichen Gedanken »der bedingungslosen Anerkennung der faktischen Gleichheit aller Menschen vor Gott und untereinander« und »die Aufnahme von Sklaven zu vollberechtigten Gliedern der Gemeinden . . . mußten früher oder später zu einer Aufhebung der Sklaverei führen. Der Termin war abhängig von der wirtschaftlichen und kulturellen Entwicklung der Länder und von der Durchführung der Grundsätze des Christentums in den christlichen Völkern.«[26] Diese Grundsätze – das sollte nicht länger mit Berufung auf die angebliche neutestamentliche Indifferenz bestritten werden – sind tatsächlich der Versklavung von Menschen feind, aber weshalb ihre »Durchführung« in der Zeit des größten politischen Einflusses der christlichen Kirchen gerade nicht stattgefunden hat, das müßte doch des theologischen Nachdenkens wert sein. Diese Frage und mit ihr viele Jahrhunderte entsetzlichen Menschenjammers und christlicher Schuld, die bis in die Gegenwart währt und sich rächt, werden übersprungen, wenn *Hans Schulze* von der Zeit nach dem Ende der noch die Haltung des Paulus zur Sklavenfrage bestimmenden urchristlichen Parusieerwartung sich erhofft: »Jetzt gewinnt die Verpflichtung zur Gesellschaftsgestaltung an Gewicht; sie wird unausweichlich. Mittlerweile (! d. Vf.) hat – um das Beispiel der Sklaverei wieder aufzunehmen – sich die Unverträglichkeit des Sklavenstandes mit dem an Christus orientierten Menschenbild erschlossen; diese Unverträglichkeit ist zum sittlichen und sozialen Datum geworden. Von daher muß also neu angesetzt werden.«[27] Oder *Helmut Thielicke:* »Indem Paulus den Sklaven Onesimus mit solchen Prädikaten bedenkt und ihn seinem früheren Herrn als ›Bruder‹ anbefiehlt, greift er in indirekter Manier die Strukturform der Sklaverei an und unterwandert sie. Die äußerste und von Paulus gewollte Paradoxie ist die, daß Onesimus sich nur aus einem Motiv in die Sklaverei zurückbegibt, das dieser Strukturform radikal entgegengesetzt ist und sie von innen her aufweichen muß, nämlich aus dem Motiv der Freiheit . . . Damit wird in die Strukturform der Sklaverei ein Sprengstoff eingeschmuggelt, der diese Ordnung verändern und dann auch für eine Aufhebung der Struktur reif machen muß.«[28] Muß? Das hat neunzehnhundert Jahre gedauert – wer hat nur die Zündschnur zu diesem Sprengsatz ständig weiter verlängert? Wenn die Automatik der Reihenfolge von der »Bekehrung des menschlichen Herzens« zur Änderung der Strukturen stimmt, die Thielicke behauptet, dann ist diese Frage doch intensivster Nachforschung wert[29]. »Dieses gewandelte Herz ist die Keimzelle der Weltveränderung« – mit dieser Formel wird von Thielicke und vielen anderen die Herzensbekehrung zur Bedingung der gesellschaftlichen Revolution gemacht. Die Formel hat ihre Wahrheit darin, daß ohne eine Revolution der inneren Einstellung die äußere Veränderung leer bleibt und darum bald wieder ins alte Elend zurückfallen wird. Sie übersieht aber sowohl das Wahrheitselement der lutherischen Zwei-Reiche-Lehre, die betont, daß Herzensbekehrung und Strukturveränderung auf zwei verschiedenen Ebenen liegen, als auch die Marxsche Erkenntnis (in Marx' 3. Feuerbachthese), daß die innere Veränderung in der praktischen Arbeit an der äußeren Veränderung sich vollzieht. Daß hier keine Automatik vorliegt, die einen friedlichen Übergang von der inneren zur äußeren Veränderung garantiert, beweist die Geschichte der USA, in der immerhin ein blutiger Bürgerkrieg nötig war, um den Sklaven wenigstens die juristische Befreiung zu verschaffen, und das neutrale Verhalten der

Lutheraner in diesem Kriege. Wenn man dies bedenkt, enthüllt sich der ideologische Vertröstungscharakter solcher Formeln: Die Sklaven, die auf das »gewandelte Herz« ihrer weißen Herren warten sollen, statt ihre Sache selbst in die Hand zu nehmen, warten vergeblich bis zum heutigen Tage.

Es mußten zur Herzensbekehrung noch andere soziale und geistige Entwicklungen hinzutreten, um jenen tatsächlich im Evangelium enthaltenen »Sprengstoff« entgegen den mehr und mehr in der Christenheit zwischengeschalteten gesellschaftlichen Hindernissen wirksam zu machen. Wie in der Antike der rationale Humanismus der Stoa, so hat in der Neuzeit der rationale Humanismus der Aufklärung zur Beschämung der Kirchenchristen die Einlösung der Menschenrechte auch für die Sklaven gefordert[30]. Es dürfte eben dies zu der von Thielicke[31] erwähnten »Strategie Gottes« gehören, daß »Herzensbekehrung« sich so auf das Bündnis mit den rationalen Aufklärern – und (nicht zu vergessen!) mit materiellen Interessen angewiesen erweist, »auf daß sich kein Fleisch rühme« (1 Kor 1, 29). Solches Bündnis samt gemeinsamer Praxis ist offenbar nötig, damit die Christen aus der religiösen Ideologie herauskommen, in welche sie die neutestamentlichen Glaubensanweisungen, die von der Ergebung in Gottes Willen und von Höherschätzung der inneren gegenüber der äußeren Freiheit sprechen, verwandelt haben.

II

So bedarf es eines langen Weges selbstkritischer historischer Reflexion, bevor »weiße Theologie« auf die Anfrage der »schwarzen Theologie« wird antworten können und dürfen. Zu nahe liegt die Gefahr, es könnte aus der Anfrage ein Thema bloß theoretischer Diskussion pensionsberechtigter Universitätsbeamter im weißen Besitzgetto gemacht werden, und es könnten Einwände die Funktion der Absicherung gegen die Anklage haben. Nur innerhalb der einzigen Chance, die diese Anklage uns läßt, wird ein Gespräch möglich sein, in dem auch Warnungen und Einwände ausgesprochen werden können. Diese Chance nennt Cone mit seiner Aufforderung an die weiße Theologie, »schwarz« zu werden, d. h. eine praktische Metanoia zu vollziehen, in der 1. die uns mit unseren weißen christlichen Vorfahren verbindende Schuld eingestanden, offengelegt und ihren Ursachen nachgegangen wird, in der 2. erkannt wird, daß wir mit unserem Wohlstand, einschließlich des materiellen Status unserer theologischen Fakultäten, täglich Nutznießer dieser geschichtlichen und gegenwärtigen Schuld, Nutznießer des weißen Imperialismus als des Hauptfaktors der gegenwärtigen Weltsituation sind, und in der 3. Solidarisierung im antiimperialistischen Kampf mit den heute nicht weniger als früher ausgeplünderten und entrechteten Massen der farbigen Welt praktiziert wird. Nur in dieser praktischen Solidarität kann heute noch glaubwürdige, auftragsgemäße christliche Theologie getrieben werden. Insofern legt die »schwarze Theologie«, wie *Georges Casalis* mit Recht sagt, »die Grundbeziehung zwischen dem Kampf um die Zukunft der Menschheit und dem Evangelium fest, das ihn begründet und davon Zeugnis ablegt. Von nun an gibt es keinen theologischen Elfenbeinturm mehr, sondern ausschließlich eine Praxis und eine Reflexion, die ausdrükken, daß man im planetarischen Klassenkampf Partei genommen hat, die Partei Gottes für die Befreiung aller Menschen, die Opfer unterdrückender Systeme und profitgieriger Menschen sind. Jede Kirche, jeden Christen muß die Theologie fragen: Auf welcher Seite stehst du in diesem entscheidenden Kampf in der ersten, der zweiten und der dritten Welt?«[32] Diese Forderung der Parteinahme, die durch die schwarze Theologie allerdings gestellt wird, klingt nur dem erschreckend, der sich verheimlicht, daß die empirische Kirche mit ihrer Verkündigung und Theologie faktisch immer Partei genommen hat. Auch ihre Staats- und Sozialethik enthielt die Parteinahme für die bestehende Ordnung, sofern sie diese zu verbessern suchte, aber einen christlichen Auftrag, sie grundlegend, also revolutionär zu verändern, nicht erkennen wollte oder – mit verschiedenen theologischen Argumenten – grundsätzlich bestritt. Für schwarze Theologie aber kommt der milde liberale Reformismus, auf den sich die weiße Sozialethik weithin geeinigt hat, nicht mehr in Frage. Sie ist die Aufforderung an die weiße Theologie, endlich revolutionär und erst dadurch wahrhaft christlich zu werden[33].

Hier nähert sich die Metanoia, zu der der Bußruf der schwarzen Theologie die weiße Theologie auffordert und einlädt, der Radikalität des Rufes Jesu zur Metanoia an, und hier zeigt sich gerade dank der schwarzen Theologie, daß der Ruf Jesu in die politisch-soziale Dimension hineinreicht und, solange wir vor deren Revolutionierung noch zurückscheuen, noch nicht wirklich gehört ist. »Das sind die wahren Weisen des Sterbens, die nicht geschehen an Wüstenplätzen außerhalb der menschlichen Gesellschaft (also auch nicht bloß im Bereich der Innerlichkeit! d. Vf.), sondern in der Ökonomie und Politik selbst.«[34] »Nur wer bis in den Geldbeutel hinein bekehrt ist, ist wirklich bekehrt«, sagt ein guter alter pietistischer Spruch, der freilich nur das Spenden *innerhalb* der bestehenden Besitzverhältnisse meinte, nun aber auf diese selbst, auf die Freiheit ihnen gegenüber und die Bereitschaft, sie preiszugeben, ausgedehnt werden muß. Eben das tut jener Reformismus nicht; er verharrt in den Grundstrukturen des bürgerlichen Systems und bezieht die Metanoia nicht auf diese selbst[35]. Nur eine Theologie, die in Solidarität mit den Betroffenen dieses Systems denkt und heutiger christlicher Praxis dient, kann die theologischen Probleme in Cones Entwurf[36] so erörtern, daß dies nicht heimlich der reformistischen Absicherung gegen die revolutionäre Metanoia dient, sondern dem gemeinsamen Weitergehen in gemeinsamer Aufgabe. Ich hebe einige Punkte hervor.

1. *Paul Lehmann*[37] weist zu Recht auf die Situationsgebundenheit der schwarzen Theologie hin: ein wichtiger hermeneutischer Gesichtspunkt zur Ausschließung einer ungerechten Kritik, die von einem theologischen Entwurf zeitlose Richtigkeit und unterschiedslose Anwendbarkeit für alle Zeiten und Situationen verlangt. Diese Situationsgebundenheit teilt schwarze Theologie mit jeder Theologie, sofern all unser Denken von nichttheologischen Faktoren, von allem, was unsere Situation ausmacht, bedingt, geprägt, auch beengt ist. Es geht nicht darum, sich von dieser Situationsgebundenheit zu lösen, wohl aber, sie selbst-kritisch zu reflektieren, damit unser Denken nicht nur ein Reflex unserer Situation sei und von dieser beherrscht werde, sondern damit es von Gottes Wort beherrscht und darum ein Akt der Freiheit gegenüber unserer Situation werde. Ob diese Befreiung unseres Denkens durch das Hören des Wortes Gottes im Gange ist, wird sich daran zeigen, daß es kritisch zu unseren situationsbedingten Interessen steht und daß es über unsere Situation hinausreicht, das Bestehen neuer Situationen vorbereitend und anderen in anderen Situationen dienlich werdend.

Das betrifft a) Cones Rede von *Gott*. Fragt *H. O. Edwards*, ob es sich bei Cone um eine »mehr oder weniger funktionale Definition Gottes« handle, so rückt diese Frage Cone in die Nähe mancher Formen existentialistischer Rede von Gott, in der »Gott« nur Ausdruck für zwischenmenschliche Funktionen oder nur Lieferant menschlichen Wohlergehens ist – eine Rede von Gott, die gegen Feuerbachs Projektionsverdacht nichts mehr vorbringen könnte und in der das doxologische Moment der Anbetung Gottes um Gottes willen, das von Karl Barth gegen die neuprotestantische Funktionalisierung Gottes so energisch aufgerichtet worden ist, wieder ganz verloren gegangen ist. Hier wird von den menschlichen Interessen her festgelegt, wer Gott zu sein hat, wenn er von uns angebetet sein will. Man wird daraus Cone – eben wegen der Situationsgebundenheit seiner Rede – nicht sofort einen Vorwurf machen dürfen, man wird ihn aber an die warnenden Beispiele der Theologiege-schichte erinnern müssen. Wir mögen oft genug auf der existentiellen Ebene von unseren Bedürfnissen her zum Evangelium kommen, und unser glaubendes Ja zum Evangelium mag sein erstes Motiv oft genug darin haben, daß wir im Evangelium unsere Bedürfnisse bejaht sehen, aber die Theologie darf diesen Weg nicht zu ihrem Gesetz machen. Es wirkt sich auf das Ganze einer Theologie aus, ob sie von unseren Bedürfnissen her denkend zu Gott oder von Gottes Offenbarung her denkend zu unseren Bedürfnissen kommt. Das letztere ist der biblische Weg. Auf ihm werden alle Aussagen über Gottes Beziehung zu uns, darüber, daß er »weiß« (Mt 6, 8.32) und also bejaht und erfüllt, was wir bedürfen, zu Aussagen über Gottes freie Gnade und erst und nur von daher zu Aussagen über unser Recht – unser Recht sowohl, ihn darum zu bitten, als auch unser Recht, dafür zu arbeiten und zu kämpfen. Nicht wir erdichten uns einen göttlichen Bundesgenossen und fügen – etwa als schwarze Theologen – dieses Gedicht dem politischen Befreiungskampf hinzu, tröstlich, aber doch auch entbehrlich und nur dekorativ. Sondern die Verheißung der Gnade, in der der ewige Gott die Sache von uns zeitlichen Menschen zu seiner Sache macht, sendet uns zu unseren Brüdern im Gefängnis, zur Teilnahme an ihren Kämpfen und zum Einbringen neuer Motive und neuer Kriterien in dieses Kämpfen.

Von der Gnade her kann man sagen, daß Gott »erwählt, was schwach ist vor der Welt, damit er das Starke zu Schanden mache« (1 Kor 1, 27), also auch, daß er erwählt, was schwarz ist, also auch, daß er sich und sein Tun damit definiert: daß Gott schwach ist und daß er schwarz ist. Dies aber nicht, weil die Schwachen und die Schwarzen vor ihm besser seien als die Starken und die Weißen. Daß sie »alle sündigten und fern bleiben von Gottes Herrlichkeit« (Röm 3, 23; Übersetzung von A. Schlatter), bleibt wahr und erweist sich daran, daß die innere Verkrüppelung infolge der gesellschaftlichen Situation bei den Schwarzen nicht geringer ist als bei den Weißen. Mag die Rechnung der Schuld die Weißen dabei mehr belasten, so ändert das doch nichts daran, daß die Metanoia, zu der die Gnadenbotschaft alle Menschen ruft, bei den Schwarzen nicht geringer und nicht leichter ist als bei den Weißen, auch wenn ihre konkrete Gestalt anders aussieht. Gottes Parteinahme für die Unterdrückten ist nicht ein Ja zu ihrem Sosein und zu ihren von ihrem Sosein geprägten Unternehmun-gen; es ist das kritische Ja, das ins Neuwerden führt, damit auch zu neuen Methoden des Klassenkampfes von unten anstelle bloßer Wiederholung der Methoden des Klassenkampfes von oben[38].

Das betrifft infolgedessen b) auch Cones Rede von der *Versöhnung*. Er steht in berechtigter Abwehr gegen eine Predigt der Versöhnung von weißer Seite, die auf die Entwaffnung der Schwarzen, auf die Einstellung ihres Kampfes zielt, gegen einen ideologischen Versöhnungspazifismus, der die Umarmung der Streitenden will, ohne daß die Ursachen des Streites beseitigt sind, und der also zum einseitigen Vorteil derer, die oben stehen, ausschlägt. Das war die Predigt, die die schwarzen Sklaven zu hören bekamen, als sie endlich zu den Gottesdiensten der Weißen zugelassen wurden[39]. Dieser Mißbrauch der Versöhnungsbotschaft zu »Versöhnlertum« (wie es Lenin mit berechtigter Verachtung genannt hat) stellt aber gerade vor die Aufgabe, von der Versöhnung Gottes mit *allen* Menschen und der dadurch begründeten Versöhnung zwischen den Menschen so zu sprechen, daß damit die Unerbittlichkeit des revolutionären Kampfes nicht gelähmt wird, dieser aber eine neue Qualität bekommt. Als *Nat Turner* mit seiner Schar loszog, um – ermächtigt durch Lesen der Bibel und durch göttliche Stimmen – umzubringen, was ihnen an weißen Menschen in den Weg kam[40], war das eben nur Reaktion auf die weißen Untaten, noch nicht ein Kampf, der auch die weißen Übeltäter als von Gott versöhnte Sünder ins Auge fassen konnte. Wie wirkt Gottes Versöhnung, geschehen in seinem Selbstopfer in Jesus Christus, in unsere menschlichen Kämpfe hinein, in die Jesu Jünger in diesem Äon hineinverflochten sind?

(1) Jedenfalls doch so, daß wir uns nicht mehr als die Gerechten gegen die Ungerechten, als die Unschuldigen gegen die Schuldigen denken können, wieviel Recht auch auf unserer Seite und wieviel Schuld auch auf der anderen Seite liegen mag. Selbstrechtfertigung und Verteufelung sind durchkreuzt. Neu hinzukommende Schuld auf der eigenen Seite, wie sie aus dem Kampfgeschehen sich ergibt, wird von uns nicht mehr geleugnet und nicht mehr leicht genommen.

(2) Jedenfalls doch so, daß das Ziel der Friede mit dem Gegner und nicht dessen Vernichtung oder Unterdrückung ist. Der Kampf geht nicht mehr um Rache, sondern um Herstellung besserer Gerechtigkeit.

(3) Jedenfalls doch so, daß schon im Kampfe der Gegner als der von Gott geliebte und gesuchte Mensch gesehen wird. Auch er ist durch die ungerechten Verhältnisse, die er angerichtet hat, von denen er profitiert und für deren Erhaltung er kämpft, deformiert, ein Gefangener seines eigenen Gefängnisses. *M. L. Kings* Leitgedanke, daß es sich beim Kampf der Schwarzen auch um die Befreiung der Weißen handle, darf auch bei gewaltsameren Formen des Kampfes nicht verlorengehen.

(4) Jedenfalls freilich auch so, daß uns spätestens da, wo Unrecht und Unterdrückung offensichtlich sind, Neutralität verboten und Parteinahme

geboten ist, und zwar – oft genug gegen unsere eigenen Interessen – für die Seite der Unterdrückten. Weil es um Änderung nicht nur der Herzen, sondern auch der Verhältnisse geht, die durch Gesetze, also mit Hilfe politischer Macht erfolgen muß, hat dies die Konsequenz, daß wir uns auch der politischen Parteinahme und Beteiligung einschließlich des indirekten oder direkten Einsatzes von Gewaltmitteln (dem Kennzeichen jedes politischen Kampfes!) nicht grundsätzlich werden entziehen können[41]. Dieses Parteiergreifen von Jüngern Jesu aus dem Impuls des Evangeliums ist ein an alle Hörer des Evangeliums, auch an die auf der Gegenseite, adressierter Anruf, sich ebenfalls dem Kampf gegen die Unterdrückung anzuschließen.

2. Das eben Gesagte intendiert keine Beschränkung der Versöhnung auf die Innerlichkeit oder auf bloß individuelle Beziehungen – ein Ausweg, den theologische Kriegsethik manchmal eingeschlagen hat, um den Versöhnungsglauben mit dem irdischen Kampfgesetz zu vereinbaren. Im Gegenteil, es geht um reale Auswirkungen des Versöhnungsglaubens auf das Kampfgeschehen, solange und soweit wir uns diesem nicht entziehen können. Diese unvermeidliche Beziehung von Versöhnungsbotschaft und politischem Kampf verweist auf ein besonderes Wahrheitsmoment der schwarzen Theologie: ihre Ablehnung der Trennung von *geistlichem Heil* und *irdischem Wohl*. In der kirchlichen Tradition hat diese Trennung nicht nur dem Trost des Glaubenden bei nicht behebbaren äußeren Nöten gedient, sondern auch als Opium für die Unterdrückten, um sie von der Empörung gegen ungerechte Zustände abzubringen, also zur schlechten Versöhnung. Gegen ein solches Mißverständnis des Neuen Testamentes steht das alttestamentliche Verständnis von Schalom: ganzheitliches Heil, das Leib und Seele umfaßt, Befreiung aus Leib und Seele zerstörenden Zuständen. Sklaven, die solche Zustände aufs bitterste erfuhren, können Befreiung nicht aufteilen und äußere Befreiung nicht so gering schätzen, wie es ihnen von der Trennungstheologie der Weißen zugemutet worden ist.[42] In ihre Erfahrung ist Knechtschaft und Freiheit eingebrannt, aus Erfahrung kennen sie die Entsprechung der zeitlichen und der ewigen Freiheit, Gott als den Befreier (so übersetzt Buber anstelle von Luthers »Erlöser«) haben sie in ihren Spirituals[43] angerufen und nach dem Bürgerkrieg erfahren: »Nie vergeß ich den Tag, wo wir frei wurden . . . Es war der vierte Tag des Juni im Jahr 1865, wo ich erst richtig zu leben anfing, un das Bild, wie der alte Mann mit dem großen schwarzen Hut un dem langen Backenbart auf ’er Veranda saß un so freundlich zu uns red’te, das wird mir unverwischt vor Augen sein, bis an mein Grab.« »Am Freisein,

da is' was dran, das entschädigt für alle Mühsal. Ich bin Beides gewesen, Sklave und frei, und ich weiß Bescheid.«[44] »Für schwarze Sklaven, die dazu verdammt waren, ihr Leben in menschlicher Gefangenschaft zu leben, bedeutete *Himmel,* daß der ewige Gott eine Entscheidung über ihr Menschsein getroffen hatte, die von weißen Sklavenherren nicht zerstört werden konnte.«[45]

Mit der Trennung des Geistlichen und des Weltlichen fällt auch die andere Trennung hin, die ebenso im Interesse der weißen Herren lag, die Trennung zwischen Gottes Tun und dem eigenen Tun in bezug auf Heil und Freiheit: »Wie 'ch anfing mit Predigen, konnte ich nich lesen un nich schreiben, un mußt ich predigen, was Master mir vorsagt, und er sagt, erzähl den Niggern, wenn sie Master gehorchen, komm sie in' Himmel; aber wußt ich wohl, 'ch hätt ihn' was Besseres zu sagen gehabt, aber das hab ich nich gewagt, bloß heimlich. Da hab ich dann aber richtig ausgepackt. Ich hab ihn' gesagt, wenn sie nur treu anhalten im Gebet, dann wird sie der Herr schon freimachen.«[46] Beten aber ist nicht nur Ausblick auf Gottes Tun, sondern zugleich auch Beginn eigenen Tuns. »Kann ein ernsthaftes Gebet auf die Länge ohne die entsprechende Arbeit bleiben? Kann man Gott um etwas bitten, das man nicht in den Grenzen seiner Möglichkeiten herbeizuführen im selben Augenblick entschlossen und bereit ist?«[47] So hat »das Christentum den Drang nach Befreiung unter allen Sklaven nicht abgeschwächt . . ., vielmehr gibt es viele Nachweise dafür, daß die Sklaven das Evangelium auf die verschiedensten Arten des Widerstandes angewendet haben . . . In der Tat glaubten viele, die einzigen Hände, die Gott habe, seien ihre eigenen Hände, und ohne das Risiko von Flucht und Aufstand werde die Sklaverei niemals enden.«[48] In den anderen Bereichen weißer Unterdrückung hat sich dieser »Sprengstoff« des Evangeliums ebenfalls bewährt. Blickt Thielicke in seiner Verwendung dieser Metapher bezeichnenderweise allein auf eine – zu erwartende, aber eben nicht eingetretene – Abschaffung der Sklaverei durch die Herren, so fand die wirkliche Sprengwirkung bei den Sklaven statt: Ihr Verlangen nach Freiheit wurde durchs Evangelium stimuliert und zur Tat gebracht. Es waren christliche Ovambos, die im Dezember 1970 den ersten Streik in Namibia wagten, sich stärkend durch Gebete und Choräle, und das Fazit dieses Ereignisses war die Feststellung: »Heiden streiken nicht.«[49] Die für politische Theologie der Gegenwart so unerläßliche Neubesinnung auf die Zusammengehörigkeit von göttlicher und menschlicher Tat, von Reich Gottes und tätiger, in die Freiheit hinein aufbrechender Metanoia gehört zu der Belehrung, die die schwarze Theologie der weißen zu geben hat.

3. Cones Verwendung biblischer Motive ist selektiv. Das ist sie bei uns allen. Ob bei solcher Selektion die Verwendung der Bibel nur zur nachträglichen Legitimierung und Illustrierung einer vorher und anderswoher entworfenen Konzeption dient, oder ob diese aus dem Hören der biblischen Botschaft gewonnen wurde, wird sich entscheiden an der bestimmenden Bedeutung der zentralen biblischen Themen. Exodus, Bund, Erwählung und Gottes Bekenntnis zu den Erniedrigten sind sicher solche Themen. Biblisch sind diese aber unlösbar mit dem Ereignis von *Kreuz und Auferstehung* Jesu Christi zusammengeschlossen. Was Cone von Kreuz und Auferstehung zu sagen weiß, ist sicher noch ungenügend. Seiner Zurückhaltung werden wir besser gerecht, wenn wir nicht vergessen, daß er als Wortführer eines leidenden Teils der Menschheit spricht, der gerade von der Botschaft vom Gekreuzigten Hilfe und Hoffnung in seinen eigenen Kreuzigungen erfahren hat. Deshalb ist hier wahrhaftig nicht theologische Beckmesserei am Platze, wie man sie an einer weißen Fakultät am theologischen Entwurf eines Habilitanden, der mit Erwägungen zum Foltertode Jesu seine akademische Laufbahn vorantreibt, zu üben pflegt. Wenn Gottes Erwählen vom Kreuze Jesu her bedacht wird, dann gerät jedes Erwähltheitsbewußtsein mit seiner zwangsläufigen Hybris unter die Kritik des Kreuzes. Dann ist der Bund nicht nur die Verheißung, daß Gott mit uns ist, sondern eben darauf die Frage, ob auch wir und unser Kämpfen wirklich mit Gott sind. Dann zerbricht der Pharisäismus der Unterdrückten ebenso wie der Pharisäismus der Unterdrücker. Damit wird die nötige Erweckung rassischen Selbstbewußtseins – Black is beautiful – davor bewahrt, nur Ressentiment-Reaktion (im Sinne Nietzsches) oder nur Wiederholung der weißen Verachtung anderer Hautfarbe zu werden. Die heute zu hörenden weißen Warnungen vor schwarzem Rassismus und Nationalismus gehören natürlich auch in das Kapitel weißer Heuchelei. Die Internationalisierung des Kapitals im Zeitalter der multinationalen Konzerne zieht die Ersetzung der nationalen Ideologie des Bürgertums durch eine internationale nach sich, und infolgedessen hat alles, was z. B. die deutsche lutherische Theologie in der ersten Hälfte unseres Jahrhunderts an Vaterlands- und Volkstumsideologie produziert hat, für den heutigen Leser den Effekt antiquierter Komik. Für die Völker und Rassen aber, denen der weiße Rassismus das Rückgrat des Bewußtseins eigenen Wertes zerbrochen hat, hat die Heilung dieses Rückgrats entscheidende Lebensbedeutung[50]. »So galt es in meiner Jugend als Beleidigung, jemanden schwarz zu nennen. Dieses Schimpfwort von einst ist inzwischen von den Schwarzen übernommen worden, sie haben daraus einen Schlachtruf gemacht und ein Ehrenzeichen, und sie

lehren ihre Kinder, stolz darauf zu sein, daß sie schwarz sind ... Schwarz, das ist eine geistige Haltung, das ist eine der größten Herausforderungen, der ein Lebender sich stellen kann ... Nichts ist einfacher und liegt für den von Schuld geplagten weißen Amerikaner näher, als das mit dem Schlagwort vom umgekehrten Chauvinismus abzutun. Aber darin irren sich die weißen Amerikaner, wie sie sich überhaupt in vielen Dingen irren. Sich vom Stigma des Schwarzseins zu befreien, indem man es annimmt, das heißt, daß man endgültig aufgehört hat, innerlich mit denen zu kollaborieren, die einen erniedrigt haben.«[51] Wenn aber *James Baldwin* an anderer Stelle sagt: »Die Machtlosen können, eben weil sie machtlos sind, keine Rassisten sein; denn sie können die Welt nicht zwingen, für ihre Ängste und Gefühle zu zahlen«[52], so gilt das eben nur für die Periode der Machtlosigkeit. Im anti-imperialistischen Kampf als einem (nicht nur, aber auch) politischen geht es um die Frage der Macht, um »Umverteilung der Macht«, wie es in der Begründung zum Anti-Rassismus-Programm des ÖRK richtig hieß. Theologie hat die Versuchungen der Macht zu reflektieren. Sie darf mit der Zusage von Gottes Bund und Erwählung nicht nur – durchaus legitim – Mut zum Selbstbewußtsein stärken; sie muß mit rechter Auslegung von *Gottes* Erwählen vorbauen gegen den Umschlag des Stolzes auf die eigene Art in die Hybris des Erwähltheitsbewußtseins, das Erwählung zum Selbstzweck macht und also nicht mehr als Sendung zum Dienst versteht. Wird Erwählung aber als solche Sendung verstanden, dann hat sie ihre Grundgestalt in der Erwählung Israels zum Segen für die Völker (Gen 12, 3) und im Gehorsamsweg des Gottessohnes, der den Leidensweg geht. Dann kann sie rüsten zu jener Leidensbereitschaft, die der nötig hat, der aus der Passivität des Erleidens der Erniedrigung aufsteht zum Kampf gegen sie und dabei neue Leiden auf sich nimmt; dann gibt sie Hoffnung im Scheitern; dann wird der leidensscheue weiße Aktivismus nicht ersetzt durch einen entsprechenden schwarzen Aktivismus, sondern die tiefe schwarze Erfahrung von der nicht nur entmenschlichenden, sondern auch vermenschlichenden Kraft des Leidens mit hineingenommen in die Zeit, in der die alten Leiden der Erniedrigung beendet sein werden. Das kann der leidenden und kämpfenden farbigen Menschheit nicht mehr von außen, von den Weißen gepredigt werden; die stehen hinreichend unter Ideologieverdacht. Aber die mitkämpfenden schwarzen Christen, ausgerüstet mit der Botschaft von Kreuz und Auferstehung Jesu Christi, sind zu ihren Brüdern gesendet, um ihnen zu helfen, sich vor der Wiederholung der weißen Sünden zu bewahren.

Damit bewahrt sich die schwarze Theologie selbst, zur Anpassungs- und

Rechtfertigungsideologie zu werden, wie es der weißen Theologie so oft geschehen ist. Die kritische Kraft der Kreuzesbotschaft läßt uns den Unterschied zwischen Gottes Befreiungskampf und unseren Befreiungskämpfen wahren. Ist unser Motiv im politischen Befreiungskampf der Gehorsam gegen das Evangelium von Gottes Befreiungskampf auf der politischen Ebene und bitten wir Gott dabei um seinen Segen, also darum, daß er sich mit unserem Kampf identifiziere und durch ihn sein Werk treibe, so ist es doch etwas anderes, ob Gott sich mit uns oder ob wir uns mit ihm identifizieren. Indem wir letzteres uns anmaßen, verhindern wir ersteres. Was wir von ihm erbitten, dürfen wir nicht selber unternehmen.

4. Soweit sich Cone zum *Gewaltproblem* äußert, das natürlich immer für eine christliche Theologie des Politischen eine wichtige Frage darstellt, ist eine Verständigung unschwer möglich. Die menschliche Geschichte ist Gewaltgeschichte, und ebenso werden alle gegenwärtigen Gesellschaften durch Gewalt aufrechterhalten, durch Androhung und Ausübung immer mehr perfektionierter, schauerlicher Gewaltmittel. Die Geschichte der Zivilisation ist *nicht*, wie die Abschaffung der Folter und die Humanisierung des Strafvollzugs in einigen Ländern es erscheinen lassen könnte, eine Geschichte des Abbaus der Gewalt; jene fortschrittlichen Momente werden mehr als ausgeglichen durch Wiedererstehen und Ausbreitung der Folter in unserem Jahrhundert und durch die Entsetzlichkeiten der modernen militärischen Technologie. Die Kirche hat sich angesichts der Unmöglichkeit der Abschaffung der Kriege um die Moderierung der Kriegsgreuel bemüht, aber als Kirche der Herrschenden hat sie weder zur Abschaffung der Folter viel beigetragen (das tat mehr die Aufklärung) noch der militärischen Entwicklung wirklich widerstanden. Sie unterschied zwischen gerechten und ungerechten Kriegen, aber ihr gleichzeitiges Lehren und *Nicht*-Anwenden dieser Unterscheidung diente dazu, die Bevölkerungen moralisch für die Kriege der Herrschenden *ohne* jede Unterscheidung verwendbar zu machen – wobei in unserem Zusammenhang noch anzumerken ist, daß die in der Neuzeit ausgearbeiteten Regeln einer moderierten Kriegsführung nur für die Kriege zwischen weißen Völkern, nie für Kolonialkriege wirksam geworden sind. Angesichts all dieser Tatsachen ist die Forderung der Gewaltlosigkeit, von Angehörigen der herrschenden weißen Schicht an farbige Revolutionäre gerichtet, pure Heuchelei, bewußte oder unbewußte, die keines Wortes mehr bedarf. Wohl aber stellt sich das Problem der Gewalt neu *innerhalb* der revolutionären Bewegung, und dem scheint mir Cone, weil nur beschäftigt mit der

Abwehr der Zumutungen der weißen Heuchelei, noch zu wenig Aufmerksamkeit zuzuwenden[53]. Gewaltanwendung brutalisiert, auch wenn Unterdrückte sie in ihrem Kampf nicht zu vermeiden vermögen. Einschränkung der Gewalt zur ultima ratio und möglichste Humanisierung der Gewaltmethoden liegen im Interesse der revolutionären Bewegung nicht nur aus Opportunitätsgründen, sondern zur Wahrheit des humanen, freiheitlichen Charakters der Bewegung selbst. Die korrigierende Aufgabe der Christen in ihr besteht im Widerstand gegen die nur vermeintlich nötige Erziehung zum Haß und gegen die brutalisierende Rückwirkung der Gewalt auf die, die sie anwenden. So wird das Gewaltproblem zur Aufgabe einer schwarzen Theologie innerhalb einer revolutionären Bewegung der farbigen Welt, und dafür kann sie Positives und Negatives aus der Geschichte des Gewaltproblems in der weißen Theologie lernen[54].

Nachtrag

Erst nach Abschluß dieses Aufsatzes hatte ich Gelegenheit, noch ein älteres und ein neueres Buch zum Thema der Sklaverei zu lesen. *G. Warnecks* Schrift: Die Stellung der evangelischen Mission zur Sklavenfrage, 1889, ist von der klaren Erkenntnis der Unverträglichkeit von Christentum und Sklaverei bestimmt, also auch von der Scham über die Sklaverei-Schande der christlichen Völker. Sie zeigt, ohne jene beflissene Apologetik anderer Darstellungen, die schwierigen Probleme für die Mission, besonders in Afrika, und die opfervollen Bemühungen vieler Missionare um Schutz und Hilfe für die afrikanischen Menschen: »Die evangelische Mission als der natürlichste und organisierteste Bund zum Schutz der Eingeborenen« (49). Natürlich bleibt Warneck gegenüber dem Kolonialismus in den Grenzen des damaligen europäischen Denkens. Innerhalb dieser Grenzen und also auch der Grenzen der Klassengesellschaft formuliert seine vier »allgemeinen Grundsätze« (67) den humanisierenden Einfluß und Anspruch des Evangeliums auf die Individuen über die Klassengrenzen hinweg, begründet in der Gleichheit und Brüderlichkeit der Menschen vor Gott. Aus solchen Grundsätzen folgte z. B. eine Instruktion der Baseler Mission (1861): »Sklavenbesitzer, welche um Aufnahme in die Gemeinde bitten, sind davon zu überzeugen, daß die Sklaverei sich nicht mit dem Glauben an die Vaterschaft Gottes und an die Ebenbildlichkeit des Menschen mit Gott und ebensowenig mit der gliedlichen Vereinigung der Erlösten mit ihrem Haupte Christo, mit der Mündigkeit der Wiedergeborenen und dem allgemeinen Priestertum aller

Gläubigen verträgt« (69 f). Sklavenhändler sollen nach Vorschlag von Warneck »nicht in die christliche Gemeinde aufgenommen bzw. aus ihr ausgeschlossen« werden (72). – Die Habilitationsschrift von K.-P. Blaser, Wenn Gott schwarz wäre ... Das Problem des Rassismus in Theologie und christlicher Praxis, Zürich 1972 (mit Bibliographie), gibt einen guten Überblick über die theologische Diskussion, besonders auch in den heutigen Regionen mit rassistischer und kolonialistischer Politik, und bringt einige kritische Anfragen an J. H. Cone (191–196, 284–292). – Zur Rassismus-Diskussion in der Ökumene sei auf die nützlichen Arbeiten von K. M. Beckmann verwiesen: Zur Rassenfrage in der Ökumene, in: F. Theol. 20, 1969, 327–336; Die Kirche und die Rassenfrage, 1967; Rasse, Kirche und Humanum, 1969; Rasse, Entwicklung und Revolution, Beiheft ÖR 14/15, 1970. – Für das Verhältnis von christlicher Mission und europäischem Kolonialismus haben die beiden Aufsätze von W. Holsten, Kolonialismus als theologisches Problem, in: stat crux dum volvitur orbis (Festschrift H. Lilje), 1959, 159–170, und von H. W. Gensichen, Die deutsche Mission und der Kolonialismus, in: KuD 1962, 136–149, die Problematik noch nicht scharf genug erfaßt.

Anmerkungen:

1. In den Jahren des braunen Versklavungsregimes hat *Reinhold Schneider* in seinem Buch: Las Casas vor Karl V., 1938, die Gestalt dieses ersten Protestes gegen die kolonialistische Perversion des Christentums wieder sichtbar gemacht. – Jetzt wird zum erstenmal die ganze Radikalität und Bedeutung des vergessenen Kampfes des spanischen Bischofs dargestellt in der Dissertation von C. Lange: Kolonialismus – das Zeugnis von Las Casas (Phil. Diss., FU Berlin, 1972).

2. Diese Sakramentsfrömmigkeit ist den Juden in Europa zum Verhängnis geworden; vgl. *K. Kupisch*, Das christliche Zeitalter (Kirchentagsvortag, Berlin 1961), in: Der ungekündigte Bund, 1962, 83. – Das gleiche gilt für das Verhalten der abendländischen Invasoren in den anderen Erdteilen. Ein sprechendes Beispiel ist der Bericht des italienischen Weltreisenden *Francesco Carlotti*, Reise um die Welt 1594, 1966. Er erzählt von der hochstehenden Religiosität und Moral der Inder in Goa: Sie achten ihre Religion für höher als alle anderen, verdammen aber deshalb keineswegs die Religion der Christen. »Im Gegenteil: einer meiner besten Freunde, eine sehr reiche und intelligente Persönlichkeit, sagte oft zu mir: ›Auch die Christen würden, wenn sie nur moralisch und zivilisiert leben wollten, ihre Seelen retten können.‹ Er vertrat die Ansicht, daß es genüge, wenn man für andere das tut, was man gern für sich getan haben möchte. Dabei spielt die Religion keine Rolle. Es genügt, um sich nach dem Tode einen Ruheplatz zu sichern. Ich habe, soweit mir das möglich war, versucht, ihm das Gegenteil zu beweisen, nämlich, daß die Taufe der einzige Weg für uns sei, wenn wir den Wunsch haben, an Gottes Glorie im anderen Leben teilzunehmen« (254).

3. *C. Amery*, Das Ende der Vorsehung. Die gnadenlosen Folgen des Christentums, 1972, 11.

4. An *Max Webers* These von der Bedeutung der protestantischen Ethik, im besonderen aber der calvinistischen Erwählungslehre für die Entwicklung des Kapitalismus ist zum mindesten die Beobachtung richtig, daß kulturelle Verhaltensweisen sich zäh halten, auch wenn ihre religiösen Voraussetzungen nicht mehr allgemein lebendig sind.

5. »Es war die germanisch-protestantische Kultur im Gegensatz zu der romanisch-katholischen, welche diese Entwicklung (sc. zur Abschaffung der Sklaverei) betrieb.« Diese selbstzufriedene Feststellung *E. von Dobschütz'*, Sklaverei und Christentum, RE³ 18, 433, trifft zu für die Abolitionsbewegung in der Zeit des Übergangs vom 18. zum 19. Jahrhundert; sie unterschlägt aber, daß diese »germanisch-protestantische Kultur« vorher die Sklaverei eifrig fortgesetzt und ausgeweitet hat und daß sie auf rassische Apartheid psychologisch viel stärker fixiert ist als die »romanisch-katholische Kultur«. Wie wenig hier die eine »Kultur« der anderen vorzuwerfen hat, zeigt der Überblick über die Kolonisierung Afrikas, den man sich durch *G. von Paczenskys* Buch: Die Weißen kommen. Die wahre Geschichte des Kolonialismus, 1970, verschaffen kann. Gustav Warneck (s. Nachtrag) zitiert aus *Waitz*, Anthropologie der Naturvölker, 1859 ff, II, 211: »Haben die Neger zwar von jeher Sklaven gehabt, so ist es doch allein eine Folge ihres Verkehrs mit Christen und Mohammedanern, daß sie auf Sklavenjagden in großem Maßstabe und Menschenräuberei zum Zwecke des Verkaufs sich eingelassen haben; nur die Sklaverei, nicht der Sklavenhandel ist in den Negerländern ursprünglich einheimisch gewesen.« Für die Geschichte der Neger in Amerika vgl. *J. W. Schulte-Nordholt*, Das Volk, das im Finstern wandelt, 1959 (mit Bibliographie).

6. *K. Marx*, Einleitung zur Kritik der Hegelschen Rechtsphilosophie, in: Die Frühschriften, hg. von S. Landshut, 1953, 222 f.

7. *K. Marx / F. Engels*, Werke, Bd. 23, 1972, 781.

7a. A Study of History, Bd. 1, London 1934, 211 ff.

8. *St. Hymer*, Multinationale Konzerne und das Gesetz der ungleichen Entwicklung, in: Imperialismus und strukturelle Gewalt. Analysen über abhängige Reproduktion, hg. von D. Senghaas, es 563, 1972, 225.

9. *G. Myrdal*, Rolle und Realität der Rasse, in: Aufsätze und Reden, es 492, 1971, 101, 103. – Für Lateinamerika: *S. Lindqvist*, Lateinamerika. Der geplünderte Kontinent, Humboldts Taschenbücher, Nr. 188, 1971, 85–99.

10. *C. Amery*, aaO. 13.

11. Vgl. *M. Linz*, Sklaverei als ethischer ›Modellfall‹, in: EvTh 19, 1959, 569–584; *A. Lotz*, Sklaverei, Staatskirche und Freikirche. Die englischen Bekenntnisse im Kampf um die Aufhebung von Sklavenhandel und Sklaverei, Kölner Anglistische Arbeiten 9, 1929. – Von *John Wesley* sind rühmend seine Thoughts on Slavery (1774) zu nennen, deren Linie dann sein Schüler John Wilberforce fortsetzte.

12. *A. Schweitzer*, Kultur und Ethik, 1923, 225: »Wie die Hausfrau, die die Stube gescheuert hat, Sorge trägt, daß die Türe zu ist, damit ja der Hund nicht hereinkomme und das getane Werk durch die Spuren seiner Pfoten entstelle, also wachen die europäischen Denker darüber, daß ihnen keine Tiere in der Ethik herumlaufen.«

13. Der Weg von der Entschuldigung der Sklaverei zur »›positive good theory‹, nach der Sklaverei nicht länger als ein notwendiges Übel geduldet, sondern als ein Segen Gottes für Weiße *und* Neger verteidigt wurde«, also zur blanken Ideologie,

ist bei *M. Linz*, aaO. 573, nachzulesen; dort sind auch die dahinter stehenden materiellen Interessen wenigstens skizziert.

14. Vgl. *M. Linz*, aaO. 575 f. – Aber Linz kann dort doch auch sagen: »Für die Gegner der Sklaverei sprach die ganze Bibel gegen diese Institution« (575).

15. Wie zäh diese Ignorierung sich hält, kann man daran sehen, daß die Herausgeber der 3. Auflage der RGG im Jahre 1959 den als untauglich erkannten Artikel der 2. Auflage über »Kolonialpolitik und Mission« von *C. Mirbt* (RGG² III, 1147 f; vgl. Mirbts im gleichen Stil gehaltenes Buch: Mission und Kolonialpolitik in den deutschen Schutzgebieten, 1910) durch einen nicht weniger ahnungslosen Artikel von *L. B. Greaves* (RGG³ III, 1725 ff) ersetzten.

16. *W. Elert*, Morphologie des Luthertums, Bd. 2, Soziallehren und Sozialwirkungen des Luthertums, 1932. – Zur Haltung der nordamerikanischen Kirchen gegenüber der Sklaverei vgl. auch *E. Hirsch,* Geschichte der neueren evangelischen Theologie III, 1951, 363 ff.

17. *W. Elert*, aaO. 261 f, 277.

18. *W. Elert*, aaO. 278–290.

19. *W. Elert*, aaO. 458 f.

20. Die auch von *W. Elert*, aaO. 258, erwähnte unpolitische Haltung der Lutheraner war, wie *M. Linz*, aaO. 579, richtig bemerkt, faktisch »eine politische Stellungnahme« zur »Bestätigung der bestehenden Ordnung«. Linz zitiert dafür einen Satz aus dem Lutheran Observer im Jahre 1860, ein Jahr vor Ausbruch des Bürgerkriegs, der uns, wenn wir an heutige Stellungnahmen denken, sehr bekannt vorkommt: »Bis jetzt ist unsere Kirche noch nicht verwirrt worden, weil wir den Gegenstand der Sklaverei, wie es sich gehört, von unseren kirchlichen Versammlungen ausgeschlossen haben.«

21. Immerhin sei erwähnt, daß wie *W. Elert*, aaO. 460, mit Stolz mitteilt, das »lutherische Dänemark« das erste Land war, das 1792 den Sklavenhandel verbot. 1794 schloß sich der französische Nationalkonvent an, 1806/07 die britische Krone. 1839 hinkte schließlich Papst Gregor XVI. mit seinem Verbot des Negerhandels nach.

22. Zitiert bei *J. H. Cone*, Ich bin der Blues und mein Leben ist ein Spiritual. Eine Interpretation schwarzer Lieder, 1973, 37; vgl. dort auch das Zitat aus einem Sklavenkatechismus. – Im gleichen Sinne berichten ehemalige Sklaven von den Predigten, die sie in ihrer Jugend gehört haben, bei *B. A. Botkin*, Die Stimme des Negers, 1963, z. B. 281, 445, und das Gegenbeispiel 67.

23. So das englische Gesetz von 1667, das die vorher bestehende Vorschrift, a slave who had been christened or baptized became infranchised, abschaffte (vgl. *Th. Lehmann*, Negro Spirituals. Geschichte und Theologie, 1965, 65). Das im Text ins Deutsche übersetzte Zitat lautet im englischen Original: ». . . that the conferring of baptisme doth not alter the condition of the person as to his bondage or freedom; that diverse masters, freed from this doubt, may more carefully endeavour the propagation of christianity by permitting children, though slaves, or those of greater growth if capable, to be admitted to that sacrament.

24. Über das Verhältnis der Alten Kirche zur Sklaverei im römischen Reiche, in: Studien zur Geschichte der Alten Kirche, 1875, 158–230. – Dazu *Th. Zahn,* Sklaverei und Christentum in der alten Welt, in: Skizzen aus dem Leben der Alten Kirche, 1898², 116–159. – *A. Steinmann*, Sklavenlos und Alte Kirche, (1910) 1922³; *ders.,* Paulus und die Sklaven von Korinth, 1911.

25. Am ungeniertesten tat das Papst Leo XIII. in seiner Enzyklika vom 5. Mai

1888; dies veranlaßte immerhin den Kardinal Lavigerie zu dem Versuch, eine internationale Bewegung zur Bekämpfung des Sklavenhandels ins Leben zu rufen (vgl. RGG² V, 579).

26. So *J. Witte*, Art. Sklaverei und Christentum, RGG² V, 577. Im entsprechenden Artikel der 3. Auflage der RGG VI, 102, wendet *H.-D. Wendland* gegen dieses »früher oder später« ein, daß die neutestamentliche Gemeinethik »nicht die soziale Institution der Sklaverei fraglich« mache (wobei das »fraglich« fraglich ist), und fügt das merkwürdig empiristische Argument an, daß »die Sklaverei vielfältig in Amerika, Afrika und Asien bis ins 19. Jahrhundert bestanden hat, ohne von den Kirchen grundsätzlich angefochten zu werden«.

27. *H. Schulze*, Gottesoffenbarung und Gesellschaftsordnung. Untersuchungen zur Prinzipienlehre der Gesellschaftstheologie, 1968, 172 f.

28. *H. Thielicke*, Können sich Strukturen bekehren?, in: ZThK 66, 1969, 112 f. – Dieses die kirchengeschichtlichen Fakten überspringende Entlastungsmanöver ist alt, z. B. schon bei *Chr. E. Luthardt*, Apologetische Vorträge. Über die Grundwahrheiten des Christentums, 1883¹⁰, 225: Das Christentum hat zwar »die Sklaverei nicht alsbald äußerlich aufgehoben, aber es hat im Sklaven den Menschen, den christlichen Bruder anerkennen gelehrt und damit dieses verwerfliche Institut im Innern gebrochen«.

29. Thielicke unterläßt nicht nur diese Nachforschung, sondern unterstellt ohne jeden Beweis denen, die mit ihr beschäftigt sind und deshalb eine »Theologie der Revolution« vertreten, pauschal den »Fehler«, sie betreiben das »Projekt einer Weltänderung« einseitig bei den Strukturen einsetzend und übersähen die Notwendigkeit der Herzensbekehrung.

30. *D. F. Strauß*, Der alte und der neue Glaube, 1872, 24 (1903¹⁵, 56): daß man lernte, »auch im Sklaven den Menschen zu achten«, kam nicht durch das Christentum, sondern durch die Stoa. »Die Abschaffung der Sklaverei aber hat nicht die christliche Kirche, sondern die leidige Aufklärung durchgesetzt. Menschenrechte sind kein christlicher, sondern ein philosophischer Begriff.« – Diese Polemik ist freilich – ebenso wie Overbecks These und *J. Kahls* Darstellung der »Kirche als Sklavenhalterin«, in: Das Elend des Christentums, rororo aktuell 1093, 1968, 18–27 – nicht weniger einseitig als die entgegengesetzte christliche Apologetik, die sich auf den Humanismus des Evangeliums beruft, ohne von der Kirchengeschichte zu sprechen. Von beidem hält sich frei das sehr nötige Buch von *S. Schulz*, Gott ist kein Sklavenhalter. Die Geschichte einer verspäteten Revolution, 1972 – freilich mit einer mir noch korrekturbedürftig erscheinenden Belastung des Apostels Paulus (vgl. dazu die Stimmen zu S. Schulz' Aufsatz: Hat Christus die Sklaven befreit? Sklaverei und Emanzipationsbewegungen im Abendland, in: EvKomm 5, 1972, 13 ff, von *H. Cron, P. Stuhlmacher*, aaO. 297 ff, und *E. Schweizer*, in: EvTh 32, 1972, 502 ff).

31. AaO. 114.

32. Die theologischen Prioritäten des nächsten Jahrzehnts, in: ThPr 1971, 323.

33. Daß wirkliche Emanzipation nur durch eine Revolution der ganzen Gesellschaft verwirklicht werden kann, hat den amerikanischen Negern ihre Geschichte seit der Sklavenbefreiung von 1865 bewiesen. Deshalb kann ihnen Reformismus nicht mehr genügen. Für ihn gelten bis heute *K. Marx'* Worte gegen Lassalle: »Es ist, als ob unter Sklaven, die endlich hinter das Geheimnis der Sklaverei gekommen und in Rebellion ausgebrochen, ein in veralteten Vorstellungen befangener Sklave auf das Programm der Rebellion schriebe: Die Sklaverei muß abgeschafft werden,

weil die Beköstigung der Sklaven im System der Sklaverei ein gewisses niedriges Maximum nicht überschreiten kann« (Kritik des Gothaer Programms 1875, in: *K. Marx / F. Engels*, Ausgewählte Schriften II, 1968, 22). – Welcher Nachholbedarf für die weiße Theologie in ihrer Stellung zur Revolution besteht, läßt sich an einer Bemerkung von *A. A. T. Ehrhardt*, Politische Metaphysik von Solon bis Augustin, Bd. 2: Die christliche Revolution, 1959, 19, ermessen: »Diese Einstellung zur Sklaverei gewährt uns weiterhin einen Maßstab für die Art, in der man das Christentum als revolutionär zu betrachten hat. Es ist nämlich eine in der politischen Theorie allzu häufig übersehene Tatsache, daß man Revolutionen nicht nach dem Terror, den sie verbreiten, beurteilen darf noch nach der Zerstörung, die sie verursachen, sondern danach, ob sie eine politische Alternative für das System zu bieten vermögen, das sie bekämpfen, oder nicht. Wenn sich die neuen politischen Prinzipien in das von ihnen bekämpfte bestehende System nicht einfügen lassen, wenn sie bestenfalls nur mit ihm auf Zeit ausbalanciert werden können, wenn jede einzelne, auch die wohlwollendste Maßregel des herrschenden Prinzips der eingehenden Kritik von seiten der Vertreter einer neuen Ordnung ausgesetzt ist, weil keine von dem alten System ausgehende Maßregel dauernden Bestand vor den revolutionären Prinzipien weder haben kann noch darf, dann ist die Bewegung, die diese Prinzipien vertritt, wahrhaft revolutionär. Und in diesem Sinne war das Christentum der ersten Jahrhunderte die radikale Revolution – und sollte es auch heute noch sein, auch wenn seine Stimme gefühlsmäßig, insoweit die politische Tagesopposition in Frage steht, jeweils geteilt sein mag.«

34. *M. Luther*, WA 43, 214 (Genesis – Vorlesung): »Hae sunt verae mortificationes, quae non fiunt in desertis locis extra societatem hominum, sed in ipsa oeconomia et politia.«

35. Für die Sozialethik der weißen Theologie (abgesehen vom religiösen Sozialismus) gilt fast durchgehend, was *J. Baldwin*, Eine Straße und kein Name, 1973, 99, zu einer Novelle von William Faulkner sagt, die in der Sklavenzeit spielt: »Er versucht, eine Geschichte zu beschwören, die unter einem Fluch steht. Er will, daß sich die alte Ordnung, die durch grenzenlose Gier und mutwillige Morde entstanden ist, freikauft, und zwar ohne weiteres Blutvergießen – ohne, das ist es nämlich, sich selbst zu gefährden – und ohne Zwang. Das aber tun überkommene Ordnungen nie, und gar nicht mal, weil sie nicht wollten, sondern weil sie einfach nicht können. Und sie können nicht, weil die Grundlage ihrer Existenz immer die Unterdrückung anderer gewesen war. Diese Unterdrückung ist der Schlüssel zu ihrer Identität, ist ihr Triumph und die Rechtfertigung ihrer Geschichte und von der Fortsetzung der Unterdrückung hängt der Bestand der alten Ordnung ab. Man wird zwar erkennen, daß die Geschichte, von der man sich jetzt nicht mehr lossagen kann, voll war von Irrtümern und Ausschreitungen; aber das heißt noch lange nicht, daß man einsieht, daß diese Geschichte – für die man verantwortlich ist –, daß diese Geschichte für Millionen von Menschen nichts anderes war als ein unerträgliches Joch, ein stinkendes Gefängnis, ein von gellenden Schreien erfülltes Grab. So leicht ist es nicht einzusehen, daß für Millionen von Menschen ihr Leben von der Liquidierung dieser Geschichte abhängt, sogar um den Preis, daß ihre Erben ihre Vorrechte verlieren oder sogar vernichtet werden könnten.«

36. Sehr zu bedauern ist, daß eine Übersetzung von *J. H. Cones* zweitem Buch: A Black Theology of Liberation, New York 1970, bisher keinen deutschen Verlag gefunden hat.

37. EvTh 34, 1974, 34 ff.

38. Vgl. *H. Marcuse,* Konterrevolution und Revolte, es 591, 1973, 62: »Kein Befreiungsversuch, sei es der eines einzelnen oder einer Gruppe, ist vor der Ansteckung durch eben das System gefeit, das er bekämpft.«

39. Vgl. das Zitat von *R. Niebuhr* bei C. E. Lincoln, EvTh 34, 1974, 19.

40. Vgl. das im Gefängnis abgelegte Geständnis dieses Anführers eines Sklavenaufstandes in Virginia im Jahre 1831, abgedruckt in *H.-M. Enzensberger,* Freisprüche. Revolutionäre vor Gericht, 1970, 34–52. Sehr anschaulich dazu der historische Roman von *W. Styron,* Die Bekenntnisse des Nat Turner, Knaur-Taschenbücher 266, 1967.

41. Gewaltmittel sind mit jedem politischen Kampfe verbunden, weil dieser auch im parlamentarischen System, wo er zunächst gewaltlos mit Stimmzetteln ausgefochten wird, im Rahmen einer durch staatliche Gewalt garantierten Rechtsordnung erfolgt und die Erringung der Macht, also der Kompetenz zur Gesetzgebung samt der Erzwingung der Gesetze durch die staatlichen Gewaltmittel zum Ziele hat.

42. *J. H. Cone,* Ich bin der Blues und mein Leben ist ein Spiritual, aaO. 58: »Die Afrikaner sahen das Leben als *Ganzes* und unterschieden nicht zwischen *weltlich* und *heilig.*«

43. Vgl. dazu *J. H. Cones* neue Interpretation der Negro Spirituals: Singend mit dem Schwert in der Hand (aus dem Amerikanischen übersetzt von G. M. Martin), in: EvKomm 4, 1971, 422–447, und: Ich bin der Blues . . ., aaO.

44. So neben vielen anderen die Worte zweier ehemaliger Sklaven, die *B. A. Botkin* in seinem bewegenden Buch: Die Stimme des Negers. Befreite Sklaven erzählen, 1963, gesammelt hat (aaO. 87–90, 488). Titel der Originalausgabe: Lay my Burden Down, Chicago 1945.

45. *J. H. Cone,* in: EvKomm, aaO. 447.

46. *B. A. Botkin,* aaO. 479.

47. *K. Barth* 1938 im Blick auf das Gefängnis des nazistischen Unrechtsstaates, Rechtfertigung und Recht, Neudruck ThSt 104, 1970, 44 f.

48. *J. H. Cone,* in: EvKomm, aaO. 445; vgl. Ich bin der Blues . . ., aaO. 55.

49. Vgl. *H.-L. Althaus,* Die Heiden streiken nicht, in: Luth, Monatshefte 4/1972, und die im Verlag der Vereinigten Evangelischen Mission erschienenen Berichte über den Ovambo-Streik: Evangelium und Menschenrechte, und: Kirchliches Handeln oder politische Aktion?, Dokumentationsreihe der VEM, H. 1/2, 1972.

50. Wem bei manchen Formulierungen die Erinnerung an ähnliche Sätze der »Deutschen Christen« kommt, der muß sich deshalb klar machen, wie unpassend diese Erinnerung ist!

51. *J. Baldwin,* aaO. 130.

52. AaO. 70.

53. Das gleiche gilt für die leidenschaftlichen Äußerungen von *J. Baldwin,* die, so verständlich sie sind (und in dieser Verstehbarkeit ihre Gültigkeit haben!), nicht über die gegenwärtige Situation hinaussehen: »Der Schwarze muß den Weißen nicht hassen, er braucht ihm überhaupt keine Gefühle entgegenzubringen, um zu begreifen, daß er ihn töten muß. Jawohl, soweit sind wir oder sind doch kurz davor, und es hat keinen Sinn, vor dieser besonders kühlen Form des Brudermordes zurückzuschrecken, im übrigen haben die Weißen das selbst heraufbeschworen. Wenn unter Schwarzen Gewalt erörtert wird, dann heißt es immer, sie ›befürworten‹ Gewalt. Die Absicht habe ich nicht, habe sie schon deshalb nicht, weil ich nicht eine ganze Generation auf der Straße verbluten sehen will. Aber nicht

Leute wie ich haben darüber zu bestimmen, wieviel und welche Art von Gewalt uns bevorsteht, sondern darüber bestimmt das amerikanische Volk, das zur Zeit zu den gewalttätigsten und ehrlosesten Völkern der Welt gezählt werden muß. Ich versuche ganz schlicht und einfach, Sachverhalte darzustellen. Ich trage keine Waffe, ich halte mich nicht für einen gewalttätigen Menschen, aber mehr als einmal habe ich mein Leben allein dem Umstand zu verdanken gehabt, daß einer der Brüder bewaffnet war. Wenn ich höre, daß mächtige Männer, die als Feinde der Schwarzen bekannt waren, zu Grabe getragen werden, dann empfinde ich vielleicht aus der Distanz Bedauern darüber, daß sie ihr Leben so schlecht genutzt haben, traurig macht mich ihr Tod jedenfalls nicht. Ich weiß, wie ich handeln muß, wenn ich bewaffnet wäre und ein Fremder richtete die Waffe auf meinen Bruder; ich würde nicht bis drei zählen, und wenn ich schieße, dann würde ich weder Haß noch Reue empfinden. Wer andere Menschen unmenschlich behandelt, darf sich nicht wundern, wenn das Brot, das er aufs Wasser streut, vergiftet zu ihm zurückkehrt« (aaO. 131 f).

54. Vgl. dazu *meinen* Aufsatz: Zum Problem der Gewalt in der christlichen Ethik, in: Freispruch und Freiheit (Festschrift W. Kreck), 1973, 148–167.

Klassenkampf ist keine Illusion

Ein Interview

Lutherische Monatshefte: Herr Gollwitzer, in der Öffentlichkeit wird Ihr Name häufig mit dem Marxismus in Zusammenhang gebracht, obwohl Sie mit Leidenschaft christlicher Theologe sind. Ist Ihnen dieses Image recht oder halten Sie es für ein Mißverständnis?

Gollwitzer: Ich kann nicht dagegen protestieren; denn ich bin selbst schuld daran. Meine Beschäftigung mit dem Marxismus hat drei Phasen: eine Vorphase als junger Mensch, als ich linke Freunde hatte und zum erstenmal Marx las. Das wurde verdrängt durch die Probleme der Nazizeit. Die zweite Phase: nach meiner Heimkehr aus meiner Gefangenschaft. Da wurde ich von allen Seiten beansprucht als Marxismus-Spezialist; das schloß etwa ab mit einer Schrift von mir über »Die marxistische Religionskritik und der christliche Glaube«. Marxistisch geredet bewegte sich dabei mein Interesse stark im Überbau, das heißt in den weltanschaulichen Fragen zwischen Christentum und Marxismus, in einer Kritik der marxistischen Religionskritik. Dazu auch in einer Kritik am Sowjetkommunismus von meinem Gefangenschaftsbuch (»Und führen wohin du nicht willst«) an, wobei die Kritik des Sowjetkommunismus natürlich bis heute nicht aufgehört hat. Die dritte Phase kam durch die Studentenbewegung, schon etwas vorher vielleicht. Dabei interessierte mich nun sehr viel mehr die Frage, wie weit die Kritik der politischen Ökonomie, also die marxistische Kapitalismuskritik, für uns heute aktuell ist. Ich fand sie bei näherem Studium sehr aktuell, noch längst nicht zur Genüge von uns aufgenommen und so dringend beachtenswert, daß ich seither ziemlich damit beschäftigt bin. Ich hoffe, nachdem ich dazu noch einiges gesagt habe, mich nach diesen »externen« Problemen der Theologie, die aber für mich Probleme der Theologie selbst sind, wieder mehr »internen« Problemen der Theologie zuwenden zu können.

LM: Sie bezeichnen sich selbst als einen Sozialisten und den Marxismus als eine Anleitung zum Handeln. Wieviel gilt Ihnen diese Anleitung?

Gollwitzer: Sehr viel, was die Diagnose unserer Zeit und Gesellschaft anlangt, wiederum sehr viel, was eine gesellschaftlich innerweltliche Zielvorstellung anlangt, die im klassischen Marxismus selbst ja ziemlich wenig ausgearbeitet ist, aber doch einige Grundlinien dort enthält. Sehr viel weniger als heutige Handlungsanleitung. Da sind alle, die sich Sozialisten nennen, durch den Unterschied unserer heutigen Welt von der Zeit, in der die marxistischen Klassiker lebten, und durch die negativen Erscheinungen beim etablierten Sozialismus im Osten von Moskau bis Peking in viel größerer Ratlosigkeit. Der Marxismus ist mir kein Dogma, aber ein wichtiges Instrument für Gesellschaftsdiagnose; nur von da aus kann man zur Frage der Therapie kommen.

LM: Wie ist es nun mit dem Christentum? Meinen Sie, daß das Christentum nicht in der Lage ist, eine Gesellschaftsdiagnose und eine Anleitung zum Handeln aus der christlichen Ethik abzuleiten?

Gollwitzer: Das Christentum gibt es nicht, sondern es gibt ein historisches Phänomen, das sich Christentum nennt und das in einer Unzahl von Christentümern besteht. Dann müßte man genauer fragen, ob etwa die Bibel uns eine heutige Anleitung zum Handeln geben kann. Das Hören auf die Bibel ist mein tägliches Brot. Aber zwischen dem, was ich von der Bibel höre, und der Realisierung heute, erst recht im nichtindividuellen, im gesellschaftlichen Bezug, gibt es eine ganze Strecke, in der Vernunfttätigkeit – Analyse, Prüfung politischer Vorschläge und so weiter – am Platze ist. Christliche Theologie hat immer gesagt, wenn sie besonnen war, gerade auch die lutherische, daß dies eine Arbeit der von der Liebe geleiteten Vernunft, nicht aber einer separaten Vernunft ist. Und der Marxismus ist mir als ein Produkt menschlicher Vernunft wichtig und soll nicht durch eine konkurrierende christliche Vernunft ersetzt werden.

LM: Würden Sie also sagen, wenn Sie als Christ die Bibel lesen, daß daraus bei Ihnen als Ergebnis ein vom Marxismus geprägtes Handeln wird?

Gollwitzer: Das kann man auf diese Formel bringen. Wobei der Marxismus für mich eine vom christlichen Glauben her kritisch aufgenommene Belehrung ist. Ich will es konkret sagen: Nichts hat mich so wie der Marxismus auf das Phänomen der Klassengesellschaft aufmerksam gemacht. Und darauf, daß es eine Illusion ist zu meinen, die gegenwärtige Wohlstandsgesellschaft im kleinen mitteleuropäischen Rahmen sei keine Klassengesellschaft. Er hat mich darauf aufmerksam gemacht, daß das historische Christentum mit seinen Kirchen und seiner Theologie sich dem Problem der Klassengesellschaft nie genügend gestellt hat.

LM: Was ist das wesentliche Kritische, das Sie gegen den Marxismus einzuwenden haben?

Gollwitzer: Das ist so, wie wenn Sie fragen, was ich gegen das Christentum einzuwenden hätte. Ich habe gegen konkrete Erscheinungsformen des Marxismus einiges einzuwenden, so wie ich gegen konkrete Erscheinungsformen des Christentums etwas einzuwenden habe. *Den* Marxismus gibt es nicht. Es gibt Marxsche Analysen und Theorien, die ich so kritisch lese, wie wenn ich Max Weber lese oder Sigmund Freud oder auch einen christlichen Theologen. Aber so, wie ich von Sigmund Freud enorm viel gelernt habe, so auch von Karl Marx, und zwar gerade mit der die christliche Nächstenliebe herausfordernden Frage, auf welcher Seite wir in der Klassengesellschaft stehen. Oder ob unsere Meinung, christliche Verkündigung treffe auf einen Menschen an sich und könne darum abstrahieren von den Problemen des Klassenkampfes von oben und des antwortenden Klassenkampfes von unten, ob diese Meinung eine Illusion sei. Aber diese Illusion hegte der größte Teil der christlichen Theologie.

LM: Hat die Entwicklung der Industriegesellschaft die Klassenkampfstruktur nicht auch überwunden, wenigstens teilweise?

Gollwitzer: In keinster Weise. Das wird sich sehr deutlich wieder zeigen in zunehmenden Konflikten, die jetzt von allen Wirtschaftsexperten prophezeit werden. Ihre Frage ist überhaupt nur möglich in der kurzen Zeit der mitteleuropäischen Wohlstandsgesellschaft zwischen 1950 und 1970. Ihre Frage hätte niemand in den zwanziger Jahren gestellt und würde niemand außerhalb dieses kleinen Teils der Welt stellen, nicht in Frankreich, nicht in der Dritten Welt, nicht in Lateinamerika. Und erst recht nicht in den USA, die uns in der philoamerikanischen Propaganda der fünfziger Jahre gern als klassenlose Gesellschaft dargestellt wurden, weil jeder Arbeiter ein Auto hat.

LM: Ein Teil der Jugend hat sich inzwischen enttäuscht vom Marxismus abgewendet und sucht den Sinn des Lebens wieder in der Religion, vor allem wohl, weil der Marxismus dem einzelnen nicht gerecht geworden ist. Ist auch die christliche Theologie in den letzten Jahrzehnten über all den politischen und sozialen Fragen am einzelnen vorbeigegangen?

Gollwitzer: In meinen Predigten war ich immer bemüht zu bedenken und zu berücksichtigen, daß hier einzelne Menschen mit ihren einzelnen Sorgen saßen. Ich habe in der Voraussicht, wie bald die sogenannte Frustrationsphase kommen wird, damals das »Krumme Holz« deswegen geschrieben – ein Buch, in dem es ja ganz um die Frage nach dem individuellen Sinn geht. Vielleicht kann man noch hinzusagen: die Stärke der christlichen Tradition ist der Blick auf den einzelnen. Die Pflege der Individualität, des individuellen Gewissens, der individuellen Fragen nach Krankheit, Tod, Sinn, Glück. Das Versäumnis aber, darin stimme ich der marxistischen Kritik zu, ist die gesellschaftliche Dimension dieses je einzelnen Lebens.

LM: Wir sehen in den nächsten Jahrzehnten ausgedehnten Hungerkata-strophen entgegen, die wahrscheinlich alle anderen Konflikte, die uns heute beschäftigen, in den Hintergrund drängen dürften. Womit wird uns geholfen sein? Halten Sie etwa den Sozialismus für geeignet, diese Kata-strophe abzuwenden?

Gollwitzer: Das, was auf uns zukommt und worin wir schon stecken, etwa die Hungerkatastrophe, etwas, was gerade der traditionelle Marxis-mus in diesem Maß (samt Ressourcen-Erschöpfung, ökologischer Ver-schmutzung und so weiter) nicht genügend vorhergesehen hat und jetzt erst verarbeiten muß – das ist etwas, was mich Tag und Nacht bewegt, gerade als Theologen, mit der Frage, inwiefern eine Theologie, die immer noch konzentriert ist auf die Probleme des einzelnen und darin ihre Stärke hat, in der Lage ist, einen Beitrag zu der furchtbaren Weltsituation zu geben, der wir entgegengehen.

Ich möchte nur zweierlei sagen: Einmal, daß ich überzeugt bin: Die kapitalistische Produktionsweise, die mit ihrer rasanten Entwicklung uns in die Lage gebracht hat, wird uns nicht aus ihr herausbringen. Darin unterscheide ich mich von allen liberalen Reformern. Und zweitens: Es könnte sein, daß die sogenannten sozialistischen Länder bei all ihren Mängeln für diese kommenden Katastrophen besser gerüstet sind.

LM: Man könnte die These begründen, daß für die künftige Existenzkrise der Menschheit ein Umdenken der Führungsschichten in allen Systemen notwendig ist oder gar ein Umdenken ganzer Völker. Haben Sie die Hoffnung, daß es dazu kommt?

Gollwitzer: Schon aus der lutherischen Tradition weiß ich, daß ein radikales Umdenken nie bei Massen zu erwarten ist, sondern nur bei einzelnen. Dies wäre aber ein Moment der Resignation. Der Marxismus ergänzt mir das mit der These, daß das Bewußtsein vom gesellschaftlichen Sein bestimmt ist. Damit verstärkt er die gleiche Skepsis, kapitalistisch produzierende Volksmassen und Führungen könnten umdenken oder wenigstens zu dem Entschluß gelangen, nicht mehr weiter kapitalistisch zu produzieren. Zu diesem Entschluß könnten aber eher die unmittelbar betroffenen Massen als die Oberschichten kommen.

LM: Also liefen wir vermutlich unweigerlich in einen Engpaß der Menschheitsgeschichte hinein. Wenn Sie in dieser Lage nun zu predigen hätten, würden Sie trösten oder aufrütteln?

Gollwitzer: Beides. Unweigerlich beides, und zwar trösten nur für die Aufgerüttelten und für niemand anderen, nicht in erster Linie für Leute, die aus Verzweiflung zum Strick greifen wollen und die ich mit Trost abhalte, zum Strick zu greifen, sondern vor allem für die, die durch die

Aussicht auf Katastrophen, auch durch das Wort des Evangeliums, durch alles miteinander aufgerüttelt sind und die nun erstens angefochten sind durch ihre Ratlosigkeit, zweitens durch die Problematik jedes nächsten Schrittes, drittens dadurch, daß sie in den Kämpfen, die kommen werden, Partei ergreifen müssen und dadurch viel Schuld auf sich laden müssen. Die bedürfen dann des Trostes, aber darin sind vielleicht, so hoffe ich, wir Christen besser dran als die nichtchristlichen Sozialisten, weil wir, wie das berühmte Wort vom Apfelbäumchen sagt, bis zum letzten Atemzug glauben, daß es einen Sinn hat, etwas für die Zukunft zu tun.

LM: In Ihrem Buch »Krummes Holz – aufrechter Gang« distanzieren Sie sich energisch von einem Fortschrittsglauben, also davon, daß es späteren Generationen der Menschheit überhaupt besser gehen wird oder, wenn es ihnen besser geht, daß sie besser sein werden. Hat es denn unter diesem Vorzeichen dann einen Sinn für den Menschen – hat er ein Motiv, etwas zu tun für mehr Gerechtigkeit?

Gollwitzer: Einer der wenigen Sätze in diesem Buch, die ich kursiv abdrucken ließ, lautet in diesem Zusammenhang: »Für den Fortschritt kämpfen, ohne an ihn zu glauben« (143). Der christliche Glaube hat nie daran gedacht, daß es uns Menschen endgültig gelingen werde, die Menschheit auf einen besseren Weg zu bringen. Aber er hat es immer versucht. Und zwar mit jeder Arbeit am menschlichen Individuum und damit doch auch für die gesamte Gesellschaft.

Der Unterschied zum Fortschrittsglauben besteht heute in doppelter Hinsicht: einmal gegenüber dem Optimismus des 19. Jahrhunderts, zu dem auch noch Marx gehört, dann durch die Befürchtung, daß es schon später ist, als wir alle denken, und zwar im Abstieg später und nicht im Aufstieg. Wie da etwas anderes als christlicher Glaube helfen kann, unverzagt weiter das Nötige für die Zukunft zu tun, das ist mir rätselhaft. Ich sehe es aber bewundernd bei nichtchristlichen Humanisten. Zugleich möchte ich als christlicher Marxist, wenn ich mich so nennen darf, beitragen dazu, daß der Marxismus alle weltanschaulichen Aspirationen, alle Versprechungen einer Sinngebung und dergleichen fahren läßt und sich endlich einmal entmythologisiert, sich als eine innerweltliche Analyse und einen innerweltlichen Therapievorschlag versteht.

LM: Christlicher Glaube kann oder soll weiterhelfen, sagten Sie. Worin und wie kann dies geschehen? In einem christlich geprägten Marxismus? Was bedeutet dann Nächstenliebe im politischen oder wirtschaftlichen Leben?

Gollwitzer: Zurücksetzung der partikularen Interessen hinter die gemeinschaftlichen, die universalen. Fängt man mit diesem Schlagwort mal an zu

213

denken, dann sieht man, daß die menschliche Gesellschaft eine Gesellschaft von Klassenkämpfen ist, das heißt von Kämpfen partikularer Interessen gegeneinander, bei denen sich die mit stärkeren Machtmitteln ausgerüsteten partikularen Interessen durchsetzen.

Die individualistische christliche Predigt hat Nächstenliebe ausgelegt als Ruf zur Überwindung des Egoismus im Rahmen der bestehenden Klassenverhältnisse, in denen ich als Glied einer bürgerlichen Klasse an dem Sieg der partikularen Interessen meiner Schicht ständig partizipiere und von ihm profitiere.

LM: Lohnt der Versuch, die Machthabenden, die Interessenvertreter, die Funktionäre dafür zu gewinnen, daß sie Menschenliebe in ihre Politik einbringen?

Gollwitzer: Das wird unsere Aufforderung sein. Sie ist leichter dort, wo es sich um rein politische Konflikte handelt, schwerer auf dem ökonomischen Feld. Die Frage nach der Menschenliebe muß zugleich verbunden sein – das wissen wir in der individuellen Seelsorge ja sehr gut – mit der Frage nach den Gebundenheiten, nach den Bindungen und Fesseln, in denen ein Mensch lebt. Im privaten Bereich können wir durch Seelsorge, durch Gebet, durch psychologische Hilfe oder durch Gruppentherapie vielleicht jemanden aus den persönlichen Fesseln herausbringen, Gottes Beistand vorausgesetzt. Aber ich denke heute an die mächtigsten und zugleich gefangensten Männer der Welt, an die Bosse der multinationalen Gesellschaften. Was sollen die eigentlich tun und wer wird deren Seelen retten?

LM: Wo in dieser Welt vollzieht sich Reich Gottes? Wächst Reich Gottes in diesem Diesseits unter Mitwirkung des Menschen?

Gollwitzer: Mir ist in den letzten Jahren die Reich-Gottes-Botschaft des Alten und des Neuen Testaments zum theologischen Zentraltopos in meinem Denken geworden. Auch darin drückt sich meiner Meinung nach aus, daß wir über das Individuelle hinweg – ohne es zu vergessen – zugleich aufs Gesamtmenschheitliche schauen müssen. Denn im Reich Gottes geht es sicher um die gesamte Menschheit, um den Sinn von Geschichte und nicht nur des einzelnen. Darf man aus der Tatsache, daß der Terminus Reich Gottes in der apostolischen, vor allem paulinischen Verkündigung nicht mehr vorkommt, folgenden Schluß ziehen: Von der Auferstehung her, zwischen Auferstehung und Vollendung (Wiederkunft Jesu Christi, Offenbarung des Reiches) geschieht Reich Gottes ständig hier, wo geglaubt wird, wo gebetet wird und wo geliebt wird. Und dies heißt: dann, wenn die Liebe nicht vergessen wird (was eine Neigung von uns Lutheranern ist, nur an den Glauben und nicht an die Liebe zu

214

denken), geschieht Reich Gottes auch in jeder Liebestat, in jeder Hilfe für Menschen, daß sie frei werden, frei für eigene Verantwortung zum Beispiel, daß sie sich freuen können, auch irdisch. Aber kein Zustand, den wir schaffen, wird dem Reich Gottes gleich sein; er wird höchstens – wie Barth sagte – eine gewisse Entsprechung haben, ein Abbild, ein Gleichnis.

LM: Können sich Menschen mit der Angabe des Zieles, mit der bloßen andeutungsweisen Abbildung zufriedengeben und darin den Sinn ihres Lebens empfangen?

Gollwitzer: Wenn sie nicht die Hoffnung des Überschusses über das, was wir gegenwärtig haben (»dann aber von Angesicht zu Angesicht«, 1 Kor 13, 12), besitzen – und zwar dies als eine Hoffnung der Zukunft, aber doch auch schon als eine Hoffnung der Gegenwart, nämlich daß Gottes Gemeinschaft mit mir größer ist jetzt schon als alles, was ich erfahre und davon wissen kann – wenn sie diese Hoffnung nicht haben, dann müssen sie entweder versuchen, die absolute Utopie zu verwirklichen, oder sie müssen resignieren. Im traditionellen Marxismus haben wir beides; wir haben den Vorschlag der Resignation bei Feuerbach, der sagt: Weg mit den überspannten Illusionen des Christentums, seien wir zufrieden, wenn wir hier das Leben einigermaßen hinkriegen! Und wir haben den Utopismus, der fanatisch wird und mit dem man alle Opfer, die man sich und anderen zumutet, rechtfertigt.

LM: Das heißt doch aber nun, daß der Mensch zunächst erst einmal etwas empfangen muß, also etwas, was Sie Gottesgemeinschaft nennen. Nun gibt es in der Kirche und in der Theologie mehr Anleitung zum Handeln und mehr Aufforderung zum Handeln als Hilfe zum Empfangen.

Gollwitzer: Würden Sie das allgemein sagen oder sagen Sie das kritisch oder zustimmend zur heute gerade gängigen Theologie?

LM: Für die heute gängige Theologie und auch für das heute gängige Gemeindeleben, wo die Leute zum Arbeiten, zum Gruppenbilden, zur Aktivität aufgefordert werden – aber von dem, was doch der springende Punkt ist: wie man betroffen wird vom Evangelium, davon ist merkwürdigerweise sehr wenig die Rede.

Gollwitzer: Ist das Ihre Erfahrung? Natürlich, in einer so düsteren Zeit, in einer Zeit mit so viel den Christen anrufender Not, in der wir diese Notanrufe in Predigt und Gemeindearbeit weitergeben an unsere Hörer, besteht (unvermeidlich vielleicht) die Gefahr, daß wir, lutherisch gesagt, nur Gesetz predigen, also nur Imperative. Die Gefahr ist tatsächlich, daß die Predigt zu einer Peitsche wird, mit der nun auch wir einhauen, wo alles andere schon auf die Menschen einhaut. Wenn das zutrifft und soweit es zutrifft, geschieht etwas Bedenkliches mit uns, muß die Predigt und Gemeindearbeit wirklich geändert werden. Darum also jene berühmte Liturgische Nacht auf dem Kirchentag, die in der Presse als Indiz ausgelegt wurde, daß die junge Generation heute weniger kämpfen will als vor einigen Jahren, sondern sich mehr der Freude hingibt. Ich würde es nicht so auslegen, sondern nach allem Guten, was ich über die »Liturgische Nacht« gehört habe, als ein Zeichen der Erkenntnis dafür, daß all unser Sicheinsetzen für Weltprobleme nur aus der Freude kommen kann. Denn was Sie »empfangen« genannt haben, ist doch Empfangen von etwas Gutem, von Gaben, von Hilfe, von Erfüllung.

Ich habe mich viel mit dem Problem Gesetz und Evangelium in meiner theologischen Arbeit beschäftigt; tief hilfreich war mir Anfang der dreißiger Jahre jene Wendung bei Barth zu der berühmten Umkehrung von Evangelium und Gesetz, die ich immer mit der lutherischen Tradition von Gesetz und Evangelium zu vereinigen suche. Ich glaube, es gibt eine Einigungsmöglichkeit; aber die tiefe Wahrheit der Barthschen Umkehrung besteht darin, daß der Imperativ und also auch unsere Befolgung des Imperativs und also auch das, was wir zu tun versuchen in der heutigen Welt, aus der Freude des Empfangens kommen muß. Wenn es aus dem isolierten Gesetz kommt, dann wird es finster, und deshalb hat es fanatisch finstere Christen genauso gegeben wie fanatisch finstere Marxisten. Beide sind über Leichen gegangen. Die Weltsituation unterstützt das, weil sie so dringlich wird. Sie macht die Gefahr des fanatischen Kämpfens immer noch stärker. Die Korrektur, die die Christen, die aus dem Empfangen leben, auch in die revolutionären Bewegungen hineinzubringen haben, ist: daß ihr Einsatz aus der Freude kommt.

LM: Können wir noch einen Blick auf die zeitgenössische Theologie werfen? Wird die Theologie an den Hochschulen den Anforderungen der Gegenwart wissenschaftlich gerecht?

Gollwitzer: Ich bin hier sehr Partei; ich will es so sagen: Ich bin in einer besonderen Situation. Mein Lehrstuhl hier in Berlin ist seit 1957 in einer philosophischen Fakultät, jetzt im Fachbereich Philosophie und Sozialwissenschaft, und zwar in einer »Wissenschaftlichen Einrichtung«, in der wir mit anderen Wissenschaften, den Judaisten zum Beispiel, zusammen sind.

Wir leben ständig interdisziplinär. Anders kann ich mir Theologie nicht mehr vorstellen. Ich schaue, ohne meine Fakultätskollegen jetzt kränken zu wollen, skeptisch zurück auf meine Existenz in einer theologischen Fakultät, und es kommt mir vor, als wäre ich damals mit meinen Kollegen viel eingemauerter gewesen, als ich es jetzt bin. Darum bin ich sehr kritisch gegenüber akademischer Theologie und gegenüber dem Betrieb theologischer Fakultäten.

LM: Stärkt es die Resonanz der Theologie, wenn sie so eingebunden ist in den Zusammenhang anderer Disziplinen und in eine Struktur der Mitbestimmung?

Gollwitzer: Das läßt sich natürlich nicht mit einer Statistik von Bekehrungen von Nichtchristen zum Christentum in den anderen Wissenschaften und Instituten beantworten. Aber daß wir ständig mit den anderen zusammensitzen, und zwar nicht nur, wie früher, wir Professoren mit anderen Professoren, sondern durchgehend Studenten, Assistenten und Dienstkräfte, hat für uns zur Folge, daß wir ganz anders nach unserer Theologie gefragt werden. Mindestens in der Form, daß in den Kommissionen immer wieder ein Student zum anderen sagt: »Du bist doch sonst ganz gescheit, wieso studierst du eigentlich Theologie?« Dann muß er selbst sein Theologesein vertreten, während er bisher an seinem Theologesein nur uns theologischen Lehrern gegenüber gezweifelt hat. Das heißt, die jetzige Situation wirft ihn viel stärker in Identifizierung mit Theologie zurück. Und zweitens: Aus diesem interdisziplinären Zusammensein ergibt sich zunächst einmal als Resonanz ein Aufmerksamwerden der anderen, Theologie ist dabei – das hat unvermeidlich die Frage zur Folge: Was könnt ihr Theologen als Theologen beitragen?

LM: Gewinnt die Theologie in dieser Lage auch Zuwachs an theologischer Substanz?

Gollwitzer: Das liegt sehr an uns. Ich hoffe, es ist keine Illusion, wenn ich meine, daß mein kleiner Kreis von jüngeren Mitarbeitern und älteren Studenten die Gefahr, sich unter Verlust der Theologie hineinzuverlieren in die Humanwissenschaften, jetzt etwas (vielleicht nicht für immer) hinter sich hat, und zwar gerade deshalb, weil man sich der Gefahr ausgesetzt hat. Sich den Humanwissenschaften aussetzen heißt, zunächst einmal große Illusionen über die Möglichkeit der Humanwissenschaften zu bekommen, und erst indem man sich ihnen wirklich aussetzt und sich mit ihnen beschäftigt, sieht man dann auch ihre Grenzen, die Grenzen der Psychotherapie, der Soziologie oder des marxistischen Denkens, und das hilft wieder zur Rückfrage nach der Theologie.

LM: Welchen Vorteil hat es dagegen, in theologischen Abteilungen oder Fakultäten zu arbeiten?

Gollwitzer: Wenn ich neben den Nachteilen, die ich beobachte, nach einem Vorzug der Fakultätsexistenz gefragt werde, dann sehe ich ihn darin, daß das, was ich die internen theologischen Probleme genannt habe, samt der Beschäftigung mit der eigenen theologischen Geschichte, dort intensiver betrieben werden kann. Das ist ein wissenschaftlicher Vorteil.

Was die Verkündigung anlangt, die Ausrüstung der Pfarrer – nicht der wissenschaftlichen Berufstheologen – halte ich allerdings die heutige Verfaßtheit der theologischen Fakultäten eher für einen Nachteil. Ich muß freilich hinzufügen, daß ich die gegenwärtige Pfarrerexistenz überhaupt für unmöglich halte. Einmal deswegen, weil sie ein Ergebnis der alten Staatskirche ist, in der das Volk von Beauftragten und Wissenden belehrt wurde. Das Pfarramt hindert zur Zeit, sofern nicht jemand als Pfarrer bewußt dagegenarbeitet, die Gruppenbildung in der Gemeinde statt sie zu fördern. Zweitens, weil die rein theologische Ausbildung den Pfarrer herausnimmt aus den Fragen, unter denen die anderen Menschen leben. Ich würde die Weisheit der alten Kirche, die, soviel ich weiß, erst mit 30 Jahren zum Priester weihte, wieder aufnehmen. Der Theologe sollte – nach einer anfänglichen theologischen Ausbildung – einige Jahre hinaus und durch verschiedene Lebensbereiche hindurchgehen; dann darf er wieder zurückkommen und kann die Schlußausbildung kriegen. Dann wird er ein tauglicher Pfarrer.

LM: Es beeinflußt Theologie, wenn die Religiosität ringsum sich verändert oder gar schwindet. Welche Folgen hat dies für die Zukunft des christlichen Glaubens in unserem Lande?

Gollwitzer: Die Kirche wird immer sein. Das ist eine Grundverheißung, siehe Augustana 7. Das heißt nicht, daß die Kirche in jedem Lande immer sein wird. Es heißt auch nicht, daß das, was in einem Lande als Kirche sich ausgibt, Kirche ist. Emil Brunners Satz, daß unsere Großkirchen nicht ecclesia im Sinn des Neuen Testamentes sind, halte ich für richtig. Also kann man nur hoffen, daß da und dort immer wieder ecclesia im Sinn des Neuen Testamentes entsteht, und dafür bildet Volkskirche einen Rahmen und einen gewissen Boden.

Geht Ihre Frage wirklich nach dem christlichen Glauben, dann kann doch jeder von uns nur sagen: Wir hoffen für die Menschen auch in unserem Volk, daß es unter ihnen immer noch und immer wieder glaubende Christen gibt. Geht Ihre Frage nach der Gestalt der heutigen Kirche, dann habe ich mich gegen meinen Willen durch unsere Religionssoziologen überzeugen lassen, daß diese aus der konstantinischen Zeit kommende Großkirche noch eine sehr lange Dauer haben wird, weil sie offenbar in der Klassengesellschaft nützlich ist für die Stabilisierung der Gesellschaft, und für die einzelnen offenbar eine Menge Bedürfnisse zu befriedigen hat. Mit christlichem Glauben hat das nur ganz begrenzt zu tun.

LM: Sie sind ein bayerischer Lutheraner, wenn man das so sagen darf.

Was bedeutet Ihnen diese Tradition? Wie sehr hilft sie Ihnen, wie sehr belastet sie Sie?

Gollwitzer: Luther ist neben Karl Barth mein entscheidender theologischer Lehrer, und beide klangen mir bei allen Differenzen im Grunde immer zusammen. Lutherische Rechtfertigungslehre, Barthsche Sicht vom Evangelium und Gesetz und dies heute in die Reich-Gottes-Botschaft, die im sehr individualisierenden Luthertum zurücktrat, eingefügt mit ihren auch gesellschaftskritischen Konsequenzen, die dann natürlich auch den historischen Luther und das historische Luthertum treffen – das ist ungefähr meine Position. Das heißt, ich versuche den bei den Linken natürlich verschrieenen Luther gegenüber Thomas Münzer immer wieder in dem zu rehabilitieren, worin er unvergänglich ist. Aber ich bin kein Apologet Luthers in dem, worin er gefehlt hat gegenüber Bauern, gegenüber Juden usw. Damit habe ich es etwas umschrieben. Klar ist, daß die lutherische Tradition mir nur eine, die für mich bestimmende, aber nur eine Tradition neben anderen ist. Ich halte die konfessionelle Scheidung der Christenheit und die Beurteilung dieser Tradition als kirchentrennend schon lange für unmöglich.

Hic et nunc

I

Merkwürdiger Vorgang: Große Teile der jungen Generation werden von einem »existentiellen Ekel« gegenüber der kapitalistischen Gesellschaft ergriffen (wie es H. Marcuse einmal genannt hat) – und nicht nur die Mehrzahl der übrigen Hochschullehrer, sondern auch die Mehrzahl der theologischen Hochschullehrer stimmt mit diesem »Ekel« und seiner Folge, der Unruhe und Kritik, *nicht* überein, ist nicht erfreut, endlich eine solche junge Generation erleben zu können, sondern zeigt, daß ihr dieser »Ekel« fremd, unverständlich ist, ist durch die Unruhe und Kritik verärgert, geht in Verteidigungshaltung, alle jene zur Einpassung in die bestehende Gesellschaft geschaffenen schulischen und akademischen Institutionen, Methoden und Hierarchien verteidigend, die von den aufsässigen Jungen attackiert werden. Damit wird auch eine theologische Antithetik offenbar: Meint die im biblischen Gotteszeugnis liegende Intention auf eine Alternative (Reich Gottes) zur Welt der Klassenherrschaft (= durch Gewalt gesicherter bevorzugter Anteil am Sozialprodukt = Ausbeutung, Unfreiheit und Ungleichheit) nur eine jenseitige Alternative, aus der sich keine Direktive für jetzige Weltgestaltung ergibt, *oder* ergibt sich aus der Reich-Gottes-Alternative auch ein Streben nach innerweltlicher Alternative zur bestehenden Klassenherrschaft? Wenn letztere Position mindestens eine durch die biblische Tradition uns nahegelegte Auffassung ist, dann war zu erwarten, daß mindestens ein großer Teil der Theologenschaft jenen »Ekel« mitempfinden und die antikapitalistische Bewegung bei den Jungen begrüßen und unterstützen wird. Wenn dies nicht geschah – wie ist dies dann zu interpretieren?

Ist es ungerecht und unzutreffend, daraus zu folgern, daß der größte Teil der Theologenschaft die Weltkritik des biblischen Gotteszeugnisses nicht auf die (auch in der bürgerlichen Gesellschaft) bestehenden Herrschafts- und Ausbeutungsverhältnisse bezieht – *oder* diese von vornherein für unveränderbar hält (wenn ja, warum?) – *oder* (trotz häufiger gegenteiliger Behauptungen) die Reich-Gottes-Alternative doch nur für eine innerliche und jenseitige hält?

Gilt die zweite Position jener Antithetik, dann müßte das für die politische (und hochschulpolitische) Haltung der Theologenschaft zur Folge haben: ein brennendes Interesse für gesellschaftliche Alternativen, also für Sozialismus, und zwar für möglichst radikale Alternativen, die dann nur unter dem Druck der für die Realisierung notwendig einzukalkulierenden Realitäten gemäßigt werden, in der Zielsetzung aber über diese Realitäten immer hinausgehen. Der politische Ort bibelbestimmter Theologie wäre dann immer radikal links von jeder Klassengesellschaft. Die theologischen Fakultäten hätten dann Zentren der kapitalismuskritischen Bewegung sein müssen. Das jetzige Abklingen dieser Bewegung, deren Ablösung durch eine sich wieder widerstandslos und hoffnungslos einpassende, unpolitische Studentengeneration könnte dann nicht Anlaß zu Befriedigung und Erleichterung, sondern nur Anlaß zu Betrübnis, zur Sorge und zur bußfertigen Frage nach der eigenen Mitschuld an dieser Veränderung sein.

Steht die Weltkritik des biblischen Gotteszeugnisses gegen Verhältnisse von Klassenherrschaft, dann gilt auch: Jede Koinzidenz kirchlicher Wirksamkeit mit den bestehenden Herrschaftsinteressen ist evangeliumswidrig und zugleich gesellschaftsschädlich, weil gottwidrige Herrschaftsverhältnisse verfestigend. Kirchliche Wirksamkeit, besonders in den Großkirchen, geschah und geschieht (mindestens seit Konstantin) in dieser Koinzidenz, teils unbewußt, teils bewußt, d. h. in theologischer Rechtfertigung. Diese Koinzidenz ist der Zielpunkt marxistischer Religionskritik. Die Haltung der Mehrheit der Theologenschaft gegenüber dem sozialistischen Drängen der Jungen ist eine Bestätigung dieser Religionskritik.

II

Angenommen, es sei wahr, wir befinden uns in einer Klassengesellschaft, nicht weniger als unsere Vorfahren seit unvordenklichen Zeiten. Was hat das für Folgen für die Gemeinde Jesu Christi, für die empirischen Kirchen, für die Theologie?

– Wenn »Klassengesellschaft« Titel für eine von gegensätzlichen Interessen zerrissene Gesellschaft ist, die zusammengehalten wird durch Herrschaft, mit der Klassenprivilegien gesichert werden – auf welcher Seite steht faktisch je und je Kirche und Theologie?

– Welche äußeren und inneren Folgen hat es für die Kirche und Theologie, ob sie auf dieser oder auf jener Seite stehen?

– Oder ist es möglich, daß Kirche und Theologie in diesen Gegensätzen, also auf keiner Seite stehen? Wie sieht das aus? Wie kann das gelingen? Wem kommt das zugute?

– Ergibt sich aus der christlichen Botschaft ein bestimmtes Sollen für die Stellung von Kirche und Theologie in der Klassengesellschaft? Sind sie von der Botschaft zur Gleichgültigkeit gegenüber diesen Grundsätzen gewiesen? Zur Neutralität? Zur Parteilichkeit für die eine oder die andere Seite? Legitimiert die Botschaft die Klassengesellschaft und ihre Herrschaftsordnung oder stellt sie sie in Frage? Stellt sie sie nur für die Ewigkeit in Frage oder schon für die Zeit, nur für das Gottesverhältnis oder auch für die zwischenmenschlichen Beziehungen?

Weil zu allen Zeiten in einer Klassengesellschaft befindlich, waren Kirche und Theologie zu allen Zeiten vor diese Fragen gestellt und haben sie zu allen Zeiten so oder so beantwortet. Ist Theologie Selbstkritik der Kirche, in der das faktische Leben der Kirche am Sein der Kirche gemssen wird[1], dann hat sie die vergangenen und die gegenwärtigen Antworten auf diese Fragen zu prüfen hinsichtlich ihrer Angemessenheit gegenüber der der Kirche aufgetragenen Botschaft. Die Theologie muß sich dann auf Begriff und Wirklichkeit von Klassengesellschaft einlassen, also auf Klassenanalyse. Die Theologen können das, wie oft geschehen, verweigern – *entweder*, indem sie für ihre Gegenwart das Vorhandensein von Klassengesellschaft und Klassenherrschaft bestreiten (dies ist eine empirisch-soziologische These, die ebenso wie die Gegenthese der Verifizierungsforderung unterliegt) – *oder*, indem sie den Klassengegensatz bagatellisieren durch Einordnung in sonstige Differenzierungen der Menschengesellschaft (ethnische, kulturelle, sexuelle, religiöse, individuelle) und reduzieren auf die ethische Frage, wie der Christ sich in und zu den gegebenen, unbehebbaren, die menschliche Gemeinschaft zugleich bereichernden und gefährdenden menschlichen Differenzierungen verhalten soll – *oder*, indem sie, Konkretionen vermeidend, von Welt, Mensch, Sünde und Erlösung nur im allgemeinen sprechen, das Evangelium also nur beziehen auf eine Konstante, in der alle Menschen unabhängig von ihrer konkreten Situation übereinstimmen.

Auch diese Haltung ist schon eine bestimmte Entscheidung hinsichtlich der oben aufgezählten Fragen. Mit ihr ist man diese Fragen, bevor man sich durch sie hat in Frage stellen lassen, schon losgeworden. Theologie ist solange unkritisch gegen sich selbst, solange sie diese Entscheidung nicht wiederum in Frage stellen läßt durch folgende Fragen: Gibt es möglicherweise ein aus der Klassensituation der Theologen resultierendes Interesse, sich auf Klassenanalyse nicht einzulassen, sondern diese als ein die Theologie nicht tangierendes soziologisches Geschäft anderen zu überlassen? Würden die Theologen jene Haltung auch dann annehmen, wenn ihre eigene Klassensituation eine andere wäre? Hat jene Entscheidung möglicherweise eine Schutzfunktion (also ideologische Funktion) gegenüber der Bedrohung des gegebenen gesellschaftlichen Status von Theologie und Kirche durch Erkenntnisse, die sich bei einem Sich-Einlassen auf die Klassenfrage ergeben könnten? Muß Theologie nicht – statt um ihre Freiheit bangend und deshalb dieses Sich-Einlassen von vornherein verweigernd – ihre Freiheit gerade darin beweisen, daß sie jene Fragen nicht scheut und für ein durch Ernstnehmen der Klassenfrage entstehendes neues Verständnis des Evangeliums offen ist?

III

Die Aufnahme der historisch-materialistischen Fragestellung, die die Stellung einer Gruppe, Geistesrichtung usw. in der Klassengesellschaft thematisiert, in die Selbstreflexion der Theologie ist nicht Bindung an ein historisch-materialistisches Dogma. Die Stellung der Frage nimmt ja ihr Ergebnis nicht vorweg. Mit ihr wird hingegen die bisherige Blickbegrenzung aufgebrochen und der auf die Geschichtlichkeit von Kirche und Theologie gerichtete Blick erweitert. Es handelt sich bei einer vom dogmatischen Zwang befreiten marxistischen Religionskritik um die Bereitschaft zur offenen Frage, inwiefern und inwieweit gesellschaftliche Verhältnisse Einfluß genommen haben schon auf die Entstehung des Christentums und seiner grundlegenden Texte, dann ebenso auf seine Ausbreitung und seine historischen Gestalten, also auch auf seine Theologien einschließlich unseres heutigen Theologisierens. Der diese Frage abwehrenden Sorge, es könne damit der Eintritt des Evangeliums in die Menschenwelt und sein Weg in der Geschichte rein historisch »erklärt« werden durch Verrechnung auf die Einflußfaktoren, mußte schon die historisch-kritische Methode mit ihrer Frage nach den geistes- und religionsgeschichtlichen Einflüssen begegnen. Mit dieser Sorge kann also die an die geistes- und religionsgeschichtliche Frage sich konsequent anschließende sozialgeschichtliche Frage nicht abgewehrt werden.

Die Aufnahme der historisch-materialistischen Fragestellung beseitigt die Vorstellung, es könne Kirche und Theologie zunächst einmal außerhalb der Bedingungen der Klassengesellschaft sich konstituieren und dann erst nachträglich zu den gesellschaftlichen Problemen Stellung nehmen. Barth wußte, daß die Selbständigkeit von Kirche und Theologie eine solche sein muß, die sich nicht der bürgerlichen Freiheitsgewährung verdankt, und daß sie infolgedessen schwerer zu gewinnen und zu behaupten ist. Diese Erkenntnis der Schwierigkeit[2] wird durch Aufnahme der historisch-materialistischen Fragestellung nur noch verschärft – eine Erschwerung, die sicher nicht gescheut werden darf. Sie macht deutlich, daß die Überlegenheit von Kirche und Theologie über gesellschaftliche Bedingungen und Interessen durch gedankliche Operation allein nicht zu gewinnen ist. Um der bestehenden Gesellschaft frei gegenüberstehen zu können, muß die je schon vorgegebene Einbindung in die Klassenlage erst aufgesprengt werden. Ohne die selbstkritische Reflexion dieser Einbindung kann das nicht geschehen; sie ist eine notwendige, freilich – wovon noch zu sprechen sein wird – nicht hinreichende Bedingung.

Auf diese Weise wird die Frage nach der wahren Freiheit von Kirche und Theologie konkretisiert zur Frage, inwiefern Kirche und Theologie mehr und anderes sein können als nur Reflex und Marionette der gesellschaftlichen Faktoren. Zum ersten wird sich dies dann gerade daran erweisen müssen, daß Kirche und Theologie durch die Freiheitsgewährung der bürgerlichen Gesellschaft, die sie mit Recht ausnützen, sich nicht täuschen und also an der Aufdeckung der Unfreiheiten, Herrschaftsstrukturen, Zensuren und Sanktionen in dieser Gesellschaft, von denen Unzählige sehr viel mehr getroffen werden als wir Theologen, sich nicht hindern lassen. Zum zweiten werden Kirche und Theologie ihre wahre Freiheit darin wahrnehmen, daß sie im faktischen Klassenkampf nicht aus Sorge um ihre Freiheit neutral bleiben, sondern parteilich werden, ohne allerdings Parteinteressen zum Maßstab der Wahrheit zu machen. Zum dritten wird ihre Freiheit sich darin erweisen, daß sie mit ihrer Parteilichkeit nicht dem im Klassenkampf wie in jedem irdischen Kampf (bekanntlich auch in den kirchlichen und theologischen Kämpfen!) drohenden Freund-Feind-Schema mit seinen verabsolutierten Fronten verfallen, sondern dieses Schema gerade aufschmelzen durch ihr Dasein und fürsorgendes Denken für jede der kämpfenden Seiten, durch ihr allseits kritisches Wirken, durch die Differenzierung ihres kritischen Metanoia-Angebotes, das der Selbstgerechtigkeit der Unterdrückten ebenso gilt wie der Interessenverknechtung der Privilegierten.

IV

Wie Glaube und Politik, theologische Position und politische Entscheidung zusammenhängen oder nicht, wird nun seit Jahrzehnten diskutiert. Versteht man unter »politischen Entscheidungen« Stellungnahmen zu politischen Tagesfragen (Remilitarisierung, Ostverträge und ähnliches) oder den Anschluß an eine politische Partei, so dürfte rasch klar sein, daß eine Deduktion solcher Entscheidungen aus theologischen Axiomen abwegig ist. Barth hat sich bekanntlich mit dieser Feststellung nicht begnügt, sondern nach dem Zusammenhang auch solcher Einzelentscheidungen mit christlichem Glauben und christlicher Sendung gefragt. Es ergab sich ihm dabei eine aus dem Evangelium hervorgehende »Richtung und Linie« für die christliche Weltverantwortung, an der die Einzelentscheidungen je und je zu messen sind. Sie wies nach seiner Auffassung in der heutigen Weltsituation auf eine christliche Verantwortung für die Realisierung von Demokratie und Menschenrechten. (Ob er damit zu allen Zeiten seines Lebens gleichmäßig entschieden eine sozialistische Demokratie im Auge gehabt hat, mag umstritten sein.) Einige, die ihm darin gefolgt sind, haben daraus gefolgert, daß diese Richtung und Linie auf Demokratie hin heute eine Richtung und Linie auf Sozialismus hin sei. Dabei sei Sozialismus hier im Sinne der umgreifenden Definition von Giulio Girardi verstanden: »ein Prozeß der globalen Transformation der strukturellen und kulturellen Aspekte der kapitalistischen Gesellschaft durch den Kampf der Volksmassen mit dem Ziel, die Verhältnisse von Herrschaft und Ausbeutung auf allen Ebenen zu zerbrechen und eine Gesellschaft zu schaffen, in der die Menschen das Subjekt ihrer eigenen Geschichte sind«. Darum geht unter uns, soviel ich sehe, der Streit – sowohl für die Barth-Exegese wie unabhängig von ihr.

Auf die vielfältigen theoretischen Probleme, die mit jener Barthschen These wie mit dieser heutigen Folgerung verbunden sind, will ich hier nicht eingehen. Es scheint mir nötig zu sein, nicht nur diese Probleme zu erörtern, sondern zugleich den Lebenszusammenhang zu reflektieren, in welchem diese Erörterung geschieht, also unsere eigene Situation als akademische Theologen in der bürgerlichen Gesellschaft. Für diejenigen, die die genannte sozialistische Folgerung ziehen, hat diese Reflexion entscheidende Bedeutung gehabt. Von daher fließt unvermeidlich Autobiographisches in meine weitere Darlegung ein.

Was hat die »sozialistische Entscheidung« (um Tillichs Titel zu verwenden) für Folgen für unsere eigene theologische Existenz gehabt? Es gibt ja nicht nur die von uns oft genug allein bedachte Linie vom Christsein zur Politik; es gibt auch die Umkehrung dieser Linie. Damit meine ich: Wer als Christ der Sendung gemäß in Beachtung jener »Richtung und Linie« in die weltlichen Geschäfte sich hineinbegibt, der gerät in eine Wechselwirkung: aus seinem Christsein kommen ihm Kriterien für sein politisches Tun, aus diesem aber auch ihn verändernde Anfragen und Kriterien an sein bisheriges Christsein.

Traditionelle christliche Kulturkritik und Gesellschaftskritik verschärfen sich zur Kapitalismuskritik mit dem Rüstzeug marxistischer Kritik der politischen Ökonomie. Die Folge ist die Erkenntnis, wie durchgehend die empirischen Kirchen, ihre Theologen und deren Theologie, wir alle also, geprägt sind von ihrer Zuordnung zu den herrschenden Klassen, spätestens seit Konstantin. Daß wir diese ererbte Prägung schon losgeworden seien durch die Trennung von Kirche und Staat und durch die Distanz vom patriarchalischen Konservatismus unserer Großväter, ist ebenso eine Illusion wie die Meinung der bürgerlichen Gesellschaft, keine Klassengesellschaft mehr zu sein.

Marxistisch werden wir aufmerksam auf den Einfluß unserer materiellen Existenz auf unsere geistige Existenz. In jener »Selbständigkeit der Kultursphäre«, die in der bürgerlichen Gesellschaft uns zugeteilt und die heute so »gefährdet« ist (G. Sauter), leben wir ja weder als hungernde Poeten in der Dachkammer noch als subversive Elemente im Untergrund, sondern als bezahlte Kulturbeamte. Was sind die Vertragsbedingungen, unter denen die bürgerliche Gesellschaft den Theologen in diesen geschützten Raum von Selbständigkeit aufnimmt, und was sind überhaupt die Grenzen der ihm konzedierten Selbständigkeit? Die wissenschaftstheoretischen Bedingungen werden heute ebenso lebhaft diskutiert, wie die gesellschaftspolitischen Konformitätsbedingungen und -grenzen ignoriert werden. Das akademische und kirchliche Schicksal der religiösen Sozialisten wie überhaupt der Sozialisten bis 1945, der heutige Radikalenerlaß, die zunehmende Fachaufsicht des Staates über die Universitäten geben dringenden Anlaß, die unausgesprochenen Bedingungen für die universitäre Existenz von Theologie zu erörtern.

Welche Blickbegrenzung ist die Folge dieser materiellen Existenz – entsprechend der Blickbegrenzung der Pastorenschaft, der Kirchenleitungen und der Gottesdienstbesucher? Wer einmal aufmerksam geworden ist, der findet täglich Material – in den Produkten der theologischen Wissenschaft, in den Predigten, in der christlichen Populärliteratur – für die durch die materielle Existenz von Kirche und Theologie, durch die Klassenzugehörigkeit ihrer aktiven Glieder und durch die institutionelle Verbindung mit den gesellschaftlichen Oberschichten unbewußt aufgezwungene Begrenzung: in der Auswahl der in Predigt und Seelsorge behandelten Lebensprobleme, in der Auswahl der wissenschaftlich behandelten Themen, in der instinktiven Rücksicht auf die bestehende Gesellschaftsordnung und ihre Erfordernisse beim Erwägen und Aussprechen der Konsequenzen des Evangeliums, in den kirchlichen Stellungnahmen zu politischen und sozialen Problemen.

Die Behauptung, das Evangelium mache uns frei von ideologischen

Bindungen, ist nichts als Mirakelglaube, wenn nicht zugleich von der Reflexionsarbeit gesprochen wird, die im Vertrauen auf die Befreiungsmacht des Evangeliums von uns zu geschehen hat. Auch hier gilt: ora *et* labora! Von Ideologie ist man ja nicht dann schon frei, wenn man das Schwören auf irgendwelche -ismen ablehnt. Jene wirksame Bindung und Begrenzung, die die bürgerliche Gesellschaft auf ihre Angehörigen, erst recht auf ihre Kulturbeamten ausübt, ist sublim ideologisch (wozu auch die oft gerühmte »Ideologiefreiheit« des Westens im Unterschied zum Osten gehört). Sie kann erst durchschaut werden, wenn diese Gesellschaft kritisch analysiert wird, und zwar von einer Position her, in der sie schon transzendiert ist, weil die Möglichkeit und Notwendigkeit einer anders geordneten Gesellschaft in den Blick gefaßt ist. Das Evangelium verlangt und ermöglicht (wenigstens nach meinem Verständnis) dieses Transzendieren.

Für die Arbeit dieser Analyse aber kann die marxistische Kapitalismusanalyse nur zum eigenen Schaden unverwertet gelassen werden. Ihre Ignorierung oder eilfertige Ablehnung erlaube ich mir nach meinen bisherigen Beobachtungen, in den meisten Fällen für einen Abwehrmechanismus zu halten. Erst wenn sie im theologischen Bereich ganz anders als bisher zur Kenntnis genommen und vorurteilsfrei, also in Wahrnehmung evangelischer Freiheit geprüft worden ist, können Brauchbarkeit und Unzulänglichkeit voneinander geschieden werden[3].

Dabei ist aber zu beachten: sie ist selbst eine Frage an unsere tatsächliche Freiheit und nach ihr. Denn sie ist ja samt der historisch-materialistischen Geschichtsbefragung nicht Beitrag zu kontemplativer Wissenschaft, sondern theoretische Klärung für Gruppen, die in sozialer Befreiungspraxis stehen. Sie analysiert Klassengesellschaft, ihre Produktionsweisen und Herrschaftsmethoden und ihre sublimen psychischen und geistigen Wirkungen von einem anvisierten und angestrebten Jenseits der Klassengesellschaft her. Sie fragt darum Christen und Theologen, ob sie an solcher Befreiungspraxis beteiligt sind – wenn nein, warum nicht ?–, ob aus dem Evangelium nicht unvermeidlich Teilnahme an solcher Befreiungspraxis folgen müßte – und wie Theologie sich verändert je nachdem, ob sie aus solcher Praxis entsteht und ihr dient oder nicht.

Sie erklärt auch, weshalb die erwähnten Abwehrmechanismen so nahe liegen, daß diese erst in einer auf sie gerichteten Reflexion überwunden werden können. Denn die marxistische Analyse ist – unbeschadet der Frage nach ihrer Stimmigkeit oder Unstimmigkeit im einzelnen – nicht standortfrei. Sie zeigt die bestehende Gesellschaft, wie sie sich von *unten* her gesehen ausnimmt, vom Standort des Sklaven, des Leibeigenen, des

Lohnarbeiters, des Ovambos, des Bewohners eines Negerghettos oder eines ehemaligen Koloniallandes, vom Standort derer also, die unter dem besondere *Druck* der bestehenden Gesellschaft stehen.

»Mit sehr gemischten Gefühlen hatte ich die Rede [scil. des Divisionspfarrers bei der Vereidigung] angehört«, schreibt Franz Rehbein[4]; »ob der Pfarrer auch schon unseren Fraß gegessen hatte? Ob er auch schon vom Altgedienten verbimst worden war? Ob er auch schon hatte rufen müssen: Ich bin ein Esel?« Theologie, nicht teilnehmend an der Erfahrung dieses Druckes, kann die Analyse entbehren, wird die sogar scheuen. Die – von den Theologen beklagte, aber bis heute nicht ernstgenommene – Abwanderung des Proletariats aus der Kirche ist die Abwanderung von einer Theologie, die nicht in teilnehmender Erfahrung des Druckes entstanden ist und betrieben wird, von einer »Theologie von oben« statt einer »Theologie von unten« (*dies* ist die wichtige Alternative, nicht der Akademiker-Streit um eine »Christologie von oben« oder eine »Christologie von unten«!).

Uns drückt die bestehende Gesellschaftsordnung nicht so, wie sie andere, wie sie große Massen drückt. Seit Konstantin ist man arriviert, wenn man Theologe ist. So haben sich die Theologen der marxistischen Bedrängnis erwehrt mit allen Illusionen der bürgerlichen Ideologie; man kann sie sämtlich in allen Jahrgängen der theologischen Literatur aufgereiht finden. Heute geraten wir selbst unter den Druck. Die Ernte der Krisen der kapitalistischen Produktionsweise wächst auch uns allmählich über den Hals. Nun tritt an die Stelle der Abwehr mit Illusionen die fatalistische Abwehr. Sie sagt: das alles ist »doch nicht so einfach«; die marxistischen Kategorien sind »überholt«, alles ist viel »komplizierter«; Sie müssen das »differenzierter« séhen! Der Effekt ist der gleiche: wir können – vorerst wenigstens, solange der bisherige gesellschaftliche Rahmen bleibt – weitermachen wie bisher, mit einer Theologie angeblich für alle, in Wirklichkeit blickbegrenzt von oben.

V

Akademische Theologie ist ihres sozialen Standorts wegen unvermeidlich »Theologie von oben«, exterritorial zu dem Lebensdruck, den die Konkurrenzgesellschaft auf ihre Glieder – und zu dem spezifischen Druck, den sie auf die breiten Massen der Unterschichten ausübt. Wir Theologen können die damit gegebene Blickbegrenzung nur partiell aufheben, und auch dazu ist nötig: die mit Gesellschaftsanalyse verbundene Reflexion auf die Standortbedingungen unseres Theologisierens, die Ergänzung durch andere Weisen von Theologie und die Veränderung des akademisch-theologischen Betriebs.

Mit dem zweiten Punkt (Ergänzung durch andere Weisen von Theologie) ist folgendes gemeint: Theologie kommt in unserem Lande vornehmlich als akademische Theologie vor. Deren Vorrang hat alle anderen Weisen von Theologie degradiert. Selbst theologische Ausbildungsinstitute, die ursprünglich in Opposition zur Universitätstheologie gegründet wurden, passen sich allmählich an deren Muster an. Das bedeutet:

1) Theologie stellt sich als Wissenschaft nach dem Muster der neuzeitlichen Wissenschaften dar. Wie sehr auch ihre Bezogenheit auf kirchliche Praxis versichert wird, sie geschieht abgezogen von dieser Praxis. Ihr Theorie-Praxis-Verhältnis ist das aristotelische, das die abendländische Universität geerbt hat: die Theorie geht als praxislose der Praxis voraus, die dann nachträgliche Anwendung der Theorie ist.

2) Die damit gesetzte Arbeitsteilung teilt die Theologen als die Kaste der Wissenden von den unmündig gewordenen Laien, deren theologische Mundlosigkeit man überall erleben kann. Die katholische Teilung von ecclesia activa (Klerus) und ecclesia passiva (Laien) ist auf diese Weise im Protestantismus fortgesetzt worden. Ihr verdanken sich die protestantischen Landeskirchen, deren Bekenntnisstand von Theologen festgesetzt[5] und von der landesfürstlichen Gewalt durchgesetzt wurde.

3) Diese Arbeitsteilung begründet natürlich zugleich ein Herrschaftsverhältnis. Die Theologen bestimmen, wie in einem Territorium oder – heute – in einer gegebenen kirchlichen Organisation die Kirche in Verkündigung und sonstigem Handeln sich darzustellen hat, oder mindestens die Grenzen des innerhalb dieser Kirchenorganisation Tolerablen. Weil aber nicht allein die Theologen das Sagen haben, sondern noch andere Instanzen (früher die Landesfürsten, heute die zentralen Leitungsinstanzen der Kirchenorganisation), müssen die konkurrierenden Herrschaften sich miteinander arrangieren. Die Kategorien, mit denen Kirchenleitungen ihre Organisation kontrollieren, sind nur partiell kongruent mit den Kategorien der Theologen, und diese sind im Nachteil, weil ihre Kategorien unter ihnen selbst heute höchst kontrovers sind. Geraten Funktionsträger der Kirchenorganisation in Konflikte theologischer oder politischer Art (Beispiele: J. Weigand/Kindertaufe; Pastorin E. Groth/politische Predigt), dann zeigt sich die herrschaftliche Struktur: die Kirchenleitung übt ihre Kontrollmacht über die Pfarrer nach ihren Kategorien aus; die Kontrolle der Theologen wird soweit herangezogen, als es den Kategorien der Kirchenleitung entspricht. Die Gemeinde aber, die nach reformatori-

schem Kirchenverständnis erste und letzte Kontrollinstanz sein müßte, spricht nur zwischendurch mit, wird, weil unfähig gemacht, als unfähig behandelt, von oben dirigiert statt nur beraten und hat letztlich nichts zu sagen.

4) Die Ausbildung an den theologischen Fakultäten geht auf den Nachwuchs für die Kaste der Wissenden, den akademischen Nachwuchs und die Pfarrer. Es liegt an der sozialen Konstitution unserer Theologie, daß die immer sichtbarer werdende Problematik des traditionellen Pfarramts, die unter den Pfarrern selbst viel erörtert wird, bisher so gut wie keine Rückwirkungen auf die Arbeit der theologischen Fakultäten gehabt hat, geschweige denn, daß diese in der Erörterung dieser Problematik vorangegangen wären und neue Perspektiven für ein Gemeindeleben ohne die Zentralfunktion des Pfarrers entwickelt hätten. Die durch das Kirchensteuersystem ermöglichte Versorgung der Gemeinden mit akademisch-theologisch ausgebildeten Pfarrern bleibt die Voraussetzung, damit auch das bisherige Berufsbild des Pfarrers: Er wird als Einzelarbeiter ausgebildet und geprüft, mit dem Monopol für Verkündigung, Sakramentsausteilung (also mit Voraussetzung des seit dem Frühkatholizismus ausgebildeten Sakramentsbegriffs: Sakrament als Gnadengabe, die vom Priester ausgeteilt wird), Seelsorge und Gemeindeleitung. Gestützt wird das mit einer Verkündigungs- und Wort-Gottes-Theologie, die als Legitimationstheorie für diese Zentralstellung des Pfarrers verwendet wird. Das Resultat sind teamunfähige Individualisten mit einer unerfüllbaren all-round-Aufgabe und Stabilisierung eines Predigtgottesdienstes, der nur in der Fiktion Gemeinde konstituiert, in Wirklichkeit diese zu einzelnen Predigthörern atomisiert[6].

Es ist hier nicht der Ort für die Frage, ob eine volkskirchliche Gemeinde anders behandelt und organisiert werden kann. Nur die Blickbegrenzung auf diese heute tief fragwürdig gewordene traditionelle Institutionalisierung soll dargestellt werden. Sie hängt mit der Verflechtung von Kirche und Theologie mit der bestehenden Gesellschaft und deren Überlieferungen zusammen.

Alternativen dazu, in denen ein anderes Entstehen und Wirken von Theologie erfahren wird, könnten unseren akademischen Theologiebetrieb ergänzen und auf ihn fruchtbar zurückwirken. Sie sind in unserem Bereich nur in kleinen und seltenen Ansätzen vorhanden. Wir finden sie bezeichnenderweise in Gegenden mit heftigeren sozialen Konflikten, also in der Dritten Welt, besonders in Lateinamerika, in den USA (Bürgerrechtsbewegung), im südlichen und westlichen Europa. Dort bilden sich christliche Gruppen, engagiert in sozialer und politischer Praxis, verwikkelt in manifesten Klassenkampf, für die sich die von den akademischen Institutionen (also gerade aus Deutschland) gelieferte Theologie als untauglich erweist, sowohl inhaltlich wie durch ihre Entstehungsweise.

Die in diesen Gruppen entstehende Theologie ist von unserer akademischen durch drei Momente unterschieden:

1) Nicht eine vorgeformte Theorie wird auf die Praxis angewendet, sondern aus christlich motivierter politisch-sozialer Befreiungspraxis wird Bibel gelesen, Gottesdienst und Eucharistie gefeiert, und daraus entsteht theologisches Fragen und Argumentieren.

2) Dies geschieht gemeinschaftlich, ohne Überordnung von theologischen Spezialisten. Und

3) es geschieht interdisziplinär, d. h. die Theologie entsteht durch die spannungsvolle Beziehung zwischen der christlichen Botschaft einerseits und der Berufstätigkeit der Gruppenmitglieder sowie der kollektiven Aktivität der Gruppe andererseits.

Damit verliert die Arbeitsteilung ihren trennenden Charakter, und dem theologischen Spezialisten in der Gruppe ist das Theologiemonopol und die Lehrautorität genommen. Theologie, Lehre und Formulierung des Bekenntnisses sind Angelegenheiten der ganzen Gruppe[7].

Mir scheint, ähnlich wie hier Theologie entsteht, ist sie in den frühchristlichen Gruppen entstanden. Eine solche andere Gestalt von Theologie müßte von uns akademischen Theologen gewünscht und theologisch ernst genommen werden.

VI

Die *Hochschulreform* ist einigen unter uns zum theologischen Kriterium geworden (ähnlich wie einst für K. Barth die Stellung zur Remilitarisierung und zur Atombewaffnung). Wie kann das geschehen, und was soll das heißen?

Nur eine winzige Minderheit der theologischen Hochschullehrer in Deutschland hat die Studentenrevolte begrüßt, sich mit ihr solidarisiert und ihre hochschulpolitischen Forderungen sich zu eigen gemacht; die weitaus überwiegende Mehrheit hat sie mit Befremden, Mißfallen, auch Furcht betrachtet, ein großer Teil hat sie entschieden abgelehnt und dem »Marburger-Manifest«, dann dem »Bund Freiheit der Wissenschaft« entweder sich angeschlossen oder doch wenigstens in der Gesinnung verbündet. Nirgends waren die theologischen Fakultäten Promotoren der neuen, die hochschulpolitischen Forderungen der Studenten und Assistenten wenigstens teilweise realisierenden Hochschulgesetze, meistens gehörten sie zu den bremsenden Gruppen.

Jener Minderheit fiel die Konvergenz zwischen den hochschulpolitischen Vorstellungen der Studentenbewegung und ihren eigenen Vorstellungen von der Ordnung christlicher Gemeinde auf – eine Konvergenz, die natürlich nicht zufällig ist; sie gehört in das Thema der Konvergenz von Christentum und Sozialismus hinein.

Die Studenten begnügten sich nicht mit einer in der sozialistischen Bewegung traditionellen Zwei-Reiche-Lehre, wonach die Organisationsform in der Kampfzeit (ein disziplinierter Zentralismus mit autoritärer Führung) sich gänzlich unterscheidet von der späteren Lebensweise in der künftigen Gesellschaft. Sie wollten jetzt schon diese Lebensweise vorwegnehmen mitten in der Klassengesellschaft als deren Gegenbild: in Wohngemeinschaften, in der Organisation der politischen Gruppe und – in Entsprechung dazu – soweit wie möglich auch in Schule und Hochschule.

Was ist eine theologische Fakultät? Ist sie Kirche in der Universität? So wollte es K. Barth demonstrieren, als er 1932 in Bonn seine Vorlesungen mit Choral und Losungen begann. Faktisch ist aber – so wird man wohl sagen müssen – eine theologische Fakultät eher ein besonders massives Stück Welt in der Kirche, gänzlich angepaßt an die Strukturen einer durch Traditionen und Bedürfnisse einer Klassengesellschaft geprägten Wissenschaftsinstitution, hierarchisch, arbeitsteilig, mit Autoritätsorganisation, Prüfungsmethoden, Leistungsforderungen, die unbesehene Geltung für die theologische Fakultät ebenso wie für die anderen Fakultäten haben.

Ist die theologische Fakultät Organ der Kirche, gilt auch für sie Barmen III und IV? Wenn ja, dann dürfte es nicht so absurd gewesen sein, wie man es gefunden hat, wenn ich 1971 in meinem Abschiedsbrief an das Kollegium der Kirchlichen Hochschule Berlin geschrieben habe, die Strukturen der Hochschule seien nach meiner Meinung evangeliumswidrig. Eine solche Frage schon, Hochschulstatuten mit dem Evangelium in Verbindung zu bringen, erschien auch mir theologisch nahestehenden Kollegiumsmitgliedern höchst abwegig. Die theologische Diskussion über lutherische Zwei-Reiche-Lehre und Barthsche Entsprechungslehre, die Darstellungen neutestamentlicher Gemeindeordnung (E. Schweizer, E. Käsemann usw.) brachten uns nicht auf den Gedanken, von daher die Ordnungen der theologischen Fakultäten und dann auch (nach Barthscher Entsprechung!) der Hochschulen zu überprüfen – bis die Studenten einige von uns auf diesen Gedanken brachten: es könnte die Aufgabe einer theologischen Fakultät sein, sich als »herrschaftsfreie Bruderschaft« zu gestalten und dadurch[8] auch den anderen Fakultäten eine neue Gestalt der »Gemeinschaft der Lehrenden und Lernenden« vorzumachen.

Von daher wurde uns (mit Hilfe der studentischen Kritik) die bisherige Gestalt als eine Herrschaftsform erkennbar, deren Lasten und Schäden wie üblich man nicht oben, sondern unten zu fühlen bekommt, und wir spürten den Rückwirkungen dieser Herrschaftsform auf das Verhältnis der Dozenten zu Assistenten, Studenten und Dienstkräften, aber auch auf unser theologisches Denken nach. Hier fanden wir dann auch den Grund für die allseitige Reformunfähigkeit der theologischen Fakultäten. Sie haben sich als unfähig erwiesen, vorstoßende Beiträge zu geben zur Kirchenreform, zur Reform der Pfarrerausbildung, zur Reform des repressiven Prüfungswesens, dessen Unmöglichkeit jeder Psychologe klar machen kann und das besonders ungeeignet ist, die Qualifikation zum Pfarramt zu ermitteln; daß unsere Theologiestudenten geistlich verkommen, müssen wir seit Jahrzehnten hilflos ansehen, strukturell an Besserung gehindert.

Wie immer bei juristisch abgesicherten Autoritätsstrukturen gibt es auch hier eine Menge von Legitimationsargumenten (bis zum Hochschulurteil des Bundesverfassungsgerichts), deren ideologischen Charakter wir nun endlich durchschauen konnten. (Aus Theologenmund kann man sogar die Gleichsetzung der Theologie mit einer technischen Fertigkeitenlehre vernehmen: »Ein Brückenbaulehrling kann nicht bei Brückenbaulehre mitbestimmen« oder: »Möchten Sie sich in einen Zug setzen, dessen Lokomotivführer unzulänglich ausgebildet ist?«) Die geschichtliche Erfahrung zeigt, wie diese Legitimationsargumente die Unfähigkeit einer herrschenden Schicht, das Funktionieren einer demokratischen Ordnung sich vorzustellen, ausdrücken und dann jeweils durch diese Ordnung widerlegt werden.

Wie wirkt sich eine konsequente Mitbestimmungsordnung aus, bei der gilt: jede Gruppe (Dozenten, Assistenten, Studenten, andere Dienstkräfte) ist an allen Entscheidungen in allen Gremien des Instituts oder Fachbereichs durch ihre stimmberechtigten Vertreter verantwortlich beteiligt mit der Maßgabe, daß

1) wie auch das jeweilige Gremium im einzelnen zusammengesetzt sein mag, keine Gruppe von vornherein die Mehrheit hat und

2) möglichste Öffentlichkeit (mit möglichst kleinem Negativkatalog) gewährleistet wird? Erste Erfahrungen nach vier Jahren: ohne Euphorie, aber doch so positiv, daß keiner der Beteiligten mehr auch nur einen Schritt hinter den jetzigen Status zurück will:

- Der Verlust juristischer Absicherung zwingt jeden Hochschullehrer, seine Sachautorität nur noch argumentativ zur Geltung zu bringen.
- Die Verantwortung für den Lehrbetrieb liegt auf allen Gruppen gemeinsam und gleichermaßen. Der Lehrbetrieb ist ihr gemeinsames Werk; die Lehrveranstaltungen sind nicht mehr Besitz des Hochschullehrers, der über sie allein verfügt. Gemeinsame Verantwortung und gemeinsames Risiko erhöhen Verantwortungsgefühl und Beteiligungsimpuls aller.
- Die bisherigen Sperren im Umgang von Lehrenden und Lernenden fallen weg, die Gesprächsfähigkeit aller nimmt zu. Es produzieren nicht mehr asoziale Professoren asoziale Privatdozenten und asoziale Pastoren; sie alle lernen, im Team zu arbeiten.
- Theologie wird als gemeinsamer Lernprozeß erfahren. Lehrende scheuen sich nicht mehr, als Lernende zu erscheinen. Theologische Erkenntnis ist nicht mehr Lehre von Wissenden, die von Unwissenden, bei denen dann oft genug Trotzreaktionen antworten, zu akzeptieren ist, sondern entsteht immer neu durch Kommunikation und gemeinsame Entdeckungen.
- Die Blickbegrenzungen des theologischen Lehrers werden aufgehoben durch das, was die Jüngeren an anderen Gesichtspunkten und Kenntnissen einzubringen haben, auch aus anderen Fachwissenschaften. Theologie geschieht in interdisziplinärem Bezug.
- Die anderen Dienstkräfte (Sekretärinnen, Schreibkräfte usw.) werden aus ihrem Befehlsempfängerdasein als bloß technische Arbeitskräfte befreit. Sie sind an dem, womit sie zu tun haben, verantwortlich beteiligt, gewinnen eigenes Verständnis und werden kompetent zur Mitsprache. Die fachlichen Probleme werden zu ihren eigenen, ihre Probleme werden zu denen des ganzen Instituts.
- Da durch die allgemeine Mitbestimmung Angehörige aller Gruppen des theologischen Instituts (bzw. Fachbereichs) in allen Gremien der Universität mitwirken, sind jetzt Studenten und Dienstkräfte ebenso wie bisher nur die Hochschullehrer Repräsentanten der Theologie in diesen Gremien, werden nach Theologie gefragt und haben über Theologie als über ihre eigene Sache Rede und Antwort zu stehen.
- Bei soviel Mitbestimmenden gibt es immer nicht wenige, die in verschiedenen kirchlichen, politischen und sozialen Aktivitäten stehen und von daher Probleme, Anregungen und Aufforderung zur Beteiligung in die akademischen Gremien hereinbringen. Ein theologisches Institut (bzw. Fachbereich) wird dadurch, wie es sich für einen christlichen Kreis gehört, unvermeidlich mit vielen (scheinbar) unwissenschaftli-

chen und untheologischen Zeitfragen befaßt. Theologie geschieht nun unentrinnbar »zwischen Bibel und Zeitung« (K. Barth). Die gemütliche Brutalität, mit der gut gefrühstückt habende Existentialisten und Evangelikale bestreiten, daß das Evangelium auf Gesellschaftsveränderung dränge, kann hier nicht aufkommen. *Daß* Glaube und Politik zusammengehören, wird täglich erfahren; *wie* sie zusammengehören, muß für immer neue Situationen gemeinsam erfragt werden.

Solche Umwandlung von Subordinationsverhältnissen in Kooperationsverhältnisse zu verweigern, würde die theoretischen Erwägungen über Entsprechungsbeziehungen von Glaube und Politik zu bloß theoretischen stempeln. Wir würden unterlassen, bei uns selbst und im Bereich des uns Möglichen praktisch anzufangen. Die gegensätzliche Reaktion auf die studentische Forderung nach jener Umwandlung hat große Entfremdung zwischen bis dahin theologisch sich nahe Stehenden geschaffen. Ein Verbot, dies dürfe nicht geschehen, weil Theologie recht verstanden doch nicht zu hochschulpolitischen Vorschriften führen dürfe, hilft hier nicht weiter. Als ich als Student einmal gegen Barth einwendete, das Trinken dieses Glases Bier sei doch sicher ein Adiaphoron, antwortete er mir, dies könne ich sicher nicht behaupten, da ich es ja im Kontext von Gottes Gebot verantworten müsse, und zwar nicht nur gegenüber Gott, sondern auch gegenüber mich fragenden Menschen. So sind auch hochschulpolitische Entscheidungen gegenüber jener »Richtung und Linie« zu verantworten. An ihnen kommt heraus, welche Gesellschaft wir wollen, und dies hängt doch sicher damit zusammen, welche Kirche und was wir als Kirche wollen. Bei der Bemühung um die Erkenntnis dessen aber, was wir wollen sollen, werden wir nicht unterlassen können, die Bedingungen und Verursachungen unseres bisherigen Wollens zu reflektieren, also unser Beeinflußtwerden durch unsere Stellung in der Gesellschaft, und also auch die Behauptung ernsthaft zu erwägen, auch diese unsere bürgerliche Gesellschaft sei immer noch eine von Klassenherrschaft geprägte Klassengesellschaft.

Anmerkungen:

1. Vgl. K. Barth, Kirchliche Dogmatik I/1, § 1.
2. Vgl. K. Barth / E. Thurneyen, Briefwechsel 1. 1913–1921 (K. Barth-Gesamtausgabe V, Briefe), 1973, passim; dies., Briefwechsel 2. 1921–1930 (K. Barth-Gesamtausgabe V, Briefe), 1974, passim.
3. F. Houtart / A. Rousseau, Ist die Kirche eine antirevolutionäre Kraft?, 1973, 314 f: »Es ist auf jeden Fall klar, daß jedes ethische Urteil ebenso wie jeder Versuch der Veränderung ohne eine Analyse der Beziehungen zwischen dem religiösen und

dem politischen Bereich nicht auskommt. Wer dies leugnet – und damit einer bestimmten theologischen Richtung folgt –, würde schon dadurch einer Haltung verfallen, die sich gegen die gesellschaftliche Veränderung stellt. Die Neugestaltung der Lehre allein genügt nicht, selbst wenn eine ›politische Theologie‹, d. h. eine, die sich selbst als notwendig politisch relevant begreift, erarbeitet wird. Die institutionelle Praxis besitzt ein beträchtliches Eigengewicht . . . Die Veränderung der Institution gehört daher zu den unabdingbaren Voraussetzungen. Dies ist der Grund, warum diejenigen, die sich mit der in diesem Buch gestellten Frage beschäftigen und eine größere Kongruenz der Botschaft Jesu Christi und der Identität der unterdrückten gesellschaftlichen Gruppen wünschen, weder um diese Analyse herumkommen noch auf eine dauerhafte doppelte Aktion verzichten können, die sich sowohl auf die religiöse Lehre als auch auf den Institutionalisierungsmodus bezieht.«

4. F. Rehbein, Das Leben eines Landarbeiters, hg. von P. Göhre, 1911, 173; Neuausgabe Sammlung Luchterhand 137, 1973, 187 (Zitat im Wortlaut etwas verändert zur Verständlichkeit außerhalb des Kontextes). Die Lektüre sei empfohlen zur Veranschaulichung dessen, was mit »Standort unten« gemeint ist. Daß die hier so eindrücklich geschilderte Klassengesellschaft der Jahrhundertwende heute infolge der – nicht zu leugnenden und wahrhaftig begrüßenswerten – sozial-staatlichen Reformen nicht mehr vorhanden sei, gehört zu den Abwehr-Illusionen ebenso wie die Legende, es gebe in den Industrieländern dank der »Verbürgerlichung« der Arbeiter kein Proletariat mehr. Die Legende dient der Erhaltung oder Wiedergewinnung des guten Gewissens derer, die oberhalb sind. Mit ihr hängt der Provinzialismus der deutschen kirchlich-theologischen Situation zusammen, von dem Philipp Potter kürzlich zur Entrüstung von Bischof Wölber gesprochen hat: es korrespondiert der noch relativ prosperierende Zustand der bundesrepublikanischen Wohlstandsoase mit dem noch unangefochten konservativen Theologie-Betrieb an den westdeutschen Fakultäten.

5. Dies gilt nicht nur für die Bekenntnisbildung im 16. Jahrhundert, sondern wie Barmer Erklärung, Arnoldshainer Abendmahlsthesen und Leuenberger Konkordie zeigen, ebenso im 20. Jahrhundert.

6. Vgl. dageen die Schilderung des Gottesdienstes der paulinischen Gemeinden in dem Aufsatz von K. Wengst, Das Zusammenkommen der Gemeinde und ihr ›Gottesdienst‹ nach Paulus, in: EvTh 33, 1973, 547–559.

7. Beispielhaftes Anschauungsmaterial: die Berichte über Isolotto, über Gruppen der Civil-Rights-Bewegung, über die Kreise um die Brüder Berrigan, die Aktionskreise der »Christen für den Sozialismus« in Lateinamerika, die Schul- und Stadtteilarbeit in Cinisello (in: ESG-Nachrichten, 1. 7. 1974), das von Hollenweger herausgegebene Buch, Kirche, Benzin, Bohnensuppe. Auf den Spuren dynamischer Gemeinden, 1971, die Hefte der »Integrierten Gemeinde« (katholisch) in München und R. G. H. Boitens Bericht, Gastfreie Kirche praktiziert in Amsterdam Oudezijds 100, (ThExh 172), 1972.

8. Vgl. K. Barth, Kirchliche Dogmatik IV/2, § 67,4: Die Ordnung der Gemeinde, 765 ff.

Nachweise

Einige Leitsätze zur christlichen Beteiligung am politischen Leben, in: Junge Kirche 25, 1964, 620–623.

Die Revolution des Reiches Gottes und die Gesellschaft, in: Diskussion zur »Theologie der Revolution«. Hg. von E. Feil und R. Weth, Chr. Kaiser Verlag, München/Matthias-Grünewald-Verlag, Mainz 1969, 41–64.

Die Weltverantwortung der Kirche in einem revolutionären Zeitalter, in: Die Zukunft der Kirche und die Zukunft der Welt. Die Synode der EKD 1968 zur Weltverantwortung der Kirche in einem revolutionären Zeitalter. Im Auftrag der Synode herausgegeben von E. Wilkens, Chr. Kaiser Verlag, München 1968, 69–96.

Der Wille Gottes und die gesellschaftliche Wirklichkeit, in: Gesellschaft und Entwicklung 1, 1972, 34–37.

Luthers Ethik, in: R. Italiaander (Hg.), Moral wozu?, Delp'sche Verlagsbuchhandlung, München 1972, 114–139.

Das Menschenleben und der Krieg der Menschen, in: Die Masken des Krieges. Hg. von H. Frevert, Signal Verlag, Baden-Baden 1969, 7–18.

Zur Anthropologie des Friedens, in: H. Schulze / H. Schwarz (Hg.), Christsein in einer pluralistischen Gesellschaft. Festschrift für Walter Künneth zum 70. Geburtstag, Friedrich Wittig Verlag, Hamburg 1971, 376–391; auch in: Junge Kirche 31, 1970, 255–266.

Zum Problem der Gewalt in der christlichen Ethik, in: Freispruch und Freiheit. Theologische Aufsätze für Walter Kreck zum 65. Geburtstag. Hg. in Zusammenarbeit mit H. Reiffen und B. Klappert v. H.-G. Geyer, Chr. Kaiser Verlag, München 1973, 148–167.

Theologie-Studium und sozialistisches Studium, in: Quellen zur Geschichte des deutschen Protestantismus von 1945 bis zur Gegenwart, 2. Teil. Hg. von K. Kupisch, Siebenstern-Taschenbuch 160, Hamburg 1971, 103–105.

Die gesellschaftlichen Implikationen des Evangeliums, in: Christliche Freiheit im Dienst am Menschen. Festschrift zum 80. Geburtstag von Martin Niemöller, Otto Lembeck Verlag, Frankfurt/M. 1972, 141–152.

Muß ein Christ Sozialist sein?, in: Jenseits vom Nullpunkt? Christsein im westlichen Deutschland. Mit einem Geleitwort von Gustav W. Heinemann, hg. von R. Weckerling u. a., Kreuz-Verlag, Stuttgart/Berlin 1972, 151–170.

Zur »schwarzen Theologie«, in: Evangelische Theologie 34, 1974, 43–69.

Klassenkampf ist keine Illusion, in: Lutherische Monatshefte 13, 1974, 561–565.

Hic et nunc, in: Evangelische Theologie 35, 1975, 382–397.

Helmut Gollwitzer

Krummes Holz – aufrechter Gang

Zur Frage nach dem Sinn des Lebens. 7. Auflage. 388 Seiten. Leinen.

»Von allen bisher erschienenen Werken Gollwitzers ist dieses das beste und reifste Buch; geschrieben mit der Leidenschaft eines Fragenden, doch zugleich in der Besonnenheit und Abgewogenheit genauer Formulierungen; verfaßt mit Hingabe an den fernsten Leser, doch zugleich in der unbestechlichen Verantwortung des christlichen Glaubens. Es ist eine systematische Denkleistung von ungewöhnlichem Format, der der Leser begegnet.

Erstaunlich die Belesenheit, die Kenntnis der subtilsten Regungen und geistigen Bewegungen des neuzeitlichen Menschen!

Und doch sucht man das apologetische Klischee vergeblich. Diesem Buch wünscht man eine weite Verbreitung und aufmerksame Leser.«

Prof. D. H.-J. Kraus, Göttingen

»So eindringlich die Absage eines erklärten Sozialismusfreundes an den Marxismus als Weltanschauung und Ersatzreligion auch ist, so präzise und überzeugend sie begründet wird – seine größte Tiefe erreicht das Werk in der positiven Wendung zur Sinnerfahrung im christlichen Glauben. Noch nie ist der christliche Vergebungsgedanke mit größerer Eindringlichkeit vermittelt worden als hier. Ein großes und notwendiges Buch des Trostes und der Gewißheit.«

Sepp Schelz in Deutsches Allgemeines Sonntagsblatt

»Gollwitzer hat sich den verschlissensten, undeutlichsten, korruptesten philosophischen Begriff, den des Sinns, aus dem Zeitvokabular herausgegriffen und an ihm heute und hier Theologie demonstriert und aus solchem ›krummen Holz‹ ›aufrechten Gang‹ zu machen gesucht, Kants Skepsis sowohl wie Blochs Utopismus zwar gewiß nicht miteinander vermittelnd, aber doch ins Spiel eines mehr als bloß philosophischen Denkens transponierend. Auf die Sinnfrage, weil sie zuletzt die Gottesfrage ist, kann es nur eine theologische Antwort oder eben die praktische, rundum getätigte des Nihilismus geben. Das ist der Ertrag dieses wichtigen Buches.«

Joachim Günther in Neue Deutsche Hefte

CHR. KAISER VERLAG